BONNER BIBLISCHE BEITRÄGE

HERAUSGEGEBEN VON

DR. DR. G. JOHANNES BOTTERWECK · DR. HEINRICH ZIMMERMANN

Professoren der Katholisch-Theologischen Fakultät der Universität Bonn

Band 44

DAS HEILSGESCHICHTLICHE CREDO IN DEN REDEN DER APOSTELGESCHICHTE

von

KLAUS KLIESCH

PETER HANSTEIN VERLAG GMBH KÖLN-BONN

ISBN 3-7756-1043-X
© 1975 by Peter Hanstein Verlag GmbH, Köln-Bonn
Herstellung: Graph. Betrieb Eric Freudenhammer, 5303 Bornheim-Sechtem.

VORWORT

Die vorliegende Untersuchung wurde im Wintersemester 1974/75 von der Katholisch-Theologischen Fakultät der Rheinischen Friedrich-Wilhelms-Universität zu Bonn als Dissertation angenommen. Den Herausgebern und dem Verlag danke ich für die Aufnahme meiner Arbeit in die Bonner Biblischen Beiträge. Sie haben mir dies nicht zuletzt dadurch ermöglicht, dass ich anstelle einer kostspieligen Drucklegung das einfachere Offset-Verfahren wählen konnte. Dem unermüdlichen Einsatz von Frau Therese Groos verdanke ich die Erstellung des Manuskriptes.

Besonderen Dank schulde ich meinem Lehrer, Herrn Professor Dr.Heinrich Zimmermann. Als Priester und Wissenschaftler hat er mich an das Neue Testament herangeführt und zur Dissertation ermuntert. Als sein Assistent durfte ich in der Zeit vom WS 1971/72 bis zum SS 1974 tiefer in die neutestamentliche Wissenschaft eindringen und die Arbeit über die Reden der Apostelgeschichte beginnen und zum Abschluß bringen.

Danken möchte ich den Kindern, Angestellten und Schwestern des Kinderheimes Maria im Walde. Sie haben mir die wissenschaftliche Arbeit erleichtert und mich in der Erfahrung bestärkt, dass die neutestamentliche Forschung nur zu verantworten ist, wenn sie den Priester zu grösserem Gehorsam gegenüber dem Wort Gottes und zu restlosem Einsatz für das Heil der Menschen antreibt.

Diese Jahre als Assistent und Hausgeistlicher wären nicht möglich gewesen ohne die Freistellung von der Gemeindearbeit im Bistum Berlin. So habe ich meinem Bischof, Herrn Erzbischof Alfred Kardinal Bengsch, sehr zu danken.

Bonn, am 29. Juni 1975   Klaus Kliesch

INHALTSVERZEICHNIS

LITERATURVERZEICHNIS

Die Abkürzungen sind im Lexikon für Theologie und Kirche, Bd. I, Freiburg i.Br. ²1957, 7*-11*, 16*-48* entnommen. Darüber hinaus werden folgende Abkürzungen gebraucht:

AnBibl	Analecta Biblica
BiLe	Bibel und Leben
BK	Biblischer Kommentar
BU	Biblische Untersuchungen
NTTS	New Testament Tools and Studies
SBS	Stuttgarter Bibel-Studien
StANT	Studien zum Alten und Neuen Testament
StN	Studia Neotestamentica
StNT	Studien zum Neuen Testament
StUNT	Studien zur Umwelt des Neuen Testaments
ThB	Theologische Bücherei
ThWAT	Theologisches Wörterbuch zum Alten Testament
ThWNT	Theologisches Wörterbuch zum Neuen Testament
WMANT	Wissenschaftliche Monographien zum Alten und Neuen Testament

1. Textausgaben

Biblia Hebraica, ed. Kittel, R., Stuttgart ¹³1962

Septuaginta. Vetus Testamentum Graecum. Auctoritate Academiae Litterarum Gottingensis editum, Göttingen 1931 ff

Septuaginta. Id est Vetus Testamentum graece juxta LXX interpretes, Rahlfs, A., Stuttgart ⁹1971

Novum Testamentum Graece. Editio octava critica maior, Tischendorf, C., Leipzig 1869-1872 (Neudruck 1965)

Novum Testamentum Graece et Latine, ed. Vogels, H.J., Freiburg i.Br. ⁴1955

Literaturverzeichnis

Novum Testamentum Graece, ed. Nestle, E., - Aland, K.,
Stuttgart ^{25}1963

The Greek New Testament, ed. by Aland, K., Black, M.,
Martini, C.M., Metzger, B.M., Wikgren, A.,
Stuttgart ^{2}1968

Synopsis Quattuor Evangeliorum, ed. Aland, K.,
Stuttgart ^{4}1967

Ropes, J.H., The Text of the Acts: The Beginnings of
Christianity I.3, London 1926

Clark, A.C., The Acts of the Apostles, Oxford 1933
(Neudruck 1970)

Cohn, L., Wendland, P., Reiter, L., Philonis Alexandrini
Opera quae supersunt, Berlin 1896 ff (Neudruck 1962)

Fischer, J.A., Die Apostolischen Väter (Schriften des
Urchristentums I), Darmstadt ^{2}1958

Kautsch, E., Die Apokryphen und Pseudepigraphen des Alten Testaments, Tübingen 1900 (2., unveränderter
Neudruck 1962)

Lohse, E., Die Texte aus Qumran. Hebräisch und Deutsch.
Mit masoretischer Punktation, Übersetzung, Einführung und Anmerkungen, Darmstadt 1964

Maier, J., Schubert, K., Die Qumran-Essener. Texte der
Schriftrollen und Lebensbild der Gemeinde (UTB
224), München 1973

Michael O., Bauernfeind O., Flavius Josephus. De Bello
Judaico. Der Jüdische Krieg. Zweisprachige Ausgabe, Darmstadt 1959-1969

Niese, B., Flavii Josephi Opera, Berlin 1887 ff (Neudruck 1955)

Riessler, P., Altjüdisches Schrifttum ausserhalb der
Bibel, Heidelberg 1928 (Neudruck 1966)

2. Hilfsmittel und Lexika

Bauer, W., Griechisch-Deutsches Wörterbuch zu den Schriften des Neuen Testaments und der übrigen urchristlichen Literatur, Berlin ^{5}1963

Beyer, K., Semitische Syntax im Neuen Testament I: Satzlehre Teil 1 (StUNT 1), Göttingen ^{2}1968

Blaß, F., Debrunner, A., Grammatik des neutestamentlichen Griechisch, Göttingen ^{12}1965 mit Ergänzungsheft zur 12.Auflage von D. Tabachovitz

Cornfeld, G., Botterweck, G.J., (Hrsg.), dtv-Lexikon. Die Bibel und ihre Welt. Eine Enzyklopädie, München 1972

Die Religion in Geschichte und Gegenwart. Handwörterbuch für Theologie und Religionswissenschaft, hrsg. von Galling, K., Tübingen ^{3}1957 ff

Hatch, E., Redpath, H.A., A Concordance to the Septuagint and the other Greek Versions of the Old Testament, Oxford 1897 (Neudruck 1954)

Kraft, H., Clavis Patrum Apostolicorum, Darmstadt 1964

Lexikon für Theologie und Kirche, hrsg. von Höfer, J., Rahner, K., Freiburg i.Br. ^{2}1958 ff

Morgenthaler, R., Statistik des neutestamentlichen Wortschatzes, Zürich - Frankfurt a.M. 1958

Moulton, W.F., Geden, A.S., A Concordance to the Greek New Testament, Edinburgh ^{4}1963

Steyer, G., Handbuch für das neutestamentliche Griechisch. I: Formenlehre, Berlin 1962; II: Satzlehre, Berlin 1972

Theologisches Wörterbuch zum Neuen Testament, hrsg. von Kittel, G., Friedrich, G., Stuttgart 1933 ff

Theologisches Wörterbuch zum Alten Testament, hrsg. von Botterweck, G.J., Ringgren, H., Stuttgart 1970 ff

3. Kommentare zur Apostelgeschichte

Bauernfeind, O., Die Apostelgeschichte (ThHK V),
      Leipzig 1939

Billerbeck, P., (Strack, H.L.), Kommentar zum Neuen Te-
      stament aus Talmud und Midrasch. 2.Band. Das Evan-
      gelium nach Markus, Lukas und Johannes und die
      Apostelgeschichte, München ^{5}1969

Conzelmann, H., Die Apostelgeschichte (HNT 7), Tübingen
      ^{2}1972

Felten, J., Die Apostelgeschichte, Freiburg i.Br. 1892

Haenchen, E., Die Apostelgeschichte (Meyer K III),
      Göttingen ^{15}1968

Holtzmann, H.J., Die Apostelgeschichte (HNT I.1),
      Tübingen ^{3}1901

Lake, K., Cadbury, H.J., English Translation and Commen-
      tary: The Beginnings of Christianity I.4, Lon-
      don 1933

–   Additional Notes to the Commentary: The Begin-
      nings of Christianity I.5, London 1933

Stählin, G., Die Apostelgeschichte (NTD 5), Göttingen
      ^{12}1968

Wendt, H.H., Die Apostelgeschichte (Meyer K 3.Abt.),
      Göttingen ^{9}1913

de Wette, W.M.L., Kurze Erklärung der Apostelgeschichte
      (Kurzgefasstes exegetisches Handbuch zum Neuen
      Testament I.4), Leipzig ^{4}1870

Wikenhauser, A., Die Apostelgeschichte (RNT 5), Regens-
      burg ^{4}1961

4. Sonstige benutzte Literatur

Baillet, M., Un receuil liturgique de Qumrân, grotte 4:
        "Les Paroles des Luminaires": RB 68 (1961)
        195-250

Balz, H., Art. τεσσεράκοντα κτλ. : ThWNT VIII, 134-139

-        Art. φοβέω κτλ. : ThWNT IX, 186-216

Bauernfeind, O., Art. μάταιος : ThWNT IV, 525-528

Becker, J., Das Heil Gottes. Heils- und Sündenbegriffe
        in den Qumrantexten und im Neuen Testament
        (StUNT 8), Göttingen 1964

Bertram, B., Art. ἔργον, ἐργάζομαι κτλ. : ThWNT II,
        631-649

-        Art. εὐεργετέω κτλ. : ThWNT II, 651-653

-        Art. κριτής : ThWNT III, 944

-        Art. παιδεύω : ThWNT V, 596-624

-        Art. ὑψόω κτλ. : ThWNT VIII, 604-611

-        Art. φυλάσσω : ThWNT IX, 232-237

Beutzen, A., Daniel (HAT 19), Tübingen [2]1952

Bihler, J., Die Stephanusgeschichte im Zusammenhang der
        Apostelgeschichte (MthST (H) 16), München 1963

-        Martin H. Scharlemann, Stephen: A Singular Saint:
        Bibl 51 (1970) 149-152

Billerbeck, P., (H.L.Strack), Kommentar zum Neuen Testa-
        ment aus Talmud und Midrasch, I - IV, München
        [5]1969

Bornkamm, G., Glaube und Vernunft bei Paulus (Gesammelte
        Aufsätze Band II), München 1963, 119-137

Borse, U., Der Rahmentext im Umkreis der Stephanusge-
        schichte (Apg 6,1-11,26): BiLe 14 (1973), 187-204

-        Von Paulus zu Saulus: Bestellt zum Zeugnis (Fest-
        schr.für Bischof Dr.Johannes Pohlschneider, hrsg.
        von Delahaye, K., Gatz, E., Jorissen, H.), Aachen
        1974, 31-53

Bousset, W., Kyrios Christos. Geschichte des Christus-
       glaubens von den Anfängen des Christentums bis
       Irenaeus (FRLANT 21), Darmstadt [5]1965

-      Die Religion des Judentums im späthellenistischen
       Zeitalter (HNT 21), Tübingen [4]1966

Bouwman, G., Die Erhöhung Jesu in der lukanischen Theo-
       logie: BZ NF 14 (1970), 257-263

Braun, H., Zur Terminologie der Acta von der Auferste-
       hung Jesu: ThLZ 77 (1952), 533-536

-      Art. ποιέω κτλ.: ThWNT VI, 456-483

Büchsel, F., Art. εἴδωλον : ThWNT II, 373-375
-      Art. κρίνω : ThWNT III, 920-942

Bultmann, R., Art. ἀλήθεια : ThWNT I, 233-248

-      Art. πειθαρχέω : ThWNT VI, 9f

-      Art. στρέφω : ThWNT VII, 714f

-      Bekenntnis und Liedfragment im 1 Petrusbrief:
       Conjectanea Neotestamentica XI in honorem Antonii
       Friedrichsen Sexagenarii, Lund 1947, 1-14

-      Theologie des Neuen Testaments (Neue Theologische
       Grundrisse), Tübingen [5]1965

Burger, Ch., Jesus als Davidsohn. Eine traditionsge-
       schichtliche Untersuchung (FRLANT 98), Göttingen
       1970

Bussmann, C., Themen der paulinischen Missionspredigt
       auf dem Hintergrund der spätjüdisch-hellenisti-
       schen Missionsliteratur (Europäische Hochschul-
       schriften Reihe XXIII, Bd. 3), Frankfurt a.M. 1971

Conzelmann, H., Die Mitte der Zeit (BHTh 17), Tübingen
       [5]1964

-      Die Rede des Paulus auf dem Areopag: Theologie als
       Schriftauslegung. Aufsätze zum Neuen Testament
       (BEvTh 65), München 1974, 91-105

-      Art. χάρις κτλ. : ThWNT IX, 363-392

Delling, G., Art. ἡμέρα   : ThWNT II, 945-956

-    Art. καταλαμβάνω   : ThWNT IV, 10

-    Art. ἐκπληρόω   : ThWNT VI, 305f

-    Art. χρόνος   : ThWNT IX, 576-589

-    Art. ὥρα   : ThWNT IX, 675-681

-    Israels Geschichte und Jesusgeschehen nach Acta:
     Neues Testament und Geschichte. Historisches Ge-
     schehen und Deutung im Neuen Testament (Festschr.
     für O. Cullmann), Tübingen 1972, 187-197

-    Die Jesusgeschichte in der Verkündigung nach Acta:
     NTS 19 (1973), 337-389

Dibelius, M., Die Pastoralbriefe (HNT 13), Tübingen
     [4]1966

-    Paulus auf dem Areopag: Aufsätze zur Apostelge-
     schichte (FRLANT NF 42), Göttingen [5]1968, 29-70

-    Die Reden der Apostelgeschichte und die antike
     Geschichtsschreibung: Aufsätze zur Apostelgeschich-
     te, 120-162

Dietrich, W., Das Petrusbild der lukanischen Schriften
     (BWANT 94), Stuttgart 1972

Dupont, J., Le Discours devant L'Aréopage et la Révéla-
     tion Naturelle: Études sur les Actes des Apôtres
     (Lectio Divina 45), Paris 1967, 157-160

Eichrodt, W., Der Prophet Hesekiel (ATD 22), Göttingen
     [3]1968

-    Theologie des Alten Testaments II/III, Stuttgart,
     Göttingen [5]1964; I [8]1968

Eiger, G., (Hrsg.), Platon. Werke in 8 Bänden. Grie-
     chisch und Deutsch. 2.Band, Darmstadt 1973

Eissfeld, O., Einleitung in das Alte Testament,
     Tübingen [3]1964

Eltester, W., Gott und die Natur in der Areopagrede:
       Neutestamentliche Studien für Rudolf Bultmann
       (BZNW 21), Berlin 1954, 202-227

Fischer, J.A., (Hrsg.), Die Apostolischen Väter (Schrif-
       ten des Urchristentums 1.Teil), Darmstadt 1966

Foerster, W., Art. κλῆρος   : ThWNT III, 757-763

-      Art. σέβασμα   : ThWNT VII, 173

-      Stephanus und die Urgemeinde. Dienst unter dem
       Wort (Festschr.für H. Schreiner), Gütersloh 1953,
       9-30

Fohrer, G., Galling, K., Ezechiel (HAT 13), Tübingen
       1955

Gärtner, B., The Areopagus Speech and Natural Revela-
       tion (ASNU XXI), Uppsala 1955

Gerhardsson, B., Memory and Manuscript. Oral Tradition
       and Written Transmission in Rabbinic Judaism and
       Early Christianity (ASNU XXII), Kopenhagen ^{2}1964

Glöckner, R., Die Verkündigung des Heils beim Evangeli-
       sten Lukas, Diss.theol. Bonn 1974

Gnilka, J., Der Epheserbrief (HThK X.2), Freiburg i.Br.
       1971

Greeven, H., Art. ζητέω   : ThWNT II, 894-896

Grundmann, W., Das Evangelium nach Matthäus (ThHK I),
       Leipzig ^{2}1971

-      Das Evangelium nach Lukas (ThHK 3), Berlin ^{6}1971

-      Art. δεξιός   : ThWNT II, 37-39

-      Art. δύναμαι / δύναμις : ThWNT II, 286-318

Gutbrod, W., Art. ἄνομος   : ThWNT IV, 1079f

Haag, E., Studien zum Buche Judith. Seine theologische
       Bedeutung und literarische Eigenart (Trierer
       theologische Studien 16), Trier 1963

Hahn, F., Christologische Hoheitstitel. Ihre Geschichte
     im frühen Christentum (FRLANT 83), Göttingen
     [3]1966

v.Harnack, A., Lukas der Arzt. Der Verfasser des dritten
     Evangeliums und der Apostelgeschichte. Eine Unter-
     suchung zur Geschichte der Fixierung der urchrist-
     lichen Überlieferung (Beiträge zur Einleitung in
     das NT, 1.Heft), Leipzig 1906

Harnisch, W., Verhängnis und Verheißung der Geschichte
     (FRLANT 97), Göttingen 1969

Hauck, F., Art. ὀφείλω   : ThWNT V, 559-564

Hempel, J., Geschichten und Geschichte im Alten Testa-
     ment bis zur persischen Zeit, Gütersloh 1964

Hengel, M., Judentum und Hellenismus (WUNT 10), Tübin-
     gen 1969

Hertzberg, H.W., Die Bücher Josua, Richter, Ruth
     (ATD 9), Göttingen [4]1969

-     Die Samuelbücher (ATD 10), Göttingen [4]1968

Hesse, F., Abschied von der Heilsgeschichte (Theologi-
     sche Studien 108), Zürich 1971

Holtz, T., Untersuchungen über die alttestamentlichen
     Zitate bei Lukas (TU 104), Berlin 1968

Hommel, H., Neue Forschungen zur Areopagrede Acta 17:
     ZNW 46 (1955), 145-178

-     Platonisches bei Lukas: ZNW 48 (1957), 193-200

In der Smitten, W.Th., Esra. Quellen, Überlieferung und
     Geschichte (Studia Semitica Neerlandica), Assen
     1973

Jeremias, J., Art. Ἠλ(ε)ίας   : ThWNT II, 930-943

-     Heiligengräber in Jesu Umwelt (Mt.23,29; Lk 11,47).
     Eine Untersuchung zur Volksreligion der Zeit Jesu,
     Göttingen 1958

-     Die Gleichnisse Jesu, Göttingen [8]1970

Jülicher, A., Einleitung in das Neue Testament,
    Tübingen [7]1931

Janssen, E., Das Gottesvolk und seine Geschichte. Ge-
    schichtsbild und Selbstverständnis im palästinen-
    sischen Schrifttum von Jesus Sirach bis Jehuda
    ha-Nasi, Neukirchen-Vluyn 1971

Käsemann, E., An die Römer (HNT 8a), Tübingen 1973

Kertelge, K., Die Wunder Jesu im Markusevangelium. Eine
    redaktionsgeschichtliche Untersuchung (STANT
    XXIII), München 1970

Kittel, G., Art. ἀκούω   : ThWNT I, 216-222

-    Art. λέγω κτλ.   : ThWNT IV, 69-140

-    Art. λόγιον   : ThWNT IV, 140-145

Klein, G., Bibel und Heilsgeschichte. Die Fragwürdig-
    keit einer Idee: ZNW 62 (1971), 1-17

Kleinknecht, H., Art. θεῖος   : ThWNT III, 122f

Koch, K., Was ist Formgeschichte. Neue Wege der Bibel-
    exegese, Neukirchen-Vluyn [3]1974

Kränkl, E., Jesus der Knecht Gottes. Die heilsgeschicht-
    liche Stellung Jesu in den Reden der Apostelge-
    schichte (BU 8), Regensburg 1972

Kraus, H.J., Psalmen (BK XV, 1.2), Neukirchen-Vluyn
    [4]1972

Kümmel, W.G., Einleitung in das Neue Testament, Heidel-
    berg [17]1973

-    Heilsgeschichte im Neuen Testament? Neues Testa-
    ment und Kirche (Festschr. für R.Schnackenburg,
    hrsg. von J.Gnilka), Freiburg i.Br. 1974, 434-456

Lee, S.-H., John the Baptist and Elijah in Lucan Theo-
    logy, Diss.theol. Boston 1972

Lietzmann, H., Symbolstudien I - XIV ("Libelli" 136),
    Darmstadt 1966

Löning, K., Die Saulustradition in der Apostelgeschichte (NTA NF 9), Münster 1973

- Die Korneliustradition: BZ NF 18 (1974), 1-19

Lohfink, G., Christologie und Geschichtsbild in Apg
3,19-21: BZ NF 13 (1969), 223-241

- Die Himmelfahrt Jesu. Untersuchungen zu den Him-
melfahrts- und Erhöhungstexten bei Lukas (StANT
26), München 1971

Lohfink, N., Zum "kleinen geschichtlichen Credo" Dtn
26,5-9: Theologie und Philosophie 46 (1971),
19-39

Lohse, E., Art. προσωπολημψία κτλ.   : ThWNT VI, 780f

- Art. υἱὸς Δαυίδ: ThWNT VIII, 482-492

- Art. χειροποίητος, ἀχειροποίητος   : ThWNT IX,
425f

- Die Briefe an die Kolosser und an Philemon (Meyer
K IX. 2), Göttingen [14]1968

Mattill, A.J., Mattill, M.B., A Classified Bibliography
of Literature on the Acts of the Apostles (NTTS 7),
Leiden 1966

Merendino, P., Das Deuteronomische Gesetz. Eine literarkritische, gattungs-und überlieferungsgeschichtliche Untersuchung zu Dt 12-26 (BBB 31), Bonn 1969

Metzger, B.M., A Textual Commentary on the Greek New
Testament. A Companion Volume to the United Bible
Societies' Greek New Testament (third edition),
London 1971

Michel, O., Art. ὁμολογέω : ThWNT V, 199-220

- Der Brief an die Hebräer (Meyer K 13.Abt.),
Göttingen [12]1966

Minke, H.U., Die Schöpfung in der frühchristlichen Ver-
        kündigung nach dem Ersten Clemensbrief und der
        Areopagrede, Diss.theol. Hamburg 1966

Müller, K., Geschichte, Heilsgeschichte und Gesetz: Li-
        teratur und Religion des Frühjudentums (hrsg. von
        Maier, J. und Schreiner, J.), Würzburg 1973, 73-
        105

Müller, P.-G., ΧΡΙΣΤΟΣ ΑΡΧΗΓΟΣ   . Der religionsge-
        schichtliche und theologische Hintergrund einer
        neutestamentlichen Christusprädikation (Europäi-
        sche Hochschulschriften Reihe XXIII, Bd. 28),
        Frankfurt a.M. 1973

Mundle, W., Die Stephanusrede Apg 7: eine Märtyrerapolo-
        gie: ZNW 20 (1921), 133-147

Mußner, F., "In den letzten Tagen" (Apg 2,17a): BZ NF 5
        (1961), 263-265

-       Der Jakobusbrief (HThK XIII, 1), Freiburg i.Br.
        1964

-       Anknüpfung und Kerygma in der Areopagrede (Apg
        17,22b bis 31): Praesentia Salutis. Gesammelte
        Studien zu Fragen und Themen des Neuen Testamen-
        tes, Düsseldorf 1967, 235-243

-       Der Galaterbrief (HThK IX), Freiburg i.Br. 1974

Nauck, W., Die Tradition und Komposition der Areopagre-
        de. Eine motivgeschichtliche Untersuchung: ZThK
        53 (1956), 11-52

Nissen, A., Tora und Geschichte im Spätjudentum: NT 9
        (1967), 274-277

Norden, E., Agnostos Theos. Untersuchungen zur Formen-
        geschichte religiöser Rede, Darmstadt [4]1956

Noth, M., Das Buch Josua (HAT 7), Tübingen [3]1971

Oepke, A., Art. ἀνίστημι   : ThWNT I, 368-372
-       Art. ἐγείρω   :ThWNT II, 332-336

-       Art. ἐν   : ThWNT II, 534-539

Ott, H., Art. "Heilsgeschichte": RGG III, 187-189

Pesch, R., Die Vision des Stephanus Apg 7,55-56 im Rah-
    men der Apostelgeschichte (SBS 12), Stuttgart 1966

Pilgrim, W.E., The Death of Christ in Lukan Soteriology,
    Diss.theol Princeton 1971 (University Microfilms,
    A XEROX Company, Ann Arbor, Michigan)

Plümacher, E., Lukas als hellenistischer Schriftsteller.
    Studien zur Apostelgeschichte (StUNT 9), Göttingen
    1972

Pohlenz, M., Paulus und die Stoa: ZNW 42 (1949),69-104

Porteous, N.W., Das Buch Daniel (ATD 23), Göttingen
    ^{2}1968

Preuß, H.D., Art. אֱלִיל : ThWAT I, 305-308

von Rad, G., Das formgeschichtliche Problem des Hexa-
    teuch: Gesammelte Studien zum AT (ThB 6), München
    ^{3}1965, 9-36

-   Das theologische Problem des alttestamentlichen
    Schöpfungsglaubens: Gesammelte Studien (ThB 8),
    München ^{3}1965, 136-147

-   Theologie des Alten Testaments I, München ^{6}1969

-   Weisheit in Israel, Neukirchen-Vluyn 1970

Reese, G., Die Geschichte Israels in der Auffassung des
    frühen Judentums. Eine Untersuchung der Tiervisio-
    nen und der Zehnwochenapokalypse des äthiopischen
    Henochbuches, der Geschichtsdarstellung der Assump-
    tio Mosis und der des 4Esrabuches, Diss.theol.
    Heidelberg 1967

Reike, Bo, Art. πᾶς, ἄπας : ThWNT V, 885-895

Rengstorf, K.H., Art. δεσπότης : ThWNT II, 43-48

-   Art. ὑπηρέτης κτλ. : ThWNT·VIII, 530-544

Rese, M., Alttestamentliche Motive in der Christologie
    des Lukas (StNT 1), Gütersloh 1969

Richter, W., Bearbeitung des "Retterbuches" in der deu-
        teronomischen Epoche (BBB 21), Bonn 1964

-       Beobachtungen zur theologischen Systembildung in
        der alttestamentlichen Literatur anhand des "klei-
        nen geschichtlichen Credo": Wahrheit und Verkündi-
        gung. M.Schmaus zum 70.Geburtstag, Bd 1, München,
        Paderborn, Wien 1967, 175-212

-       Exegese als Literaturwissenschaft. Entwurf einer
        alttestamentlichen Literaturtheorie und Methodo-
        logie, Göttingen 1971

Robert, A., Feuillet, A., Einleitung in die Heilige
        Schrift. Band I. Allgemeine Einleitungsfragen und
        Altes Testament, Freiburg i.Br. 1963

Roloff, J., Das Kerygma und der irdische Jesus. Histori-
        sche Motive in den Jesus-Erzählungen der Evangeli-
        en, Göttingen ^{2}1973

Rost, L., Das kleine Credo und andere Studien zum Alten
        Testament, Heidelberg 1965, 11-25

Rudolph, W., Esra und Nehemia samt 3.Esra (HAT 20),
        Tübingen 1949

Sellin, E., Fohrer, G., Einleitung in das Alte Testa-
        ment, Heidelberg ^{11}1969

von Soden, H., Art. ἀδελφός κτλ.   :ThWNT I, 144-146

Soltau, W., Die Herkunft der Reden in der Apostelge-
        schichte: ZNW 4 (1903), 128-154

Schaeder, H., Art. Ναζαρηνός, Ναζωραῖος   : ThWNT IV,
        879-884

Schäfer, P., Der synagogale Gottesdienst: Literatur und
        Religion des Frühjudentums (hrsg.v. Maier, J. und
        Schreiner, J.), Würzburg 1973, 391-413

Schalit, A., Eine aramäische Quelle in den "Jüdischen
        Altertümern" des Flavius Josephus: Zur Josephus-
        Forschung (Wege der Forschung LXXXIV), Darmstadt
        1973, 367-400

Scharlemann, M.H., Stephen: A Singular Saint (AnBibl 34),
       Rom 1968

Schelkle, K.H., Theologie des Neuen Testaments I, Düssel-
       dorf 1968

Schille, G., Katechese und Taufliturgie, Erwägungen zu
       Hbr 11: ZNW 51 (1960), 112-131

Schlier, H., Der Brief an die Epheser. Ein Kommentar,
       Düsseldorf ^{4}1963

-      Die Anfänge des christologischen Credo: Zur Früh-
       geschichte der Christologie. Ihre biblischen An-
       fänge und die Lehrformel von Nikaia (Quaestiones
       Disputatae 51), Freiburg i.Br. 1970, 13-58

-      Der Apostel und seine Gemeinde. Auslegung des er-
       sten Briefes an die Thessalonicher, Freiburg i.Br.
       1972

Schnackenburg, R., Darkapp, A., Steck, K.G., Art. "Heils-
       geschichte": LThK 5, 148-157

Schneider, J., Art. ἀναβαίνω : ThWNT I, 516-521

-      Art. σταυρόω : ThWNT VIII, 581-584

Schniewind, J., Friedrich, G., Art. ἐπαγγέλλω : ThWNT
       II, 573-583

Schreiner, J., Die Entwicklung des israelitischen
       "Credo": Concilium 2 (1966), 757-762

Schrenk, G., Art. θέλω : ThWNT III, 43-52

-      Art. ἐκλέγομαι : ThWNT IV, 147-181

-      Art. πατήρ : ThWNT V, 946-1016

Schürmann, H., Das Lukasevangelium. Erster Teil. Kommen-
       tar zu Kap. 1,1-9,50 (HThK III), Freiburg i.Br.
       1969

Schütz, F., Der leidende Christus. Die angefochtene Ge-
       meinde und das Christuskerygma der lukanischen
       Schriften (BWANT 89), Stuttgart 1969

Schulz, S., Q. Die Spruchquelle der Evangelisten, Zürich
       1972

Schumacher, R., Der Diakon Stephanus (NTA 3.Band, 4.Heft),
       Münster 1910

Stählin, G., Art. νῦν   : ThWNT IV, 1099-1117

Stauffer, E., Die Theologie des Neuen Testaments, Stutt-
       gart ^{4}1948

Steck, O.H., Israel und das gewaltsame Geschick der Pro-
       pheten. Untersuchungen zur Überlieferung des deu-
       teronomistischen Geschichtsbildes im Alten Testa-
       ment, Spätjudentum und Urchristentum (WMANT 23),
       Neukirchen-Vluyn 1967

Steichele, H., Vergleich der Apostelgeschichte mit der
       antiken Geschichtsschreibung. Eine Studie zur Er-
       zählkunst in der Apostelgeschichte. Diss.theol.
       München 1971, 83

Storch, R., Die Stephanusrede Ag 7,2-53, Diss.theol.
       Göttingen 1967

Stuhlmacher, P., "Er ist unser Friede" (Eph 2,14). Zur
       Exegese und Bedeutung von Eph 2,14-18: Neues Te-
       stament und Kirche (Festschr.für Rudolf Schnacken-
       burg, hrsg. von J.Gnilka), Freiburg i.Br. 1974,
       337-358

Thyen, H., Der Stil der jüdisch-hellenistischen Homilie
       (FRLANT NF 47), Göttingen 1955

Tödt, H.E., Der Menschensohn in der synoptischen Über-
       lieferung, Gütersloh 1959

Vollmer, J., Geschichtliche Rückblicke und Motive in der
       Prophetie des Amos, Hosea und Jesaja (BZAW 119),
       Berlin 1971

Voss, G., Die Christologie der lukanischen Schriften in
       Grundzügen (StN 2), Paris 1965

Weiser, A., Die Propheten: Hosea, Joel, Amos, Obadja,
       Jona, Micha (ATD 24), Göttingen ^{5}1967

Weiser, A., Das Buch Jeremia (ATD 20), Göttingen 1969

Wengst, K., Christologische Formeln und Lieder des Ur-
    christentums (StNT 7), Gütersloh 1972

Westermann, C., Das Loben Gottes in den Psalmen, Berlin
    [4]1968

-    Das Buch Jesaja (ATD 19), Göttingen [2]1970

Wiater, W., Komposition als Mittel der Interpretation
    im lukanischen Doppelwerk, Diss.theol. Bonn 1973

Wikenhauser, A., Schmid, J., Einleitung in das Neue Te-
    stament, Freiburg i.Br. [6]1973

Wilckens, U., Die Missionsreden der Apostelgeschichte.
    Form-und traditionsgeschichtliche Untersuchungen
    (WMANT 5), Neukirchen-Vluyn [3]1974

-    Art. χάραγμα   : ThWNT IX, 405-407

Zimmerli, W., Ezechiel (BK XIII), Neukirchen-Vluyn 1969

Zimmermann, H., Jesus Christus - Geschichte und Verkündi-
    gung, Stuttgart 1973

-    Neutestamentliche Methodenlehre. Darstellung der
    historisch-kritischen Methode, Stuttgart [4]1974

-    Der Trost der Schrift: Bestellt zum Zeugnis (Fest-
    schr.für Bischof Dr.Johannes Pohlschneider, hrsg.
    von Delahaye, K., Gatz, E., Jorissen, H.,) Aachen
    1974

Zmijewski, J., Die Eschatologiereden des Lukas-Evangeli-
    ums. Eine traditions-und redaktionsgeschichtliche
    Untersuchung zu Lk 21,5-36 und Lk 17,20-37
    (BBB 40), Bonn 1972

EINLEITUNG: Standort und Plan der Untersuchung

Die vorliegende Arbeit versucht, das Verhältnis von Tradition und Redaktion in den Reden der Apostelgeschichte zu bestimmen. Die Lösung dieser Aufgabe schafft nicht nur die Voraussetzung für eine angemessene Auslegung der einzelnen Reden, sondern bietet "überhaupt erst den Schlüssel zum Verständnis der Apostelgeschichte".[1]

Einen ausgezeichneten "Einblick in die wechselvolle Geschichte der Auslegung"[2] der sogenannten Missionsreden (Apg 2,14-40; 3,12-26; 4,8-12; 5,29-32; 10,34-43; 13,16-41) gibt E.Kränkl im ersten Teil seiner 1972 veröffentlichten Dissertation "Jesus der Knecht Gottes. Die heilsgeschichtliche Stellung Jesu in den Reden der Apostelgeschichte".[3] Er unterscheidet "nach sachlichen und methodischen Gesichtspunkten"[4] fünf Epochen der Forschungsgeschichte. "Die erste Epoche der Quellenkritik und die an ihr anknüpfende apologetische Betrachtungsweise der Reden"[5] fragte nach "Ort und Umfang der in die Apostelgeschichte aufgenommenen Quellenstücke".[6] Schon in dieser Zeit ist die Ansicht zu finden, "dass Lukas selbst diese Reden komponierte, bei gleichzeitiger Verwendung älteren Materials."[7] In der "Epoche der Tendenzkritik"[8] wurde nach den Motiven gefragt, die für die Auswahl des überlieferten Stoffes "bestimmend waren, und den Tendenzen, die der besonderen Absicht des Verfassers entsprechend in seinem Werk ihren Niederschlag gefunden haben."[9] "Die zweite Epoche der Quellenkritik"[10] unterscheidet sich von der ersten dadurch, dass man viel genauer jedes Wort und jeden Vers nach der zugrundeliegenden Quelle befragte. "Die Vielzahl der einander widersprechenden Theorien führte aber dazu, dass die Flut der einschlägigen Untersuchungen ebenso plötzlich, wie sie angeschwollen war, wieder versiegte."[11] "Die Formgeschichte"[12] richtete den Blick auf den "der Abfassung der Apostelgeschichte vorausgehenden Prozess der mündlichen Traditionsbildung".[13] Schliesslich bemüht sich die "Kompositionsgeschichte"[14], die Reden der Apostelgeschichte nach der redaktionellen Aussageabsicht ihres Verfassers zu befragen.

"Der geschichtliche Überblick" führt zu der Einsicht, "dass sich allmählich ein fester Bestand an Erkenntnissen herausschälte, die mehr oder weniger bleibende Gültigkeit besitzen dürften."[15] Danach seien die Reden "als literarische Kompositionen ihres Verfassers" "integrale Bestandteile des gesamten Werkes".[16] Doch betont E.Kränkl: "Trotz des entscheidenden Anteils des Verfassers an der Gestaltung der Reden ist damit noch nicht eo ipso auch über die Traditionsfrage entschieden."[17]

In dem Exkurs "Das Schema der Christusverkündigung in den Reden der Apostelgeschichte"[18] zeigt E. Kränkl, "dass mit der Bejahung eines starken kompositionellen Moments die Annahme eines traditionellen, d.h. von Lukas nicht völlig frei erfundenen Schemas durchaus vereinbar ist."[19] Im zweiten Teil der Arbeit über "Person und Werk Jesu in den Reden der Apostelgeschichte"[20] werden die einzelnen Phasen "des Lebens Jesu von seiner Taufe durch Johannes an bis zu seiner Wiederkunft als eschatologischer Richter"[21] behandelt, um in einer "detaillierten Analyse" zu klären, inwieweit Lukas "sich dabei im einzelnen traditioneller Elemente bediente und inwieweit er darin seiner eigenen Überzeugung Ausdruck verlieh."[22] In seinem "Rückblick" auf die eigene Untersuchung sieht E. Kränkl die aus dem Forschungsbericht gezogene Folgerung bestätigt, dass die Reden "nicht ohne weiteres als Quelle für eine Darstellung der urgemeindlichen Christologie herangezogen werden" können, sondern "insgesamt als genuine Zeugnisse lukanischer Theologie zu gelten" haben. Doch seien diese Reden nicht "völlig frei aus der Luft gegriffen. Obzwar literarisch und theologisch einheitliche Gebilde, bergen sie doch mannigfache Traditionen unterschiedlichen Alters und unterschiedlicher Herkunft in sich. So stammt zwar die konkrete Ausformung des Redeschemas von Lukas selbst, aber er scheint sie in Anlehnung an ähnliche zu seiner Zeit übliche heilsgeschichtliche Aufrisse vorgenommen zu haben, die vermutlich ihrerseits wieder eine längere Vorgeschichte besitzen. In diesem vorgegebenen Schema haben wahrscheinlich einzelne Wendungen und Formulierungen ihren traditionsgeschichtlichen Haftpunkt".[23]

Gegenüber diesem Ergebnis ist jedoch zu fragen, ob E. Kränkl unter dem Eindruck der jüngsten Forschungsgeschichte den Weg des geringeren Widerstandes wählt, wenn er sich mit der

Feststellung von nur traditionellen Elementen begnügt, um
möglichst schnell zur Redaktion des Lukas kommen zu können.
Wenn "mit einiger Sicherheit"[24] gesagt werden kann, "dass
der Zeit des Lukas die Übung nicht fremd war, so wie dieser
die wichtigsten Etappen des Heilswirkens Gottes in Jesus von
Nazareth schematisch zusammenzufassen",[25] dann muss bis zum
Erweis des Gegenteils mit einer entsprechenden festgeprägten
Vorlage gerechnet werden. Diese Annahme muss umso mehr erwo-
gen und kritisch verfolgt werden, als die Redaktionsgeschich-
te des dritten Evangeliums zu erkennen gibt, dass die Arbeits-
weise des Lukas sich zwar durch eine hohe kompositionelle,
stilistische und inhaltliche Eigenständigkeit auszeichnet,
aber ebenso durch eine starke Treue gegenüber der Tradition.
Das gilt umso mehr, als es sich sehr wohl nachweisen lässt,
dass Lukas in der Apostelgeschichte grundsätzlich nicht anders verfährt als in seinem Evangelium.[26] Wenn die Frage
nach dem Verhältnis von Tradition und Redaktion in den Reden
der Apostelgeschichte auch besonders schwer zu beantworten
ist, so muss es doch methodisch als unzureichend gelten, aus
einer verständlichen Ratlosigkeit heraus sich mit der Verle-
genheitslösung zu begnügen, zwar traditionelle Elemente zu-
zugeben, im übrigen aber durchweg alles als lukanisch zu deklarieren.

Die vorliegende Untersuchung fragt daher nicht nur nach einzelnen traditionellen Formulierungen in den Reden der Apostelgeschichte, sondern auch nach zusammenhängenden und festgeprägten Traditionen. Dabei dürfte entscheidend sein, "sich
durch die Beschränkung auf die sogenannten Missionsreden den
Blick auf die durch die Reden aufgegebene Frage nach dem Verhältnis von Redaktion und vorgegebener Tradition"[27] nicht zu
verstellen.

Die Analyse beginnt mit der Rede des Stephanus Apg 7,2-53,
weil in ihr offensichtlich ein die Redesituation sprengender
Abriß der alten Heilsgeschichte gegeben ist. Da Apg 13,17-22
ebenfalls eine wenn auch viel kürzere Darstellung des Handelns Gottes im Alten Testament bietet, ist es angebracht,
mit der Analyse dieser Verse fortzufahren. Kann einsichtig
gemacht werden, dass Lukas hier nicht nur ein vorgegebenes
Schema mit traditionellen Elementen auffüllt, sondern eine

zusammenhängende festgeprägte Überlieferung über das Handeln
Gottes in der Geschichte des alten Gottesvolkes verwendet, ist
nach deren Struktur, literarischen Parallelen und ursprüng-
lichem Umfang zu fragen.

Das Problem des ursprünglichen Umfangs dieser Tradition führt
notwendig dazu, die Überlieferung über das Handeln Gottes an
Jesus Christus zu bestimmen. Kann auch hier nachgewiesen werden, dass der Verfasser der Apostelgeschichte einer festgeprägten Vorlage folgt, müssen deren Struktur, literarische
Parallelen und ursprünglicher Ort beschrieben werden. Damit
stellt sich aber die Frage, ob die Überlieferung über das
Handeln Gottes in der Geschichte des alten Gottesvolkes und
an Jesus Christus zusammengehörten. Kann diese Frage positiv
beantwortet werden, dann sind schliesslich die Form und der
"Sitz im Leben" der gesamten Tradition zu bestimmen und eine
kurze Erhellung des Inhalts vorzunehmen. Des weiteren hat
die Untersuchung andere in den Reden verwendete Traditionen
zu erheben.

Sollte es möglich sein, auf diese Weise die entscheidenden
Grundlagen in den Blick zu bekommen, ist die Bedeutsamkeit
der Umsetzung der Tradition in Reden für das Gesamtverständnis der Apostelgeschichte darzulegen. Dabei ist nicht eine
vollständige und umfassende Erarbeitung des Inhalts beabsichtigt. Das Hauptgewicht der Untersuchung soll auf der Analyse
der den Reden zugrundeliegenden Tradition liegen, deren Rekonstruktion sich jedoch in der Erfassung der lukanischen
Redaktion zu bewähren hat.

Der Umfang der zu bearbeitenden Texte und die Bedeutung der
in ihnen gemachten Aussagen muss notgedrungen zur methodischen Konzentration führen, so dass nicht alle Probleme erschöpfend behandelt werden können. Auch soll bezüglich der
zahlreichen Literatur[28] nicht wiederholt werden, was E.Kränkl
in seiner Dissertation vorbildlich und umfangreich zur Geschichte und zum Stand der Forschung erarbeitet hat.

ERSTER HAUPTTEIL: Die in den Reden der Apostelgeschichte
                 aufgenommene Tradition
ERSTES KAPITEL: Die Überlieferung über das Handeln Gottes
               in der Geschichte des alten Gottesvolkes

I. Die Tradition in Apg 7,2-53 und 13,17-22

1. Die Stephanusrede

a) Forschungsüberblick

Die Geschichte der historisch-kritischen Auslegung der Stephanusrede beginnt mit der Quellenforschung. Das Bild der
Lösungsversuche ist so vielgestaltig, dass A. v.Harnack von
"fast unzähligen Seifenblasen, mit denen die Kritiker hier
ernsthaft gespielt haben", spricht.[1] R.Schumacher, der in
seiner Monographie "Der Diakon Stephanus"[2] einen Überblick
über den Stand der Fragen zu seiner Zeit gibt, sieht sich
in der Vermutung A. v.Harnacks bestärkt, "dass eine exakte
und probehaltige Herausarbeitung etwa benutzter Quellen
nicht gelungen ist und auch wohl nie erreicht wird".[3] Hat
die alte Literarkritik sich von ihrem Grundansatz her als
unfruchtbar erwiesen, so ist es doch bewundernswert, mit
welcher Gründlichkeit und mit welchem Scharfblick die Texte
befragt und analysiert wurden. Es lassen sich in jener Epoche zwei Grundpositionen in der Beurteilung der "Einheit-
lichkeit" und "Echtheit" der Stephanusrede erkennen. Ein Teil
der Forscher hält die "Echtheit" der Rede für gesichert. So
schreibt R. Schumacher: "Zwar ist sie kein Stenogramm, keine
bis aufs Wort genaue Wiedergabe des von Stephanus Gesproche-
nen, aber eine getreue Reproduktion der von ihm vorgetrage-
nen Gedanken."[4] Neuerdings hat sich M.H. Scharlemann in seiner
Arbeit "Stephen: A Singular Saint"[5] ähnlich geäussert. In Anlehnung an B. Gerhardsson, der für die urchristliche Überlieferung die Gesetze der rabbinischen Traditionsbildung in Geltung sieht,[6] wird vermutet, dass Lukas sich an mündliche
Überlieferungen über Stephanus hält. Zwar werden die Worte
des Stephanus nicht als dessen ipsissima verba gesehen, wohl
aber sei in ihnen die authentische Stimme des Stephanus zu
vernehmen.[7]

Ein anderer Teil der Forscher ging in seinem Urteil über die
Rede "so weit, dass er ihr überhaupt alle Geschichtlichkeit
abspricht und sie für eine Komposition des Verfassers der

Apostelgeschichte erklärt".[8] Hier soll im Hinblick auf die
spätere Fragestellung besonders A. Jülicher genannt sein.[9]
Für A. Jülicher "wird wohl jeder mit Thukydides und Livius
bekannte Leser" "die zahlreichen Reden" als "freie Erfin-
dung" des Lukas ansehen.[10] Für die Stephanusrede sei es
"ziemlich deutlich, dass hier eine Vorlage mit anderer Tendenz (Tempelrede?) verwertet ist".[11]

M. Dibelius weist ausdrücklich auf jene Erklärer der Apostelgeschichte hin, die "schon gelegentlich auf die Reden bei den
antiken Historikern verwiesen" hätten,[12] mit dem Urteil: Aber
"sie haben bisher die Aufgabe nicht gesehen, die ihnen damit
gestellt war: unter den ganz verschiedenartigen Redetypen
der Historiker den Platz zu finden, auf den die Reden der
Acta Apostolorum gehören, und damit zugleich die Bedeutung
zu bestimmen, die den Reden im Ganzen des Werkes zukommt."[13]
W. Soltau gibt zwar auch die "Echtheit" der Stephanusrede
auf, hält es aber für sicher, "dass diese auch sprachlich
ganz abweichende Stephanusrede nicht ein Produkt des Lukas
ist, sondern zu dem ihm vorliegenden Quellenmaterial gehört
hat, das er voll Hochachtung vor der Überlieferung meist
wörtlich beibehielt".[14] Die Rede wird "als ein freies Produkt eines Alexandriners" angesehen, "welches Lucas benutzte,
da solche Worte ihm am besten den Ideen des Hellenisten Stephanus zu entsprechen schienen".[15] Die These über die Herkunft der Tradition war zu gewagt, als dass sie sich Gehör
verschaffen konnte. Es ist jedoch bemerkenswert, dass W.
Soltau wesentliche Aussagen der Reden des Petrus und des
Paulus auf einen Schlußteil der in der Stephanusrede aufgenommenen Tradition zurückzuführen versucht.[16]

Der formgeschichtliche Ansatz bringt auch für die Stephanusrede die Möglichkeit einer weiterführenden Erklärung. In seinem programmatischen Aufsatz "Die Reden der Apostelgeschichte und die antike Geschichtsschreibung"[17] geht M. Dibelius
unter anderem auch auf die Stephanusrede ein.[18] Ausgehend
von der Beobachtung, dass "der Großteil der Rede"[19] in keiner Beziehung zur Redesituation stehe, kommt M. Dibelius
zu dem Schluß, dass die Rede "offenbar von Lukas in das ihm
bereits vorliegende Martyrium des Stephanus eingeschoben"[20]
und "die Abhängigkeit von einem älteren Text"[21] nicht

auszuschliessen sei. Im Rahmen des gestellten Themas musste
sich M. Dibelius bei der Bestimmung von Tradition und Redaktion auf seine Intuition verlassen und bei der Formbestimmung eines vorgegebenen Textes mit Andeutungen von Möglichkeiten begnügen. Er vermutet für "den reproduzierenden
Teil" Tradition und in den "polemischen Stellen" lukanische
Redaktion.[22] Die Tradition wird dem Stil nach als Synagogenpredigt gekennzeichnet.[23]

An M. Dibelius knüpft J. Bihler in seiner Dissertation über
die Stephanusgeschichte[24] an, allerdings unter dem starken
Einfluß der redaktionsgeschichtlichen Methode.[25] Zunächst
wird die Rede einer Analyse unterzogen mit dem Ziel, "Inhalt
und Besonderheit" der Aussagen herauszuarbeiten.[26] Der Gebrauch der LXX, die "engen sprachlichen Berührungen"[27] und
dementsprechende "sachlich-theologische Übereinstimmungen"[28]
mit dem lukanischen Doppelwerk und die "Geschlossenheit"[29]
der Reden würden Apg 7,2-53 als "eine Komposition des Lukas"[30]
erscheinen lassen. Zweifellos ist es J. Bihler's Verdienst,
als erster die Rede des Stephanus unter redaktionsgeschicht-
lichem Aspekt einer umfangreichen Untersuchung unterzogen zu
haben. Doch ist zu fragen, ob nicht die literarkritische und
formgeschichtliche Arbeit zu kurz kommt und dadurch der redaktionsgeschichtlichen Betrachtungsweise wesentliche Voraus-
setzungen fehlen.

Im 4.Kapitel seiner Dissertation "Untersuchungen über die
alttestamentlichen Zitate bei Lukas"[31] fragt T. Holtz nach
der ursprünglichen "Gestalt der Tradition, die der Rede zugrunde liegt".[32] Nach T. Holtz zerfällt sie in zwei Teile.[33]
Der erste Teil umfasst Apg 7,2-50 und "bietet einen Abriss
der Geschichte Israels von Abraham bis zum Tempelbau des Salomo".[34]
Der zweite Teil in V.51-53 wird als "Scheltrede" gekennzeichnet, die "schwerlich ursprünglich mit dem ersten Teil zusam-
mengehört" habe.[35] Aus dem Zusammenhang des ersten Teils "ra-
gen deutlich zwei Bibelzitate hervor, die nicht den in diesem langen Abschnitt allein herangezogenen geschichtlichen
Teilen des Alten Testaments entstammen, sondern den Propheten"[36]: Amos 5,25-27 und Jes. 66,1f. Ihre Behandlung"entspricht genau dem sonst bei Lukas, vor allem in Act, fest-

zustellenden Brauch. Ganz anders aber ist die Schriftverwendung in den übrigen Fällen Act 7",[37] in denen die Schrift
nicht ausdrücklich als Autorität zitiert werde, obwohl "ein
grosser Teil des Erzählten in wörtlicher Anlehnung an einen
heiligen Text berichtet wird".[38] T. Holtz vermutet "tief-
greifende sachliche Differenzierungen"[39] und "dass die unterschiedliche Zitationsweise in Act 7 Ausdruck eines verschiedenen Schrift- und Offenbarungsverständnisses ist",[40]
Mit "einiger Sicherheit" werden Teile der V.35-38a "als sekundäre Erweiterungen" ausgemacht, und zwar aus stilistischen und inhaltlichen Erwägungen.[41] Anfang (V.6.7) und
Schluss (V.44-48) bezieht T. Holtz aufeinander, so dass der
"Schwerpunkt der Geschichte Israels im Tempelkult zu Jerusalem" zu sehen sei.[42]

In dem "Versuch einer Ortsbestimmung der in der Rede verarbeiteten Tradition" stellt T. Holtz zusammenfassend fest,
"dass sowohl der Form wie der Theologie nach das in Frage
stehende Stück seinen Platz im Judentum der beiden Jahrhun-
derte um Chr. sehr wohl gehabt haben kann".[43]

Ein weiterer Abschnitt der Untersuchung zu Apg 7 ist über-
schrieben: "Wörtliche Übernahmen aus der LXX in den erzäh-
lenden Teilen der Rede".[44] In der "folgenden Vergleichung"
soll gezeigt werden, "in welchem Umfang und in welcher Weise dennoch gerade in den Reden der handelnden Personen ganz
oder wenigstens weitgehend genau der LXX gefolgt wird".[45]
Er kommt zu dem Ergebnis, dass diese Reden "in ganz enger
Bindung an den alttestamentlichen Wortlaut, und zwar an die
Form der LXX, gestaltet"[46] seien.

Die Ausführungen von T. Holtz bringen insofern einen Fortschritt in der Beurteilung der Stephanusrede, als Kriterien
erkennbar sind, nach denen eine Scheidung von Tradition und
Redaktion vorgenommen werden kann. Die Ergebnisse müssen
aber insofern mit Einschränkung betrachtet werden, als eine
durchgehende Analyse der Rede fehlt.[47]

In seinem Kommentar zur Apostelgeschichte[48] geht E. Haenchen
nach einem kurzen Forschungsüberblick auf drei Probleme ein:
Die Frage nach der zugrundeliegenden Tradition wird dahingehend beantwortet, dass Lukas eine 'Geschichtspredigt'

en bloc übernommen und durch Zusätze (vielleicht auch durch
Kürzungen) passend gemacht" habe.[49] E. Haenchen bedient sich
bei der Analyse von Tradition und Redaktion vor allem der
von M. Dibelius gemachten Unterscheidung zwischen neutraler
und polemischer Darstellung. Die beiden anderen Probleme
sind redaktionsgeschichtlicher Art, indem zu beantworten versucht wird, warum Lukas "eine lange Geschichtserzählung übernommen" habe[50] und wie "das düstere Bild" vom jüdischen Volk
zu der zuvor von Lukas geschilderten "Beliebtheit" der Christen bei den Juden passe.[51]

H. Conzelmann fragt im Kommentar zur Apostelgeschichte[52] nach
dem Verhältnis der Stephanusrede zum "Martyrium" und "zu den
übrigen Reden des Buches" und nach dem Quellenwert" der Rede.[53] Die Frage nach der Tradition wird mit Hilfe der von
M. Dibelius und E. Haenchen aufgestellten Kriterien beantwortet, und zwar dergestalt, "dass unter der jetzigen polemischen Oberfläche ein andersartiges Substrat liegt, eine er-
bauliche, heilsgeschichtliche Betrachtung, deren Sinn im Nachzeichnen der Geschichte zur Belehrung und Warnung für die Gegenwart liegt".[54] Hinter der angenommenen Vorlage stehe "eine
lange Tradition"[55] vergleichbarer Texte. Ob diese "Quelle in
die Nähe des Stephanus"[56] führe, wird als unbeantwortbar angesehen. Es handele sich um "die Bibel- und Geschichtsbetrachtung eines hellenistischen Judenchristentums vom außer-
paulinischen Typ".[57]
Die von M. Dibelius nicht ausgeschlossene Abhängigkeit der
Stephanusrede "von einem älteren Text wenigstens für den reproduzierenden Teil"[58] wurde bei E. Haenchen zu der Annahme
einer vorgegebenen "Geschichtspredigt"[59] und bei H. Conzelmann zu der Angabe einer Quelle, nämlich einer erbaulichen
heilsgeschichtlichen Betrachtung.[60]

Diese These dient der Dissertation von R. Storch "Die Stephanusrede Ag 7,2-53"[61] als "Ausgangspunkt", und zwar "der-
art, dass die Stephanusrede mit anderen Betrachtungen der
israelitischen Geschichte ... verglichen wird".[62] Im ersten
Kapitel werden dabei die "geschichtlichen Abrisse" israelitischer Geschichtsbetrachtung behandelt.[63] Danach stellt die
Stephanusrede "keinen Sonderfall dar, wenn sie den weitaus
grössten Teil des geschichtlichen Stoffes aus der Zeit vor

der Landnahme nimmt (v 2-44) und darüber hinaus nur noch
kurze Angaben macht".[64] Zur "Thematik und Aufgabe der geschichtlichen Abrisse"[65] wird als wichtiges Ergebnis gesagt,
dass alle Geschichtsabrisse vor allem im Spätjudentum "eine
ganz bestimmte Aufgabe zu erfüllen" hätten, nämlich zu begründen bzw. zu beweisen", und gleiches auch für Apg 7 anzunehmen sei.[66]

Auf diesem Hintergrund versucht R. Storch im zweiten Kapitel
seiner Arbeit, "bei voller Anerkennung des lukanischen Anteils
in der Apostelgeschichte zu dem vorlukanischen Gut und seinen
Aussagen - seien sie geschichtlicher oder theologischer Art,
direkt oder indirekt gegeben - vorzustoßen".[67] Er kommt zu
dem Ergebnis, "dass die Stephanusrede keine Einheit darstellt".[68] Im "wesentlichen auf Vorlagen" beruhten die Verse
2-8 (15f) und 20-43. 51-53. Den Versen 9-19 komme "in erster
Linie nur verbindende Funktion" zu, als lukanischer Abschnitt
habe der Tempelteil Vers 44-45 zu gelten.[69]
Schließlich wird im dritten Kapitel eine "Einordnung der Stephanusgeschichte in die Geschichte der 'Hellenisten'" vorgenommen.[70] Die Untersuchung von Apg 6 bringe "in einer Beziehung ein völlig negatives Ergebnis: Die in diesem Kapitel der
Apostelgeschichte skizzierte Geschichte und theologische An-
schauung des Stephanuskreises bietet keine Anhaltspunkte für
eine Zuordnung der vorlukanischen Teile von Ag 7 zum Stepha-
nuskreis".[71] Dann befasst sich R. Storch mit der "Mission
in der Diaspora Ag 11,19", weil der "weitere Bericht, den
die Apostelgeschichte über das Geschehen um Stephanus gibt,
offensichtlich mit 8,4 unterbrochen und erst 11,19ff fortgesetzt" werde.[72] Es erscheine "nicht nur möglich, sondern
auch geboten", die Tradition von Apg 7,2-8. (15f) in Zusammenhang mit Apg 11,19 zu sehen.[73] Als nächstes wird die "Wendung zu den Heiden Ag 11,20" behandelt, deren "Begründung
bzw. Rechtfertigung in den Versen 20-43, 51-53" der Tradition der Stephanusrede zu sehen sei.[74] Im Hinblick auf die
vorliegende Untersuchung ist hervorzuheben, dass R. Storch
erstmals andere Abrisse israelitischer Geschichte zu Rate
zieht. Methodisch erscheint es jedoch bedenklich, wenn die
Inhalte dieser Geschichtsbetrachtungen zur Auffindung der
Tradition herangezogen werden, wie überhaupt trotz einer

Fülle guter Einzelbeobachtungen eine gewisse Unklarheit der
methodischen Schritte feststellbar ist und damit eine Un-
schärfe und Unsicherheit auch in den Ergebnissen.

Die Epoche der Quellenkritik konnte aufgrund der ihr eigenen
Fragestellung zu keinem hinreichenden Ergebnis in der Beurteilung der Stephanusrede gelangen. Die sich aber in dieser
Epoche anbahnende Sicht, dass die Rede nicht zum ursprünglichen Bestand der Stephanusgeschichte gehöre, sondern vom Verfasser der Apostelgeschichte her an dieser Stelle zu begreifen sei, hat sich seit M. Dibelius zu einer festen Überzeugung wenigstens im deutschen Sprachraum entwickelt. Die Ant-
worten auf die Frage, ob und in welchem Umfang Lukas auf eine
wie zu beschreibende Tradition zurückgreift, fallen unterschiedlich bis gegensätzlich aus. Gerade die entgegengesetz-
ten Positionen von J. Bihler und R. Storch machen deutlich,
dass die Analyse der Rede sich um klare literarkritische
Kriterien bemühen muss, und zwar vor der form- und redaktionsgeschichtlichen Betrachtung.[75]

b) Analyse

Grundsätzliches zur Einzelanalyse

Grundlage der Analyse bildet die Einsicht, dass die in Apg
7,2-53 mitgeteilte Rede nicht zum Bestand der Stephanustradition gehört. Ist nämlich die Umgestaltung der Stephanusgeschichte zu einer Gerichtsszene durch den Verfasser der Apostelgeschichte nachweisbar,[76] dann muss auch die Verteidigungsrede als wesentlichster Bestandteil dieser Szene als
sekundär gelten.

Damit ist jedoch noch nicht die Frage beantwortet, ob Lukas
bei der Gestaltung der Rede auf eine Vorlage zurückgreift
oder ob der Text von ihm selbst verfaßt wurde. Wichtigster
Anhaltspunkt für die Annahme, dass der Verfasser der Apostelgeschichte sich an einen vorgegebenen Wortlaut gebunden
weiß, ist die schon oft gemachte Beobachtung, dass sich ein
grosser Teil der Rede gar nicht oder nur sehr schwer auf die
von Lukas geschaffene Redesituation beziehen lässt.[77] Daraus
ergibt sich ein wichtiges literarkritisches Kriterium für die
Scheidung von Tradition und Redaktion. Zur Tradition ist am
ehesten all das zu rechnen, was keine Beziehung zur Rede-

situation erkennen läset, während die Redaktion besonders
dort greifbar wird, wo ein offensichtliches Einwirken der
Redesituation feststellbar ist.

Der unterschiedliche Schriftgebrauch, wie er sich in der Anführung von Am 5,25-27 und Jes 66,1.2 gegenüber den Schriftzitaten und -anklängen der übrigen Rede zu erkennen gibt,[78]
lässt ein weiteres Kriterium finden, Ursprüngliches vom Se-
kundären zu scheiden. Weil aber darüber hinaus die Schrift-
gemäßheit der Tradition lukanische Erweiterungen, Verkürzun-
gen und Änderungen aufgrund der eigenen Schriftkenntnis bewirkt haben kann, muss im Einzelfall nach Anzeichen gefragt
werden, die eine literarkritische Entscheidung ermöglichen.
Lassen sich dafür im voraus auch keine allgemeingültigen Re-
geln aufstellen, so wird doch grundsätzlich die Kenntnis der
LXX und eine grosse Genauigkeit im Schriftgebrauch bei Lukas
vorausgesetzt werden dürfen.[79]

Weitere Kriterien für die Herausarbeitung der Tradition und
Redaktion ergeben sich aus der thematischen und stilistischen
Uneinheitlichkeit der Rede und aus dem wortstatistischen Befund. So führen V.44-50 zwar die Geschichtsaussagen bis auf
Salomo fort, behandeln aber inhaltlich ein eigenes Thema.[80]
Nicht nur inhaltlich, sondern auch stilistisch heben sich sowohl V.35-38[81] als auch V.51-53[82] von den übrigen Teilen der
Rede ab. Die Auswertung des wortstatistischen Befundes muss
fragwürdig bleiben, weil Lukas einen Satz der Tradition durchaus mit eigenen Worten wiedergeben kann, wie er umgekehrt
seine eigene Aussage ebenso gut mit Hilfe traditioneller Wendungen wiederzugeben vermag.[83]

V.2: Die Anrede

Die Anrede ἄνδρες ἀδελφοὶ καὶ πατέρες, ἀκούσατε ergibt sich
aus der Redesituation und ist damit zur lukanischen Redaktion
zu rechnen.[84] An welchen Sprachgebrauch Lukas sich in der
Wortwahl hält, ist mit Sicherheit nicht mehr feststellbar.
Im jüdischen Sprachbereich findet sich bisweilen die Anrede
אחיני [85] und in christlichen Schriften häufig ἀδελφοί [86].
Für den in Apg 1,16; 2,29.37; 7,2; 13,15.26.38; 15,7.13;
22,1; 23,1.6; 28,17 gebrauchten Ausdruck ἄνδρες ἀδελφοί lassen sich außer in 1 Clem 14,1; 37,1; 62,2 keine Parallelen

finden.[87] Wahrscheinlich handelt es sich um eine "griechisch-
atl.Mischbildung".[88] Das mit ἄνδρες ἀδελφοί verbundene Wort
πατέρες weist auf die jüdische Gepflogenheit, einen Rabbi
mit diesem Ehrentitel zu bedenken.[89] Als Anrede jedoch wird
das Wort nicht gebraucht.[90] Ob Lukas die ganze Anrede in einem
vorgegebenen Text vorgefunden hat,[91] ist nicht auszuschliessen, aber kaum zu beweisen. Der Adressat der Anrede ist für
den Verfasser der Apostelgeschichte nicht mit dieser Wortwahl festgelegt. So können mit ἄνδρες ἀδελφοί sowohl die
Christen[92] als auch die Juden, und mit der in Apg 7,2 gebrauchten Anrede sowohl die Synhedristen als auch das Volk
(Apg 22,1) angesprochen werden.
Das in Apg 7,2 für sich stehende ἀκούσατε ist in Apg 2,22
mit τοὺς λόγους τούτους und in Apg 22,1 mit μου τῆς πρὸς
ὑμᾶς νυνὶ ἀπολογίας erweitert. Für das absolut gebrauchte
Verb ist die Bedeutung eines qualifizierten Hörens der Offenbarung nicht auszuschliessen.[93]

V.2-8: Abraham und die Patriarchen

Dieser Teil der Rede umfasst die Abrahamgeschichte, wobei
V.8b den Abrahamteil fugenlos mit dem Josephteil verknüpft,
wie die Erweiterung der handelnden Personen deutlich anzeigt.
Subjekt der Handlung ist bis auf V.4 und 8b ὁ θεός . Auffallend ist in diesem Abschnitt die für Lukas untypische parataktische Anreihung von Sätzen mittels καί .[94] Damit wäre
ein Hinweis stilistischer Art gegeben, dass die Apostelgeschichte hier einer Vorlage folgt. Dass der Abrahamteil wegen seiner inhaltlichen Beziehungslosigkeit zur Redesituation sich am ehesten als Tradition begreifen lässt, wurde
bereits grundsätzlich festgestellt.
Der Schwerpunkt des ersten Satzes liegt auf dem Gotteswort
in V.3, das mit Gen 12,1 übereinstimmt bei folgenden Unterschieden: Das vor τῆς συγγενείας σου fehlende ἐκ [95] kann
als sprachliche Vereinfachung angesehen werden. Wenn die
Apostelgeschichte nach τῆς συγγενείας σου gegen sämtliche
Überlieferungen des Alten Testaments καὶ ἐκ τοῦ οἴκου τοῦ
πατρός σου auslässt, so ist das "im Zusammenhang mit der
Umgestaltung der Berufungsgeschichte erfolgt".[96] Wenn nämlich der Vater im folgenden noch bei seinem Sohn ist, so kann

im Gotteswort "aus deines Vaters Haus" fehlen. Schwerwiegen-
der erscheint die Auslassung der Verheißung der Nachkommenschaft und des Segens. "Das δεῦρο von 7,3 befindet sich
nicht in Übereinstimmung mit dem masoretischen und samarita-
nischen Text, wohl aber mit der überwiegenden Zahl der Septua-
gintazeugen."[97] Da weder für eine Ergänzung der Abrahamgeschichte mit dem Gotteswort noch für die Abweichungen des Zitats vom Text der LXX ein lukanisches Motiv gefunden werden
kann, wird sich hier die Vorlage des Lukas erhalten haben.

Das Gotteswort wird durch ὤφθη καὶ εἶπεν eingeleitet. Damit
ist Gen 12,7 zitiert, wenn man auch in der Formulierung den
Gebrauch einer verbreiteten Offenbarungsformel sehen kann
(vgl. Gen 17,1; 26,24; 35,9; 1 Kön 3,5; 9,2).[98] Durch ὄντι
ἐν τῇ Μεσοποταμίᾳ wird das Offenbarungsgeschehen lokalisiert, mit πρὶν ἢ κατοικῆσαι αὐτὸν ἐν Χαρράν zeitlich abgegrenzt. Die Zeitbestimmung macht zugleich deutlich, dass
mit der ersten Ortsbestimmung Chaldäa gemeint sein muss.[99]
Die LXX lokalisiert dagegen die Berufung des Abraham in Haran (Gen 11,31.32; 12,4). Wenn auch nach Gen 15,7 "in dem
voraufgegangenen Fortzug Terachs u. seiner Familie aus Ur
Kasdim ohne Zweifel eine göttliche Fügung gesehen"[100] wird,
so zeigt doch ein Vergleich mit Philo und Josephus,[101] dass
die Apostelgeschichte hier nicht dem Alten Testament, sondern
einer eigenen Tradition folgt.[102] Der Gebrauch des Partizips
von εἶναι und des πρὶν ἤ mit Infinitiv lassen im Vergleich zum lukanischen Stil keinen literarkritischen Schluß
zu.[103] κατοικεῖν ist nach Gen 11,31 gewählt. Die Bezeichnung Abrahams als πατὴρ ἡμῶν entspricht dem Sprachgebrauch
der ganzen Rede insofern, als in ihr vornehmlich von πατέρες
ἡμῶν gesprochen wird.[104] Konnte das Gotteswort mit seinen
Abweichungen von der LXX nicht durch lukanischen Schriftgebrauch erklärt werden, und bedenkt man darüber hinaus, dass
sich die Offenbarungsformel mit den näheren Bestimmungen zu
Abraham als nicht direkt aus dem Alten Testament abgeleitet
zu erkennen gibt, dann legt sich der Schluß nahe, den besprochenen Text insgesamt als dem Lukas vorgegeben anzunehmen. Dieser Schluß muss umso mehr berechtigt erscheinen,
als für den Verfasser der Apostelgeschichte kein zwingendes
Motiv gefunden werden kann, die Stephanusrede gegen den

LXX-Text so und nicht anders beginnen zu lassen.

ὁ θεὸς τῆς δόξης   ist in der LXX nur durch Ps 29,3 belegt
und im Neuen Testament nur hier zu finden. Die Herkunft des
Ausdrucks dürfte damit geklärt sein, auch wenn die Stephanusrede auf diesen Psalm nicht weiter zurückgreift. Dass "im
Abrahamabschnitt sonst nur aus dem Pentateuch zitiert wird,
sich der Verfasser also überhaupt auf einen bestimmten Teil
des Alten Testaments beschränkt",[105] spricht nicht gegen die
Zitierung des Psalms,[106] sondern kann als Hinweis dafür gewertet werden, dass der Ausdruck erst nachträglich mit der
Abrahamsgeschichte zusammengebracht wurde. Lukas könnte ihn
im Hinblick auf V.55 gewählt haben. Die Frage, ob ursprünglich ein anderes Attribut mit ὁ θεὸς verbunden war, muss
später beantwortet werden. So ergibt sich als Vorlage:

ὁ θεός . . . ὤφθη τῷ πατρὶ ἡμῶν 'Αβραὰμ

ὄντι ἐν τῇ Μεσοποταμίᾳ

πρὶν ἢ κατοικῆσαι αὐτὸν ἐν Χαρράν,

καὶ εἶπεν πρὸς αὐτόν·

ἔξελθε ἐκ τῆς γῆς σου καὶ τῆς συγγενείας σου,

καὶ δεῦρο εἰς τὴν γῆν ἣν ἄν σοι δείξω.

V.4a wiederholt nur, was schon bekannt ist. Die Wortwahl ergibt sich aus dem Vorhergehenden. Für Μεσοποταμία   steht das
aus der Gottesrede (ἔξελθε ἐκ τῆς γῆς σου) und aus Gen
11,31 (ἐκ τῆς χώρας τῶν Χαλδαίων) gebildete ἐκ γῆς
Χαλδαίων . Diese verdeutlichende Wiederholung lässt sich
am besten als spätere Einfügung erklären. Unterstützt wird
diese Annahme durch den Subjektwechsel gegenüber den bisherigen und den folgenden Ausführungen. Dass dieser Vers als
redaktionelle Bildung angesehen werden kann, vermag auch der
Gebrauch des "namentlich" in der Apostelgeschichte "zur Einführung des zeitlich Nachfolgenden" gebrauchten τότε   zu
unterstützen,[107] das hier die Verknüpfung durch καί   unter-
bricht. Die Vermeidung der Parataxe durch eine Partizipialkonstruktion muss als für Lukas typisch angesehen werden.[108]

V.4b bildet die Überleitung vom Gotteswort zu den Aussagen
in V.5-7. Subjekt ist Gott, der in dem μετοικίζειν   sein
Wort an Abraham verwirklicht. Das verwendete Verb ist außer
an dieser Stelle nur noch Apg 7,43 im Zitat aus Am 5,27 zu
finden, sonst nicht im Neuen Testament. εἰς τὴν γῆν   greift

auf das Gotteswort zurück und wird durch das rückverweisende
Demonstrativpronomen ταύτην hervorgehoben. Der Relativsatz
dient der Aktualisierung der Rede und ist damit redaktionell,
was durch εἰς ἥν statt ἐν ᾗ [109], vor allem aber durch das
von Lukas gern benutzte νῦν [110] noch einsichtiger wird.

Die Verwirklichung des Gotteswortes wird durch μετὰ τὸ ἀπο-
θανεῖν τὸν πατέρα αὐτοῦ zeitlich bestimmt. μετὰ τό
als Zeitangabe wird zwar in der Apostelgeschichte mehrmals
gebraucht,[111] darf aber hier der Tradition zugerechnet werden, weil die LXX in anderen Zusammenhängen den ganzen Ausdruck kennt.[112] Für Tradition spricht die Tatsache, dass die
Genesis diesen Zusammenhang nicht hervorhebt und nur indirekt aufgrund von Gen 11,26.32; 12,4 erschlossen werden kann,
dass Abrahams Vater beim Aufbruch seines Sohnes noch lebt.[113]
Die Aussage ist aufs engste mit der Auslassung von καὶ ἐκ
τοῦ οἴκου τοῦ πατρός σου in V.3 zu sehen und greift indirekt Haran aus V.2 auf, wo Terach nach Gen 11,32 stirbt. Somit ist der Weg von Mesopotamien über Haran in das verheißene
Land gezeichnet. Vielleicht wird mit dieser Bemerkung der An-
stoß überwunden, "dass Abraham seinen alten Vater verlassen
haben sollte".[114] Dass hier nicht ad hoc formuliert wurde,
lässt Philo erkennen.[115] Da die Bemerkung fest mit dem zur
Vorlage gerechneten Kontext verbunden ist und sich darüber
hinaus nicht auf die LXX berufen kann, darf lukanische Verfasserschaft ausgeschlossen werden. κἀκεῖθεν ist in der
LXX nicht zu finden. Das Neue Testament gebraucht den Ausdruck nur Mk 9,30; Lk 11,53, aber die Apostelgeschichte hat
ihn ausser an der vorliegenden Stelle noch 13,21; 14,26;
16,12; 20,15; 21,1; 27,4; 28,15. Wenn der vorhergehende Vers
als lukanische Bildung angesehen werden kann, so ist für die
Tradition an die Stelle des κἀκεῖθεν ein καί anzunehmen und
als vorgegebener Text festzuhalten:

> καὶ μετὰ τὸ ἀποθανεῖν τὸν πατέρα αὐτοῦ
> μετῴκισεν αὐτὸν εἰς τὴν γῆν ταύτην

Das μετοικίζειν erhält eine negative Einschränkung und eine
positive Ausrichtung. Die negative Einschränkung ist frei
nach Dtn 2,5 formuliert, einer Schriftstelle also, die nichts
mit der Abrahamsgeschichte zu tun hat. Dass für κλῆρος in
der LXX hier κληρονομία steht, ist nicht von grundsätzlicher

Bedeutung, weil beide Begriffe den gleichen Sachverhalt,
wenn auch nuanciert, meinen.[116] Lukas, der beide Begriffe
kennt,[117] hat deswegen wohl kaum einen Anlass für die von
der LXX abweichende Wortwahl gehabt. Die Verheißung im zweiten Teil des Verses gründet auf Gen 17,8 (vgl. Gen 48,4).
Die inhaltlichen Abweichungen sind nicht so schwerwiegend
und wollen kaum etwas anderes als eine Straffung bewirken.
Die stilistischen Unterschiede ergeben sich vor allem durch
die Umwandlung in eine indirekte Rede.[118] Das bestimmende
Verb ἐπαγγέλλεσθαι findet sich weder in der LXX noch sonst
im lukanischen Doppelwerk.[119] Die Partizipialkonstruktion
οὐκ ὄντος αὐτῷ τέκνου klingt wie angehängt und ist als un-
wesentliche Detailangabe aufgrund der LXX als redaktioneller
Zusatz zu bewerten.[120] Dass Lukas die Aussage gebildet hat,
legt sich durch die Negation des Partizips mit οὐκ anstelle
des im Neuen Testament überwiegend gebrauchten μή nahe
(Lk 6,42; Apg 26,22; 28,17),[121] ferner durch die Vorliebe des
Verfassers der Apostelgeschichte für ὤν mit Dativ und den
Genitivus absolutus.[122] Die Zusammengehörigkeit des Verses
mit V.4b, die Satzabfolge mittels καί , der freizügige
Schriftgebrauch und vor allem das Fehlen jeglicher Beziehung
zur Redesituation lassen den Schluss zu, dass einer Vorlage
gefolgt wird, die nur mit einem Genitivus absolutus redaktionell erweitert worden ist. Für den Wortlaut der Tradition
ergibt sich damit:

> καὶ οὐκ ἔδωκεν αὐτῷ κληρονομίαν ἐν αὐτῇ οὐδὲ βῆμα ποδός,
> καὶ ἐπηγγείλατο δοῦναι αὐτῷ εἰς κατάσχεσιν αὐτὴν
> καὶ τῷ σπέρματι αὐτοῦ μετ' αὐτόν.

Es folgt eine direkte Gottesrede, die in zwei Teile gegliedert ist. Der erste Teil V.6 kündet vom Fremdlingsdasein der
Nachkommenschaft, von deren Knechtschaft und dem Gericht über
die Bedrücker, der zweite Teil vom Auszug und dem Gottesdienst. Beide Teile konkretisieren die negative und positive
Aussage des Vorhergehenden. Die Zusammengehörigkeit von V.5
und V.6.7 wird syntaktisch unterstrichen. Um nämlich an τῷ
σπέρματι αὐτοῦ in V.5 betont anschliessen zu können, wird
gegenüber Gen 15,13 τὸ σπέρμα [123] vorgezogen und das dazugehörige σου durch αὐτοῦ ersetzt.[124] Statt ἐν γῇ ἀλλοτρίᾳ
liest die LXX ἐν γῇ οὐκ ἰδίᾳ . Die Abweichung ist der

Tradition zuzurechnen (vgl. Ex 2,22; 18,3),[125] weil "Lukas
sonst eine Vorliebe für die Litotes zeigt".[126] Für αὐτό
nach δουλεύσουσιν steht in der LXX αὐτούς .[127] "Die auf-
fallendste Abweichung von der LXX ist das Fehlen der Worte
καὶ ταπεινώσουσιν αὐτούς ".[128] Sie darf als grössere Nähe
zum masoretischen Text verstanden werden, so dass lukanische
Verfasserschaft ausgeschlossen werden kann. Für die Wortfol-
ge ἔτη τετρακόσια im Unterschied zur LXX gilt die gleiche
Beurteilung.[129] Die Änderung des τὸ δέ der LXX in Gen 15,14a
zu καὶ τό fügt sich gut in den Stil der bisherigen Tradition.[130] Das gleiche gilt für καὶ μετά statt μετὰ δέ in
Gen 15,14b.[131] Mit καὶ λατρεύσουσίν μοι ἐν τῷ τόπῳ τούτῳ
wechselt die Gottesrede von Gen 15,14 scheinbar zu Ex 3,12
über. Die Verbform und ebenfalls τῷ θεῷ wären dann dem Vorhergehenden angepasst. Schwerer zu beurteilen ist ἐν τῷ
τόπῳ τούτῳ anstelle von ἐν τῷ ὄρει τούτῳ .[132] Da diese
Änderung eine Beziehung zur Redesituation Apg 6,13.14 erkennen lässt, ist lukanische Redaktion zu vermuten. Damit aber
wird es fraglich, ob Ex 3,12 tatsächlich als Grundlage anzusehen ist. Denn in der Vorlage kann kaum ἐν τῷ ὄρει τούτῳ
gestanden haben. Als Alternative ergibt sich, dass λατρεύσουσίν μοι auf Ex 7,26; 8,16; 9,1.13; 10,3.7 zurückgeht
und die Ortsangabe nicht als Änderung von Ex 3,12, sondern
als lukanische Ergänzung zugunsten der Redesituation zu werten ist.[133]

ἐλάλησεν δὲ οὕτως ὁ θεός [134] kann redaktionell sein. Darauf weist nicht nur die Wortwahl,[135] sondern auch die ursprünglich sehr betont gedachte Fortführung von τῷ σπέρματι αὐτοῦ mit ἔσται τὸ σπέρμα αὐτοῦ . Ebenso dürfte ὁ θεός
εἶπεν zur Redaktion zu rechnen sein.[136] Dann aber lässt
die Tradition eine straffe Gedankenführung und einen Wechsel
von indirekter zu direkter Rede erkennen:

    ὅτι ἔσται τὸ σπέρμα αὐτοῦ πάροικον ἐν γῇ ἀλλοτρίᾳ,
    καὶ δουλεύσουσιν αὐτὸ καὶ κακώσουσιν ἔτη τετρακόσια·
    καὶ τὸ ἔθνος ᾧ ἐὰν δουλεύσουσιν κρινῶ ἐγώ,
    καὶ μετὰ ταῦτα ἐξελεύσονται
    καὶ λατρεύσουσίν μοι.

Mit V.8 wird die Abrahamgeschichte zu Ende geführt und gleichzeitig der Übergang zur Josephgeschichte geschaffen. Zunächst
bleibt ὁ θεός aus V.2 Subjekt der Handlung. διδόναι wird in
der LXX äusserst oft von Gott ausgesagt, nie aber im Zusammenhang mit der Gabe des Bundes. διαθήκη περιτομῆς ist weder
in der LXX noch im Neuen Testament zu finden,[137] der Sache
nach ist Gen 17,10 (vgl. Gen 17,13) wiedergegeben. Die Aussage ist in Parallele zu V.5a formuliert[138] und von daher
ebenfalls als vorgegeben anzusehen:

καὶ ἔδωκεν αὐτῷ διαθήκην περιτομῆς

Im Folgenden weist das adversative καὶ auf Tradition, während οὕτως die Satzstruktur verfeinert und deswegen dem Verfasser der Apostelgeschichte zuzuschreiben ist.[139] ἐγέννησεν
τὸν Ἰσαάκ wird von Abraham in Gen 25,19 ausgesagt. Die
nächste Aussage ist nach Gen 21,4 gebildet. Die Abwandlung
eines δέ in Gen 21,4 zu einem καὶ entspricht nicht lukanischer Stilistik.[140] Der Begriff der δώδεκα πατριάρχαι
fehlt sonst sowohl im Alten als auch im Neuen Testament.[141]
Der Satz gehört zur Tradition:

καὶ ἐγέννησεν τὸν Ἰσαὰκ
καὶ περιέτεμεν αὐτὸν τῇ ἡμέρᾳ τῇ ὀγδόῃ,
καὶ Ἰσαὰκ τὸν Ἰακώβ,
καὶ Ἰακὼβ τοὺς δώδεκα πατριάρχας.

V. 9-14: Die Josephgeschichte

Das Gewicht von V.9 und 10 liegt auf dem Handeln Gottes an
Joseph. Von der für Lukas ungewöhnlichen Anreihung von Sätzen
mittels καὶ hebt sich nur das Partizip ζηλώσαντες ab.
Zugrundeliegt Gen 37,11; dort entspricht dem Partizip ein
Verbum finitum. Sowohl die Konstruktion als auch die Möglich-
keit einer von Lukas beabsichtigten Tendenz (s. Apg 17,5;
vgl. 5,17) ermöglichen den Schluss, dass es sich hier um Re-
daktion handelt.[142] ἀπέδοντο εἰς Αἴγυπτον "ist verkürzte
Wiedergabe von Gen 37,28".[143] Damit ist die geschichtliche
Voraussetzung für das im Folgenden ausgesagte Heilshandeln
Gottes gegeben.

καὶ ἦν ὁ θεὸς μετ' αὐτοῦ findet sich so oder ähnlich auch
sonst bei Lukas,[144] ist aber hier nach Gen 39,21 gebildet.

Die nächste Aussage, die der ersten parallel ist, kann als
freie Wiedergabe von Gen 39,21 (καὶ κατέχεεν αὐτοῦ ἔλεος)
angesehen werden. Die Wortwahl wird von Gen 42,21 beeinflußt
sein.[145] Die freie Wiedergabe der Schrift spricht für Tradition. Die dritte Aussage[146] hält sich ebenfalls an Gen 39,21.
καὶ σοφίαν ist redaktionelle Erweiterung durch Lukas. "Die
gleiche Zuordnung von χάρις und σοφία findet sich auch Lk
2,40.52 in summarischen Schlußbemerkungen".[147] Ein Einfluß
von Ps 105,22 ist nicht auszuschliessen, zumal auch die nächste Aussage auf diesen Psalm zurückgeht. Φαραὼ βασιλεὺς
Αἰγύπτου (Gen 41,46; 47,4; Ex 3,10.11.18.19; 6,11.13.27.29;
14,8 u.ö.) tritt als Verdeutlichung anstelle des selten gebrauchten ἀρχιδεσμοφύλαξ (ausser Gen 39,21 noch Gen 39,22.23;
40,3; 41,10). καὶ κατέστησεν αὐτὸν ἡγούμενον κτλ. verweist
auf Gen 41,41: ἰδοὺ καθίστημί σε σήμερον ἐπὶ πάσης γῆς
Αἰγύπτου, bzw. Gen 41,43: καὶ κατέστησεν αὐτὸν ἐφ' ὅλης γῆς
Αἰγύπτου . Die Übereinstimmung beider Texte lassen als Vorlage erkennen: καὶ κατέστησεν αὐτὸν ἐπ' Αἴγυπτον . Alles
andere kann als lukanische Redaktion aufgrund von Ps 105,21
angesehen werden. Da κύριος im lukanischen Doppelwerk als
Bezeichnung sowohl für Gott als auch für Jesus Christus gebraucht wird, steht hier für κύριον in Ps 105,21 das Partizip ἡγούμενον (vgl. Lk 22,26; Apg 14,12; 15,22). οἶκος aus
Ps 105,21 hat das von Lukas gern gebrauchte ὅλος aus V.11
angezogen (vgl. Apg 2,2).[148]

Damit lautet die Vorlage:
> καὶ οἱ πατριάρχαι τὸν Ἰωσὴφ ἀπέδοντο εἰς Αἴγυπτον·
> καὶ ἦν ὁ θεὸς μετ' αὐτοῦ,
> καὶ ἐξείλατο αὐτὸν ἐκ πασῶν τῶν θλίψεων αὐτοῦ,
> καὶ ἔδωκεν αὐτῷ χάριν ἐναντίον Φαραὼ βασιλέως Αἰγύπτου,
> καὶ κατέστησεν αὐτὸν ἐπ' Αἴγυπτον.

Gegenüber diesem Ergebnis fällt in den V.11-14[149] die breite reproduzierende Darstellung der Josephgeschichte auf,
deren Aussagen sich an die LXX halten. Die Vermeidung der
Parataxe ist augenscheinlich. ἦλθεν δὲ λιμὸς ἐφ' ὅλην τὴν
Αἴγυπτον καὶ Χανάαν ist summarische Zusammenfassung
von Gen 41,54 und 42,5.[150] καὶ θλῖψις μεγάλη hat einen

Anklang an Gen 42,21, ist in Apg 7,11 aber auf die Hungers-
not bezogen. Der Ausdruck scheint angehängt. Stellt man aufgrund von Gen 42,21 ἦλθεν als Verb zu θλῖψις, so entsteht der Satz: καὶ ἦλθεν θλῖψις μεγάλη ἐφ' ὅλην τὴν Αἴγυπτον καὶ Χανάαν mit der Fortsetzung: καὶ οὐχ ηὕρισκον
χορτάσματα οἱ πατέρες ἡμῶν . Demnach hat Lukas den Satz
mit λιμός gebildet, gleichzeitig καί am Anfang vermieden
und im ganzen eine grössere Nähe zur Schrift bewirkt.[151]
Ursprünglich wurde die allgemeine Aussage über die Notlage
Ägyptens und Kanaans im nächsten Satz konkretisiert. Dass
der zweite Satz der Tradition angehört, wird durch den Gebrauch von χορτάσματα erhärtet. Das Wort kommt im Neuen
Testament nur hier vor und meint allgemein die Nahrung, während es in der Josephgeschichte der LXX (Gen 42,27; 43,24)
nur das Viehfutter meint. Diese von der LXX abweichende
Wortbedeutung entspricht dem großzügigen Schriftgebrauch
der Tradition.[152]

ἀκούσας δὲ Ἰακὼβ ὄντα σιτία εἰς Αἴγυπτον ἐξαπέστειλεν in
V.12 ist nach Gen 42,2 gebildet. Die unterschiedliche Dar-
stellungsweise ist vor allem syntaktischer Art. "Der besondere Fall, dass der Inhalt des Gehörten mit dem Partizip angegeben wird, findet sich im NT nur 4 x, davon 2 x im lk Doppelwerk. Bedenkt man dazu noch den mannigfachen Partizip-
gebrauch bei Lukas, so wird die lk Herkunft wahrscheinlich.
Lukanisches Vorzugswort ist schließlich auch ἐξαποστέλ-
λω ."[153] Auffällig und unerklärlich ist σιτία für σῖτος .
Der Verfasser des Doppelwerkes benutzt sonst dieses Wort nie
und die LXX kennt es nur einmal (Koh 24,57).[154]

Kann V.12 als lukanische Erweiterung der Vorlage bezeichnet
werden, so legt sich der Schluß nahe, dass auch der durch ἐν
τῷ δευτέρῳ [155] eng mit dem Vorhergehenden verbundene V.13
als redaktionelle Ergänzung zu werten ist. ἀνεγνωρίσθη Ἰωσὴφ
τοῖς ἀδελφοῖς αὐτοῦ entspricht Gen 45,1. Der zweite
Satz von V.13 ist freie Inhaltsangabe des Genesisberichtes.
γίνεσθαι mit φανερός ist in Gen 42,16 zu finden. Der
Ausdruck kommt dem Lukas gelegen, wie Lk 8,17 gegenüber
Mk 4,22 zu zeigen vermag.[156] γένος steht nicht in der Josephgeschichte der Genesis, wohl aber in Apg 4,6.36; 7,19;
13,26; (17,28); 17,29; 18,2.24. καί zu Beginn des V.13

spricht nicht gegen lukanische Redaktion, da καί zur Koor-
dination von Zeitbestimmungen nicht unklassisch ist,[157] hier
also nicht eine einfache Aneinanderreihung von Sätzen mittels
καί vorliegt.

V.14 referiert weiter die Josephgeschichte der Genesis.
ἐν ψυχαῖς ἐβδομήκοντα πέντε folgt eindeutig der LXX, die
Gen 46,27 und Ex 1,5 in Abweichung vom hebräischen Text
die Zahl 75 liest.[158] ἀποστέλλειν kann durch Gen 45,27 veranlasst sein, als Partizipialkonstruktion weist die Verbform
auf Lukas. Das in der LXX nur zweimal gebrauchte μετακαλεῖ-
σθαι "kommt im NT nur Ag vor, und hier gleich 4 x"[159]
(Apg 10,32; 20,17; 24,25). συγγένεια , im Neuen Testament
nur noch Lk 1,61, ergibt sich hier aus Apg 7,3. Die Ausführlichkeit der Verse 12-14 erinnert an die sekundäre Erweiterung der Tradition in 7,4a. Es handelt sich um lukanische Redaktion, was durch die Untersuchung der beiden nächsten Verse noch wahrscheinlicher wird.

V.15.16[160]: Übersiedlung und Tod Jakobs und der Väter

Der vorangehende Vers lässt die Übersiedlung schon als vollzogen annehmen. Das erklärt sich am besten durch das Zusam-
menkommen von Tradition und Redaktion. Die hier kurz und prägnant ausgesagte Übersiedlung schliesst sich gut an die als
Tradition erkannten Aussagen in V.11 an. Zu Grunde liegt
Gen 46,3. Das Verfahren, ein Gotteswort zu einer berichten-
den Aussage umzuwandeln, hat eine Entsprechung in V.5. Wurde dort die Schriftbenutzung als Eigenart der Tradition gewertet, so hat gleiches Urteil auch für V.15 zu gelten.
τελευτᾶν im Zusammenhang mit Jakobs Tod steht Gen 50,16.
Durch die Fortführung mit καὶ οἱ πατέρες ἡμῶν ist Ex 1,6
einbezogen. Das Zusammenfassen eines Geschehens aus verschiedenen Schriftstellen wurde bereits als typisch für die
Tradition erkannt. μετατιθέναι steht in den Evangelien und
in der Apostelgeschichte nur hier. Συχέμ wird als Ortsname
von der LXX nicht mit Jakobs Tod in Verbindung gebracht, aber
mit der Beisetzung des Joseph (Jos 24,32). Nach Gen 49,30
und 50,13 ist Jakob "in der von Abraham von den Chetitern ge-
kauften Höhle Machpela bei Hebron beigesetzt".[161] Auch "ist
es nach Gn 33,19; Jos 24,32 nicht Abraham gewesen, der das

Grundstück bei Sichem gekauft hat, sondern Jakob".[162] Verschiedene Schriftstellen scheinen die Wortwahl bewirkt zu haben. τιθέναι lässt an Gen 50,26 denken, in Verbindung mit
μνῆμα an Jos 24,31. ὠνεῖσθαι ist Hapaxlegomenon der biblischen Schriften.[163] Der Genitivus pretii τιμῆς ἀργυρίου
hat keine Parallele im entsprechenden Zusammenhang der Genesis, lässt aber an Lev 5,15.18 denken. παρὰ τῶν υἱῶν Ἐμμὼρ
ἐν Συχέμ kann mit Gen 23,20; 25,10 und 33,19; Jos 24,32
in Verbindung gesehen werden, scheint aber am ehesten durch
den hebräischen Text der beiden letztgenannten Schriftstellen
bedingt zu sein.[164] Eine Erklärung für diese teilweise dem
Alten Testament widersprechenden Schriftanklänge lässt sich
nicht bei Lukas finden,[165] so dass für die Tradition festzumachen ist:

> καὶ κατέβη Ἰακὼβ εἰς Αἴγυπτον.
>
> καὶ ἐτελεύτησεν αὐτὸς καὶ οἱ πατέρες ἡμῶν,
>
> καὶ μετετέθησαν εἰς Συχὲμ
>
> καὶ ἐτέθησαν ἐν τῷ μνήματι
>
> ᾧ ὠνήσατο Ἀβραὰμ τιμῆς ἀργυρίου
>
> παρὰ τῶν υἱῶν Ἐμμὼρ ἐν Συχέμ.

V.17-19: Das Schicksal des Volkes in Ägypten

Die Verse greifen auf die Verheißung an Abraham zurück und
schaffen den Übergang zur Mosegeschichte. Das erste Kapitel
des Buches Exodus bietet die Reihenfolge des Geschilderten
und in seiner LXX-Fassung die sprachliche Grundlage. Dem
Stil nach gehören die Verse einer gehobeneren Sprachebene
an.

καθώς ist entsprechend V.44 begründend zu verstehen.[166]
Die "von Lukas bevorzugte Vokabel ἐγγίζειν "[167] bringt
"ein zeitliches 'Nahekommen'(Lk 22,1; Apg 7,17 u.ö.) zum
Ausdruck"[168], und zwar "im Sinne des 'Noch-Bevorstehenden'"[169]
(vgl. vor allem Lk 21,8). ὁ χρόνος τῆς ἐπαγγελίας kennzeichnet das ganze Geschehen des Mosesberichtes als Zeit, in der
sich die Verheißung erfüllt. χρόνος verwendet Lukas 24mal.
ἐπαγγελία ist im lukanischen Doppelwerk ausser in Apg 23,21
ein theologischer Terminus der heilsgeschichtlichen Offenbarung und Verheißung Gottes, der "gleichzeitig die Verwirkli-

chung des Verheißenen ausdrückt."[170] Der Relativsatz weist
auf Apg 7,5 und damit auf die Landverheißung, in deren Verwirklichung das theologische Gewicht der Mosesgeschichte zu
suchen ist.   ὁμολογεῖν[171] als feierliche Zusage ist in
dieser Bedeutung hellenistisch.[172]   ηὔξησεν καὶ ἐπληθύνθη
ist aus Ex 1,7 übernommen. ὁ λαός und ἐν Αἰγύπτῳ entstammt der Tradition, wie sie sich in Apg 13,17b erhalten
hat.[173]

V.18[174] folgt bis auf ἄχρι οὗ wörtlich Ex 1,8. Der redaktionelle Gebrauch von ἄχρι οὗ in Lk 21,24 kann als Hinweis
gewertet werden,[175] dass der Ausdruck auch in V.18 von Lukas
gewählt ist (vgl. Apg 27,33).

Das von Lukas geradezu mit Vorliebe gebrauchte Demonstrati-
vum οὗτος leitet in V.19 nach Einführung der Person des
Pharao das von ihm zu Erzählende ein.[176] κατασοφίζεσθαι
hält sich an Ex 1,10 (vgl. Jdt 5,11), κακοῦν an Ex 1,11 und
τὸ γένος ἡμῶν ist von Ex 1,9 her zu verstehen. Der Genitiv
des Infinitivs mit Artikel ist "namentlich bei Lukas"[177] zu
finden. βρέφος , fünfmal in der LXX, hat Lk 1,41.44;
2,12.16; 18,15.[178] ἔκθετος kennt sowohl das Alte Testament
als auch das Neue Testament sonst nicht. ζῳογονεῖν entstammt dem LXX-Zusammenhang in Ex 1,17.18.22. εἰς τό mit
substantiviertem Infinitiv zur Bezeichnung des Zwecks und der
Folge hat Lk 5,17[179] in redaktioneller Abweichung von Mk
2,2.[180]

Der Stil und die Ausführlichkeit lassen die Verse als lukanische Bildung erkennen.[181] Die Untersuchung von Apg 13,17
wird zeigen können, dass sich dort jene Tradition erhalten
hat, die ursprünglich hierhin gehören dürfte. Doch wird man
in V.19 traditionelle Aussagen der Vorlage sehen müssen, die
sich allgemein auf das Los der Israeliten in Ägypten beziehen und von Lukas auf das Schicksal der Kinder hin konkretisiert worden sind. Löst man die lukanische Syntax der Vorlage
entsprechend auf, ergibt sich:

καὶ ὁ βασιλεὺς Αἰγύπτου κατεσοφίσατο τὸ γένος ἡμῶν
καὶ ἐκάκωσεν τοὺς πατέρας ἡμῶν.

V.2o-22: Geburt und Kindheit des Mose

Der Akzent des Geschilderten liegt auf καὶ ἦν ἀστεῖος τῷ θεῷ.
Gegenüber Ex 2,2 wird das dem Mose beigelegte Eigenschafts-
wort nicht als "schön", sondern als "wohlgefällig" zu verstehen sein.[182] Der freie Umgang mit der Schrift und der
parataktische Anschluß mittels καί weisen auf Tradition.

Der "mit freiem Anschluss an das Vorhergehende"[183] gebildete Relativsatz (V.2o) erinnert durch die Wahl des Verbs an
Apg 7,8. γεννᾶν sagt die LXX von Mose nicht aus. Der gebildeten Sprache entspricht die "Einbeziehung des Bezugsnomen
in den Relativsatz".[184] ὁ καιρός ist zeitlich gemeint,
lässt aber aufgrund von Apg 7,17 und 7,20b auch eine theologische Dimension zu.[185] Die relativische Verknüpfung kann
lukanische Redaktion sein, so dass für die Tradition ein
καί anzunehmen ist. Wie sich das Wohlgefallen vor Gott ge-
schichtlich verwirklicht, sagen die nächsten Sätze. V.2oc
ergibt sich aus Ex 2,2. Dort steht für ἀνατρέφειν das Verb
σκεπάζειν . Diese Änderung scheint Lukas wie auch in V.22a
vorgenommen zu haben, um in diesem Abschnitt jenen Sprachgebrauch anzuwenden, "den die hellenistische Lebensbeschrei-
bung geprägt hat und den das hellenistische Judentum entsprechend bei biographischen Angaben über seine führenden
Männer anwendet."[186] Desgleichen ist auch in Apg 22,3
(γεγεννημένος - ἀνατεθραμμένος - πεπαιδευμένος) zu
finden.[187] ἐν τῷ οἴκῳ τοῦ πατρός lässt lukanische Wortwahl
vermuten. Lukas bringt allein in seinem Evangelium οἶκος
33mal (Apg 25mal) gegenüber Mk 12 und Mt 10mal.

In V.21[188] stammen ἀνείλατο und ἡ θυγάτηρ Φαραώ wörtlich
aus Ex 2,5. Der Genitivus absolutus benutzt das Verb ἐκτίθε-
σθαι , das sich durch ἔκθετος in V.19 nahelegt.[189]
ἑαυτῇ εἰς υἱόν ist wörtlich aus Ex 2,10 übernommen.

V.22a[190] hat keinerlei Anklänge an den Mosesbericht der LXX,
wohl aber an außerbiblische Vorstellungen[191] und ist der Tradition zuzuweisen, was durch die Ähnlichkeit von V.20b und
22a zu V. 9b und 10b erhärtet wird. δυνατὸς ἐν λόγοις καὶ
ἔργοις in V.22b steht im Widerspruch zu Ex 4,10-16, aber
in auffälliger Parallelität zu Lk 24,19.[192] Der Vers lässt
lukanische Tendenz erkennen und gehört somit der Redaktion

an.

Für die Tradition ergibt sich aus diesem Abschnitt:
> καὶ ἐγεννήθη Μωϋσῆς,
> καὶ ἦν ἀστεῖος τῷ θεῷ.
> καὶ ἐπαιδεύθη πάσῃ σοφίᾳ Αἰγυπτίων.

V.23-29: Moses Eingreifen und Flucht

Der Abschnitt wird wie auch der nächste durch eine präzise
Zeitangabe eingeleitet. Beide Daten sind der Schrift unbekannt, finden sich aber in der rabbinischen Literatur.[193]
ὡς δέ ,[194] χρόνος ,[195] πληροῦν [196] und das zusammen-
gezogene τεσσερακονταετής [197] lassen lukanische Wortwahl
vermuten; im lukanischen Doppelwerk jedoch "fehlt der in
Ag 7,23a anzutreffende Dativ stets".[198] Für die Vorlage ist
anzunehmen: καὶ ἐπληροῦντο αὐτῷ ἔτη τεσσεράκοντα.

Die folgende Aussage ἀνέβη ἐπὶ τὴν καρδίαν αὐτοῦ dürfte
als Septuagintismus redaktionell sein (vgl. Lk 24,38).[199]
ἐπισκέπτεσθαι ist bei 11maligem Vorkommen im Neuen Testament 7mal im lukanischen Doppelwerk zu finden.[200] Die Fortführung des Infinitivs hält sich genau an Ex 2,11. Daher
legt sich aus diesen Beobachtungen der Schluß nahe, dass
V.23 ausser der Zeitangabe von Lukas formuliert worden ist.
Dann aber kann in V.24 das Partizip ἰδών und die Partizipialkonstruktion πατάξας τὸν Αἰγύπτιον ebenfalls als sekundäre Erweiterung verstanden werden. Denn ἰδών nimmt nicht
nur ἐπισκέπτεσθαι wieder auf, sondern muss auch als lukanische Spracheigentümlichkeit angesehen werden,[201] während
πατάξας τὸν Αἰγύπτιον denselben Schriftzusammenhang wie
V.23 zitiert, nämlich Ex 2,12.[202] Die verbleibende Aussage
τινα ἀδικοῦντα [203] ἠμύνατο, καὶ ἐποίησεν ἐκδίκησιν τῷ
καταπονουμένῳ ist dann als freie Wiedergabe des in der
Schrift Berichteten traditionell. Dass es sich tatsächlich
um Tradition handelt, vermag auch die Parataxe und die Wortwahl anzuzeigen. ἀμύνεσθαι findet sich im Neuen Testament
nur hier, in der LXX gelegentlich.[204] ποιεῖν ἐκδίκησιν
ist in Lk 18,7.8 vorgegeben;[205] ἐκδίκησις in Lk 21,22 steht
in einer vorgeprägten Wendung.[206] καταπονεῖν ist ungebräuchlich (nur noch 2 Petr 2,7; vgl. (2 Makk 8,2) 3 Makk 2,2.13).
V.25[207] wird von Lukas formuliert sein. Denn der Vers unter-

bricht den Handlungsablauf und bereitet als Interpretation
die in V.35 mit anderen Worten hervorgehobene Aussage über
die Bedeutung des Mose vor.[208] Das aber entspricht der lukanischen Aussageabsicht. Auf Redaktion weist zudem noch
die gehobene Syntax und die Wortwahl. Zu nennen ist vor allem
der lukanische Gebrauch von σωτηρία [209] und χείρ.[210]

V.26[211] beginnt mit einem feststehenden Ausdruck, der nur der
Apostelgeschichte eigen ist (Apg 16,11; 20,15; 21,18; 23,11).
Offensichtlich formuliert Lukas auf dem Hintergrund von Ex
2,13. Auf Redaktion weist auch τε . Zwar ergibt sich auch
ὁρᾶν aus Ex 2,13, weil jedoch alle ὤφθη-Stellen im dritten Evangelium und in der Apostelgeschichte immer den Offen-
barungscharakter der Verbform wahren, muss an dieser Stelle
Tradition angenommen werden. μάχεσθαι fehlt sonst im lukanischen Doppelwerk, συναλλάσσειν in der gesamten Schrift.
So dürfte sich in ὤφθη αὐτοῖς μαχομένοις καὶ συνήλλασσεν
αὐτοὺς εἰς εἰρήνην die Vorlage erhalten haben.

Die wörtliche Rede[212] des Mose findet "sich in dieser Form
nicht in dem biblischen Bericht über die hier zusammengefaßt
wiedergegebene Geschichte".[213] Da die Worte des Mose als Interpretation zu συνήλλασσεν αὐτοὺς εἰς εἰρήνην zu verstehen
und damit der lukanischen Erläuterung in V.25 vergleichbar
sind, kann hier das starke Abweichen von Ex 2,11-13 nicht
als Hinweis auf den schon in mehreren Fällen beobachteten
freien Schriftgebrauch der Tradition gewertet werden.
ἄνδρες , ἀδελφοί ἐστε greift τοὺς ἀδελφοὺς αὐτοῦ in V.23
und 25 auf, erklärt näherhin die vorausgehende Aussage συνήλλασσεν αὐτοὺς εἰς εἰρήνην und begründet die folgende
Frage. ἱνατί ἀδικεῖτε ἀλλήλους ergibt sich inhaltlich aus
αὐτοῖς μαχομένοις und der Wortwahl nach aus Ex 2,13 und
V.27. Wenn in V.27 im Unterschied zu der von Lukas gebildeten Frage, aber in Übereinstimmung mit Ex 2,13.14 von
dem gesprochen wird, der seinem Nächsten Unrecht getan hat,
so ist diese Diskrepanz als weiterer Hinweis für das Aufeinandertreffen von Tradition und Redaktion zu werten,
und zwar dergestalt, dass in ὁ δὲ ἀδικῶν τὸν πλησίον ἀπώσατο
αὐτόν die Weiterführung der Vorlage erhalten ist.[214] Es
liegt nahe, aufgrund der bisher vorliegenden Rekonstruktion

der Tradition das δέ und die Erweiterung des substantivier-
ten Partizips für redaktionell zu halten und als vorgegeben
ein parataktisches καί und V.24 entsprechend ὁ ἀδικῶν
als Subjekt der Handlung anzunehmen. Somit hat dem Verfasser
der Apostelgeschichte vorgelegen: καὶ ὁ ἀδικῶν ἀπώσατο αὐτόν.

Die "Lästerrede"[215] ist genaues Zitat aus Ex 2,14.[216] Wie die
Worte des Mose ist auch diese Rede als lukanische Erweiterung
zu verstehen. Beide direkten Reden werden mit εἰπών eingeleitet. Als Motiv der lukanischen Redaktion lässt sich Interpretation und Dramatisierung der in der Vorlage geschilderten Ereignisse angeben.

V.29a[217] gibt Ex 2,14 wieder. Die Wahl von ἔφυγεν anstelle
von ἐφοβήθη weist auf Tradition, da Lukas selbständig das
Verb φεύγειν nicht gebraucht.[218] ἐν τῷ λόγῳ τούτῳ dagegen ist redaktioneller Rückverweis auf die nachträglich ein-
gefügte "Lästerrede".[219] V.29b ist ein Mischzitat aus Ex
2,15 und Ex 2,22 (bzw. Ex 18,3).[220] Lukas wird ein einfaches
ἦν durch ἐγένετο ersetzt haben.[221] Wie in Apg 7,5 οὐκ
ὄντος αὐτῷ τέκνου wird auch hier die unbedeutende Detail-
aussage οὗ ἐγέννησεν υἱοὺς δύο redaktionell sein (vgl.
Ex 18,2-6).[222] Vorgegeben ist somit: καὶ ἔφυγεν Μωϋσῆς, καὶ
ἦν πάροικος ἐν γῇ Μαδιάμ.

Die Vorlage der V.23-29 lautet:
    καὶ ἐπληροῦντο αὐτῷ ἔτη τεσσεράκοντα.
    καί τινα ἀδικοῦντα ἠμύνατο,
    καὶ ἐποίησεν ἐκδίκησιν τῷ καταπονουμένῳ.
    καὶ ὤφθη αὐτοῖς μαχομένοις
    καὶ συνήλλασσεν αὐτοὺς εἰς εἰρήνην.
    καὶ ὁ ἀδικῶν ἀπώσατο αὐτόν.
    καὶ ἔφυγεν Μωϋσῆς,
    καὶ ἦν πάροικος ἐν γῇ Μαδιάμ.

V.30-34: Moses Berufung

Höhepunkt dieses Abschnitts ist die Gottesoffenbarung in V.
32 mit der Berufung des Mose in V.33.34.[223] Das Gotteswort
V.32 ist zwar in Ex 3,6 begründet, doch fehlt εἰμι nach
ἐγώ und θεός bei Ἰσαάκ und Ἰακώβ , und anstelle von

τοῦ πατρός steht τῶν πατέρων ,[224] so dass eine Beeinflus-
sung "von einer bestimmten Textform der Bibel, sei es der hebräischen, sei es der griechischen Überlieferung"[225] unwahrscheinlich ist. Lukas lässt keinen selbständigen Umgang mit
dem Gotteswort erkennen. In Lk 20,37 "folgt er" der Markusvorlage[226] und in Apg 3,13 derselben Vorlage wie hier, wie
noch gezeigt werden kann.[227] Das Berufungswort in V.34 gibt
die Gottesrede in Ex 3,7-10 auf das Wesentliche verkürzt wieder. Das aber kann als Hinweis dafür gewertet werden, dass
hier die Vorlage erhalten ist, da dieser Umgang mit der
Schrift für die Tradition als bezeichnend erkannt worden
ist. καὶ τοῦ στεναγμοῦ αὐτῶν ἤκουσα bezieht Ex 6,5 (vgl.
2,24) ein.[228] Auch das kann in der Linie einer freizügigen
Schriftbenutzung durch die Tradition gesehen werden.

In der Abfolge des Exodus-Berichtes gehört das Gotteswort
Apg 7,33 vor die Gottesoffenbarung. Der Imperativ aorist
λῦσον statt Infinitiv aorist λῦσαι ist als belanglose stilistische Verbesserung zu bewerten;[229] τῶν ποδῶν für ἐκ τῶν
ποδῶν ist sprachlich für das Gemeinte glatter.[230] Da
derartige Verbesserungen durchaus im lukanischen Schriftgebrauch zu finden sind[231] und da dieses Gotteswort im Zusammenhang keinerlei Gewicht hat, wohl aber als Auffüllung
der Tradition verstanden werden kann, ist Redaktion anzunehmen. Dass Lukas die Stelle nicht dort einfügt, wo sie hinge-
hört, lässt sich am einfachsten so erklären, dass er hier
mehr unter dem Zwang seiner Vorlage steht als unter dem des
Exodus-Berichtes. εἶπεν δὲ αὐτῷ ὁ κύριος [232] (vgl. Apg
7,6.7) gehört dann ebenso zur Redaktion wie die vorhergehende Aussage über das Verhalten des Mose. ἔντρομος γενόμενος
findet sich noch Apg 16,29 (vgl. Ps 18,8; 76,19). τολμᾶν
ist in Lk 20,40 von Mk abhängig, in Apg 5,13 aber redaktionell.[233] κατανοεῖν ist von Lukas bevorzugt gebraucht (s.
zu V.31).

Die Jahresangabe zu Beginn von V.30[234] ist im Zusammenhang
mit V.23 zu sehen, auch wenn der Genitivus absolutus von
Lukas stammen wird. ὤφθη αὐτῷ ἄγγελος ἐν φλογὶ πυρὸς βάτου
ist wörtlich nach Ex 3,2 wiedergegeben.[235] Gegenüber dem
LXX-Text ist κυρίου als Bestimmung zu ἄγγελος ausgelassen und

vor βάτου fehlt ἐκ τοῦ . Für die ungenaue Zitation ist es
"aber kaum wahrscheinlich", "dass Lukas der dafür Verantwort-
liche ist".[236] Ebenfalls freie Wiedergabe der Schrift liegt
in ἐν τῇ ἐρήμῳ τοῦ ὄρους vor. Diese Ortsangabe enthält
das ὑπὸ τὴν ἔρημον und εἰς τὸ ὄρος Χωρήβ aus Ex 3,1.
Σινᾶ ist in Ex 19 im Zusammenhang mit dem Bundesschluß
genannt. Doch ist schon durch Ex 3,12 ein und derselbe Ort
gemeint. Lukanische Redaktion dürfte auszuschliessen sein.

V.31[237] ist freie Wiedergabe von Ex 3,2.3. Wörtlich übernommen ist nur τὸ ὅραμα .[238] προσέρχεσθαι weist auf προσ-
άγειν in Ex 3,4. κατανοεῖν (vgl. Ex 2,11) ist vor allem
im lukanischen Doppelwerk zu finden.[239] "ἐγένετο φωνή darf
ebenfalls auf die Liste lk Vorzugswendungen gesetzt werden",[240] zumal das Attribut κυρίου aus dem bisher festgestellten Sprachgebrauch der Tradition herausfällt, wohl aber
dem LXX-Zusammenhang entspricht. Es liegt daher nahe, in der
Vorlage entsprechend Apg 7,3 ὤφθη mit καὶ εἶπεν πρὸς αὐτόν
fortzuführen. εἶπεν δὲ αὐτῷ ὁ κύριος (V.33) fällt fort,
wenn Offenbarungsaussage und Berufungswort aneinanderzu-
rücken sind.

Für die Tradition ergibt sich:
    καὶ ἐπληροῦντο αὐτῷ ἔτη τεσσεράκοντα.
    καὶ ὤφθη αὐτῷ ἐν τῇ ἐρήμῳ τοῦ ὄρους Σινᾶ
    ἄγγελος ἐν φλογὶ πυρὸς βάτου
    καὶ εἶπεν πρὸς αὐτόν·
    ἐγὼ ὁ θεὸς τῶν πατέρων σου,
    ὁ θεὸς Ἀβραὰμ καὶ Ἰσαὰκ καὶ Ἰακώβ.
    ἰδὼν εἶδον τὴν κάκωσιν τοῦ λαοῦ μου τοῦ ἐν Αἰγύπτῳ,
    καὶ τοῦ στεναγμοῦ αὐτῶν ἤκουσα,
    καὶ κατέβην ἐξελέσθαι αὐτούς·
    καὶ νῦν δεῦρο ἀποστείλω σε εἰς Αἴγυπτον.

V.35-40: Mose und das Volk

Mit V.35 "setzt jäh ein anderer Stil ein",[241] angezeigt durch
das zweimalige τοῦτον und die folgenden drei οὗτος .[242]
Das"lässt die gestaltende Hand des Lukas annehmen, da dieser
es liebt, zur Belebung der Rede mit οὗτος betont anzuknüpfen an eine vorher genannte Person, besonders wenn Unerwarte-

tes von ihr ausgesagt werden soll".[243]

V.35a[244] greift auf V.27 zurück. ἀρνεῖσθαι , in der LXX
nur 6mal zu finden, verweist direkt auf Apg 3,13.14 und läßt
die Tendenz des Lukas erkennen, indem das Verhalten der Juden
gegenüber Jesus Christus im Verhalten des Volkes gegenüber
Mose vorgezeichnet wird.[245]

Ebenfalls ergibt sich aus dem Vorhergehenden der V.35b.[246]
Auffallend ist λυτρωτής und σὺν χειρὶ ἀγγέλου. λυτρωτής
ist ungebräuchlich und steht nur Ps 19,15; 78,35, und zwar
von Gott ausgesagt. Das entsprechende Verb steht Lk 24,21
(sonst noch Tit 2,14; 1 Petr 1,18), das Substantiv λύτρωσις
Lk 1,68; 2,38 (noch Hebr 9,12). In V.35b dient der Ausdruck
dem Verfasser der Apostelgeschichte zur Typisierung des Mose
auf Christus hin. χεῖρ wird in der LXX und auch von Lukas
oft gebraucht, nie aber mit σύν .[247] Das semitische Verständnis von χεῖρ mit dem klassischen Gebrauch von σύν ist
nicht nur sprachlich Lukas zuzutrauen,[248] sondern die Annahme
von Redaktion entspricht auch den als redaktionell erkannten
Erweiterungen in V.31 und 33.[249]

Was in V.36[250] von Mose ausgesagt wird, ist in Apg 13,17 von
Gott ausgesagt und wird sich dort bei der Analyse als Tradition erkennen lassen,[251] deren ursprünglicher Ort folge-
richtig hinter dem Sendungswort Apg 7,34 zu sehen ist. Dann
aber liegt es nahe, auch τέρατα καὶ σημεῖα ἐν γῇ Αἰγύπτῳ
grund von Ex 7,3 als Aussage der Vorlage über Gott zu sehen,
zumal die Umsetzung eines Gotteswortes zu einer die Geschichte weiterführenden Aussage nicht nur an dieser Stelle für die
Tradition festgelegt werden kann (vgl. Apg 7,5).[252] Ebenso
dürfte καὶ ἐν τῇ ἐρήμῳ ἔτη τεσσεράκοντα   (Num 14,33) als
Rest der Vorlage zu verstehen sein. wie sie näherhin in Apg
13,18 (Num 14,34) festgemacht werden kann. So ergibt sich
als Fragment der Vorlage:

καὶ ἐποίησεν τέρατα καὶ σημεῖα ἐν γῇ Αἰγύπτῳ
καὶ . . . ἐξήγαγεν αὐτοὺς . . . καὶ . . . ἐν
τῇ ἐρήμῳ ἔτη τεσσεράκοντα.

Die vollständige Rekonstruktion des Textes ist erst im Rahmen
der Analyse von Apg 13,17-22 möglich. Jedenfalls geht die
jetzige Form des Verses auf Lukas zurück, der seine Vorlage

um der Mosetypologie willen stark verändert hat. Als redak-
tionell muss auch der die Bedeutung des Mose unterstreichende
Ausdruck ἐν ἐρυθρᾷ θαλάσσῃ bewertet werden, da ἐξ αὐτῆς in
Apg 13,17 sich sinnvoll nur an ἐν γῇ Αἰγύπτῳ anschließt.[253]

Der Ausspruch des Mose in V.37[254] ist Zitat aus Dtn 18,15,
das hier der in Apg 3,22 vorgegebenen Schriftstelle folgt.[255]
"Vor ὁ θεός ist κύριος getilgt, danach ὑμῶν . Beide Begriffe berühren den Inhalt des Wortes gar nicht: der zweite bewirkt sogar eine stilistische Verbesserung."[256] Dass Mose
zu den "Söhnen Israels" sprach, kann als ursprüngliche Einleitung zum Zitat in Apg 3,22 angesehen werden, weil somit
die Umsetzung des Singulars von Dtn 18,15 in den Plural erklärt werden kann.[257]

Die Aussagen von V.38-40[258] überlasten den durch das οὗτός
ἐστιν bedingten Stil. γίνεσθαι μετά τινος in der Bedeutung
"bei jmndm sein, bleiben"[259] oder "zusammen sein mit"[260]
wird durch τοῦ ἀγγέλου καὶ τῶν πατέρων ἡμῶν zum Ausdruck
der Mittlerschaft des Mose. Die so herausgestellte Bedeutsamkeit des Mose ist als lukanische Redaktion zu werten. ἐν
τῇ ἐρήμῳ gilt im jetzigen Zusammenhang als lokale Bestimmung des ganzen Geschehens, ἐν τῇ ἐκκλησίᾳ ist aufgrund von
ἡμέρα (τῆς) ἐκκλησίας in Dtn 4,10; 9,10; 18,16 entstanden und somit Bestimmung zu μετὰ τῶν πατέρων ἡμῶν , wie
ἐν τῷ ὄρει Σινᾶ zu μετὰ τοῦ ἀγγέλου . Ein unmittelbarer
Schriftgebrauch ist nicht festzustellen.

Mit λόγια ζῶντα ist "die Thora (bzw der Dekalog) gemeint"
(vgl. Dtn 32,47).[262] Da λόγιον in dieser Bedeutung dem
Neuen Testament ungebräuchlich ist, wird man den ganzen Begriff als vorgegeben verstehen müssen, zumal die Vermittlung
des Gesetzes durch einen Engel im Unterschied zum Plural in
Apg 7,53 gegen eine lukanische Eigenständigkeit dieses Gedankens spricht.[263] Dagegen ist in ὑμῖν ein redaktioneller
Bezug zur Redesituation festzustellen.

Versucht man, die durch den Redestil bedingte Satzkonstruk-
tion formal dem Stil der bisherigen Tradition anzugleichen,
kann folgender Wortlaut angenommen werden:
    καὶ Μωϋσῆς ἐλάλησεν τῷ ἀγγέλῳ ἐν τῇ ἐρήμῳ

καὶ ἐδέξατο λόγια ζῶντα ἐν τῷ ὄρει Σινᾶ
καὶ ἔδωκεν αὐτὰ τοῖς πατράσι ἡμῶν ἐν τῇ ἐκκλησίᾳ.

ἐστράφησαν εἰς Αἴγυπτον   (V.39) lehnt sich an Num 14,3.4
an.[264] Da der Zusammenhang von Num 14 schon als Grundlage der
Tradition in Apg 7,36 bzw. 13,18 zu erkennen war, kann als
Vorlage hier rekonstruiert werden:
    καὶ οἱ πατέρες ἡμῶν ἐστράφησαν ἐν ταῖς καρδίαις
    αὐτῶν εἰς Αἴγυπτον.

Alles andere des Verses ist redaktionelle Erweiterung dieser Aussage und dient einer betonten Gegenüberstellung der
Bedeutung des Mose und des Versagens der Väter. οὐκ ἠθέλη-
σαν   drückt ein "entschlossenes Nichtwollen"[265] aus.[266]
ὑπήκοοι γενέσθαι   steht dem ὁ γενόμενος μετά   in V.38
gegenüber. ἀπώσαντο   greift ἀπώσατο   in V.27 auf. Damit
deutet Lukas das durchgehende Fehlverhalten der Väter an.

Apg 7,40 "bietet in der Rede des Volkes zu Aaron ein 'Zitat'
von Exod 32,1.23"[267], das bis auf unbedeutsame Abweichungen
der LXX folgt.[268] Das spricht für lukanischen Schriftgebrauch, zumal es sich um eine einfache Auffüllung der Ereignisse handelt.

V.41-43: Der Götzendienst des Volkes

V.41 bringt die Fortführung der Tradition. Das wird durch die
Parataxe und die Wortwahl nahegelegt: μοσχοποιεῖν   (vgl. Ex
32,4) ist Hapaxlegomenon; ἀνάγειν θυσίαν   findet sich nicht
in der LXX (vgl. Ex 32,6).[269]   ἐν ταῖς ἡμέραις ἐκείναις
klingt nach lukanischer Formulierung.[270] Der folgende Satz
καὶ εὐφραίνοντο ἐν τοῖς ἔργοις τῶν χειρῶν αὐτῶν   "führt
eigentlich nicht über den vorausgehenden hinaus"[271], so daß
sich die Vermutung nahelegt, Lukas folge mit diesem Satz
einer anderen Tradition.[272]

V.42a meint die Strafe Gottes als Folge des Götzendienstes.
ἔστρεφεν   kann sowohl transitiv als auch intransitiv verstanden werden.[273] Die intransitive Bedeutung legt sich nahe
durch die betonte Anfangsstellung des Verbs.[274] Die Aussage
ist im Zusammenhang mit ἐστράφησαν   in V.39 zu sehen und

von da her verursacht.[275] Die Fortsetzung des Verses hat keine Grundlage in dem Schriftzusammenhang der vorher geschilderten Ereignisse.[276] τῇ στρατιᾷ τοῦ οὐρανοῦ ist Wortwahl
nach Jer 7,18; 19,13. Das sich anschliessende Zitat Am 3,25-27
folgt der LXX.[277] προσκυνεῖν αὐτοῖς ist hinzugefügt[278]
und für Δαμασκοῦ steht Βαβυλῶνος . Das zitierte Wort
wird durch die letztgenannte Abweichung zur Prophezeiung der
babylonischen Gefangenschaft.[279]

Dass das Zitat nicht zur Vorlage gehört, zeigt schon der gegenüber dem bisherigen völlig andersartige Schriftgebrauch.
Schwerer ist jedoch die Frage zu beantworten, ob Lukas das
Wort aus der Schrift zitiert oder ob es ihm bereits in einem
anderen Zusammenhang vorgegeben war. Sieht man jedoch, dass
die Verbindung des Astraldienstes mit dem Stierkult nicht vom
zugrundeliegenden Schriftzusammenhang ableitbar ist und darum
weder in der Vorlage gestanden haben noch vom Verfasser der
Apostelgeschichte erdacht worden sein kann, und dass darüber
hinaus die Abweichungen des Zitats vom Text der LXX nicht
durch den Kontext bzw. durch Lukas motiviert werden können,
bleibt als Alternative nur die Annahme einer eigenständigen
Tradition. Diese bestand aus der Einleitung καὶ εὐφραίνοντο
ἐν τοῖς ἔργοις τῶν χειρῶν αὐτῶν καὶ ὁ θεὸς παρέδωκεν αὐτοὺς
λατρεύειν κτλ. und dem Zitat. Das durch den Einleitungssatz Ausgesagte wird mit dem Zitat begründet, wie das Zitat
seinerseits durch die Einleitung interpretiert wird. Im Unterschied zum hebräischen Text ist Am 5,25 in der LXX "auf
den Wüstenaufenthalt Israels, also auf die Vergangenheit,
bezogen worden".[280] Von daher ist die Einleitung ermöglicht,
dass die Wüstengeneration sich über das Werk ihrer Hände
freute. Der im Amoszitat ausgesagte Gestirnendienst wird als
Strafe Gottes für den Bilderdienst interpretiert.[281] Wenn
das Zitat ausserdem von der Strafe der Verbannung spricht,
so kann das nicht als Beweis gegen die Annahme, dass Einleitung und Zitat zusammengehören, geltend gemacht werden. da
der Umfang eines Zitats keineswegs dem entsprechen muss,
was ausgelegt werden soll. Ausserdem kann gerade die Strafe
der Verbannung die Aussageabsicht in ihrer Ernsthaftigkeit
unterstreichen.

Zwar sind Umfang und Ort dieser Schriftauslegung nicht mehr

genau bestimmbar, doch ist eindeutig festzumachen, dass es
hier um eine radikale Ablehnung jeglichen Götzendienstes
geht. Das dahinterstehende Anliegen hat seine Wurzeln im Alten Testament selbst und führt über die Polemik der Weis-
heitslehrer gegen die Götterbilder[282] zu den Auseinandersetz-
zungen des hellenistischen Judentums mit den heidnischen Religionen,[283] eine konsequente Linie also des monotheistischen
Glaubens, die im Christentum ungebrochen fortgesetzt wird.[284]

Für die Vorlage wird sich Apg 13,18 als Fortführung anbie-
ten, die an folgenden Satz anschliesst:

καὶ ἐμοσχοποίησαν καὶ ἀνήγαγον θυσίαν τῷ εἰδώλῳ.

V.44-50: Das Zelt und der Tempel

In diesem Abschnitt wird scheinbar der Geschichtsabriß bis
zu Salomo fortgeführt, sachlich aber geht es um die σκηνή
und den Tempel. Diese thematische Ausrichtung unterscheidet
den Abschnitt von der bisherigen Form der Darstellung, deren Weiterführung, wie sich zeigen lassen wird, besser in
Apg 13,19-22 zu sehen ist.[285] Das Amos-Zitat hat das Stich-
wort gegeben, Apg 6,13.14 das Thema.

ἡ σκηνὴ τοῦ μαρτυρίου in V.44[286] ist dem Exodusbuch entnommen.[287] διατάσσειν entspricht lukanischer Wortwahl.[288]
ὁ λαλῶν τῷ Μωϋσῇ geht auf Ex 25,1 zurück; ποιῆσαι κατὰ
τὸν τόπον und ὃν ἑωράκει auf Ex 25,40. Die Darstellung
weicht also nicht von der Schilderung der LXX ab. Wurde bisher die Umgestaltung eines Gotteswortes in die Form eines
Berichtes als charakteristisch für die Vorlage erkannt, so
zeigt sich demgegenüber hier gut der unterschiedliche
Schriftgebrauch des Verfassers der Apostelgeschichte. Er
fasst zwar auch berichtend zusammen, lässt aber bestehen,
dass Mose sich an ein Gotteswort hält.

εἰσάγειν in V.45 lässt an Dtn 7,1 denken, obwohl dieses
Verb bei 11maligem Gebrauch im Neuen Testament allein 9mal
von Lukas verwendet wird.[289] διαδέχεσθαι steht im Neuen
Testament nur hier, die LXX hat es 13mal. μετὰ ᾽Ιησοῦ
fasst summarisch das Geschehen von Jos 18,1 zusammen. Durch
ἐν τῇ κατασχέσει wird auf Apg 7,5 zurückgegriffen, τῶν
ἐθνῶν meint die ἔθνη ἑπτά in Apg 13,19, das Verb

ἐξωθεῖν   [290] des Relativsatzes dasselbe, was Apg 13,19
mit dem Verb καθαιρεῖν   wiedergegeben ist. Rechnet man
Apg 13,19 die Partizipialkonstruktion zum lukanischen Stil
und das dort gebrauchte Verb zur lukanischen Wortwahl,[291]
dann ergibt sich für die Vorlage:

καὶ ἐξῶσεν ἀπὸ προσώπου τῶν πατέρων ἡμῶν
ἔθνη ἑπτὰ ἐν γῇ Χανάαν.

Darüber hinaus ist anzunehmen, dass vor diesem Satz eine
Aussage stand, die aus V.45a zu erschliessen ist (Dtn 7,1;
vgl. Jos 14,1):

καὶ εἰσήγαγεν τοὺς πατέρας ἡμῶν
μετὰ Ἰησοῦ εἰς γῆν Χανάαν.

ἕως τῶν ἡμερῶν Δαυίδ in V.45 entspricht lukanischem Sprachgebrauch (vgl. Lk 1,80; Apg 1,22), jedoch ist mit einer
sachlichen Anlehnung an 2 Sam 7,6 zu rechnen.[292] εὗρεν
χάριν in V.46 lässt an Lk 1,30 denken,[293] ergibt sich aber
auch aus Apg 13,22.[294] χάρις weist deutlich auf lukanische
Redaktion,[295] ebenso ἐνώπιον.[296] Mit   αἰτεῖν[297] umschreibt Lukas Ps 132,3-5, woraus εὑρεῖν σκήνωμα τῷ θεῷ
Ἰακώβ   [298] entlehnt ist.[299] "Lapidar führt V.47 weiter:
'Salomo aber baute ihm ein Haus'. Auch dieser Satz ist ganz
'biblisch', wenn er auch kein direktes Zitat ist" (1 Kön
6,1; 8,15-21).[300]

Bis hierhin hat Lukas den Geschichtsabriß weitergeführt und
auf die Redesituation hin thematisiert. Dabei hält er sich
inhaltlich ganz an die Schrift. Die Spannung zwischen der
positiven Darstellung in V.44-47 und der abwertenden Aussage in V.48-50[301] ist durch das Adversativpartikel ἀλλά [302]
bewusst hervorgehoben und erklärt sich am einfachsten dadurch, dass Lukas in V.48-50 eine vorgegebene Argumentation
mit eigener Tendenz verwendet und durch Komposition das vorher Gesagte indirekt interpretiert.[303]

"Die hellenistische Gottesbezeichnung ὕψιστος begegnet im
NT nur bei Luk".[304] In der Apostelgeschichte steht jedoch
der Ausdruck nur hier (vgl. Apg 16,17). οὐχ ἐν χειροποιήτοις
κατοικεῖ   findet sich noch in Apg 17,24.[305] Das Zitat,
wie Apg 7,42 mit καθώς und genauer Herkunftsangabe eingeleitet, folgt mit wenigen Abweichungen der LXX.[306]

λέγει κύριος   ist durch die Einleitung vom Anfang ver-
drängt worden.[307] Die Aussageabsicht des Propheten ist um
einer eindeutigen Tempelfeindlichkeit willen durch das Strei-
chen von Jes 66,2b verlassen.[308] Die Umwandlung des begründen-
den γάρ in ein fragendes οὐχί   verstärkt die im Einleitungssatz aufgestellte These.[309]

Ähnlich dem vorhergehenden Schriftbeweis Apg 7,41-43 dient
das Schriftzitat aus Jes 66,1.2 der Begründung der Einlei-
tungsaussage οὐχ ὁ ὕψιστος ἐν χειροποιήτοις κατοικεῖ,
wie umgekehrt die Eingangsworte den Sinn des Schriftzitats
erhellen. Was gemeint ist, entstammt demselben Vorstellungs-
kreis wie die Tradition in Apg 7,41-43. Denn χειροποίητος
meint in der LXX als durchgängige Wiedergabe des hebräischen
אֱלִיל   die von Menschenhand gefertigten Götzen.[310]

V.51-53: Anklage

"Die letzten drei Verse der Stephanusrede heben sich deutlich von den vorhergehenden ab."[311] Die scharfen Worte er-
innern an ähnliche Scheltreden,[312] ihr Klang ist "biblisch".[313] Allerdings sind beide Attribute, mit denen die
Zuhörer bedacht werden, dem Neuen Testament fremd, ebenso
ἀντιπίπτειν.   ἀεί   hat Lukas nur hier. Es handelt sich
also um eine vorgegebene Formulierung. Dagegen muss ὡς οἱ
πατέρες ὑμῶν καὶ ὑμεῖς   als redaktioneller Zusatz gewertet werden, da er die Kontinuität des von Lukas in die Rede
eingebrachten Fehlverhaltens bis in die Gegenwart heraus-
stellt. Das διώκειν und ἀποκτείνειν durch die πατέρες
ὑμῶν lässt einen Rückgriff auf Lk 11,45-51 annehmen.
προκαταγγέλλειν   ist nur noch Apg 3,18 verwendet und wird
auch von dort stammen.[314] ἔλευσις hat das Neue Testament
nur hier.[315] δίκαιος [316] mit dem Relativsatz verweist auf
Apg 3,14.15.[317] Entsprechend der vorgegebenen Kennzeichnung
der Zuhörer ist auch hier durch   προδόται[318] und φονεῖς
alles auf die Charakteristik der Angesprochenen ausgerichtet.

Der durch das für Lukas typische οἵτινες hervorgehobene
Satz greift auf die Redesituation zurück. Die Unstimmigkeit
gegenüber Apg 7,38 durch εἰς διαταγὰς ἀγγέλων [319] spricht
für Tradition.[320] φυλάσσειν im Zusammenhang mit νόμος

steht in medialer Form sehr oft in der LXX.[321] In Lk 18,21
ist die mediale Form von Mk 10,20 ins Aktiv umgewandelt.[322]
Vielleicht kann hier das gleiche angenommen werden.

Dass zum Schluss die Rede so heftig wird, mag zum lukanischen Redestil gehören (vgl. Apg 2,40; 3,26; 13,40.41).
Doch ist anzunehmen, dass die Tradition in V.51-53 zusammen
mit V.54 in die Vorlage von Apg 6,8-7,1 gehört. Der Wortlaut
σκληροτράχηλοι καὶ ἀπερίτμητοι καρδίαις καὶ τοῖς ὠσίν, ὑμεῖς
ἀεὶ τῷ πνεύματι τῷ ἁγίῳ ἀντιπίπτετε, καὶ ἐλάβετε τὸν νόμον
εἰς διαταγὰς ἀγγέλων, καὶ οὐκ ἐφυλάξατε passt sehr gut in
die Auseinandersetzung des Stephanus mit seinen Gegnern in
Apg 6,9.10 und vermag die Reaktion dieser Gegner in Apg 6,11
zu begründen.[323] Ob in der äusserst heftigen Anrede und dem
Vorwurf der Sünde wider den Heiligen Geist und der Gesetz-
losigkeit alles erhalten ist, was Stephanus gesagt hat, muß
fraglich bleiben.[324] Jedenfalls lassen die Worte des Stephanus deutlich werden, worum es ursprünglich in der Auseinandersetzung ging, die schliesslich zur Steinigung führte. Daß
es tatsächlich um das Gesetz ging, vermögen indirekt die redaktionellen Verleumdungsaussagen in V.11 und 13,14 zu belegen. Denn"die Transponierung von Erzählzügen aus der Passionsgeschichte"[325] kann eben nicht die Aussagen über das
Gesetz bewirkt haben, da derartige Aussagen über das Gesetz
in der Passionsgeschichte fehlen.

2. Die Paulusrede im pisidischen Antiochien

a) Zum Stand der Frage

M. Dibelius vermisst in Apg 13,16-22 "jede Beziehung auf den
Missionar und vollends auf den Inhalt der Missionspredigt".
Den Grund dafür sieht er durch den Kontext gegeben. "Paulus
ist durch den Synagogenvorsteher aufgefordert worden, der
Gemeinde einen λόγος παρακλήσεως zu bieten". Als Erinnerung an lehrhafte Synagogenvorträge biete daher der Ge-
schichtsüberblick "den Anfang einer Synagogenpredigt". Belegstellen für diese Annahme werden nicht geboten.[326]

Entsprechend bewertet auch E. Haenchen den Beginn der Rede,
indem er im "Abriss der Heilsgeschichte" "ein beliebtes
Schema für solche Ansprachen" vermutet. Wichtig ist der

Hinweis, dass Lukas "die Schilderung der Heilsgeschichte auf
die beiden Kapitel 7 und 13" verteile, ohne dass jedoch aus
dieser Einsicht irgendwelche Konsequenzen für eine mögliche
Vorlage gezogen werden.[327]

Nach H. Conzelmann ersetzt das geschichtliche Summarium "das
sonst einleitende Schriftwort". Die Frage nach möglicher Tradition wird nicht gestellt.[328]

Für T. Holtz ist die Paulusrede "wenigstens in ihrem ersten
Teil (Act 13,17-22) in mancher Hinsicht der Stephanusrede
ähnlich. Paulus bietet ebenso wie Stephanus einen Geschichtsrückblick. Nur ist er wesentlich kürzer und nicht so
eindeutig konzentriert auf die Zeit bis zur Landnahme wie
der geschichtliche Teil der Stephanusrede, sondern behandelt die Zeit von der Erwählung der Väter bis zu David annähernd gleich ausführlich."[329] Dieser Text habe als kurzer
Geschichtsrückblick ein Testimonium über David eingeleitet,
das aus den christologischen Zitaten in V.33-35 zu erschliessen sei.[330] Jedoch ist zu fragen, ob formal so verschiedenartige Schriftbezüge als ursprüngliche Einheit gesehen werden können.

G. Delling stellt in seiner Skizze "Israels Geschichte und
Jesusgeschehen nach Acta"[331] fest, dass "der enge sachliche Zusammenhang zwischen Gottes Handeln in der Geschichte
Israels und dem Jesusgeschehen in Acta überhaupt" "augen-
fällig" sei. In V.17-22 sei "weithin überliefertes Gut verwendet". Der Zusammenhang "zwischen dem Heil in Jesus und
der Geschichte Israels" jedoch wird als Werk lukanischer
Redaktion gesehen.[332]

b) Analyse

Vorbemerkungen zur Einzelanalyse

Der kurze Forschungsüberblick vermittelt die Einsicht, dass
Apg 13,17-22 innerhalb der gesamten Rede als formal und inhaltlich eigenständige Einheit zu bewerten und als "Überblick über die Geschichte Israels"[333] mit dem Text der Stephanusrede vergleichbar ist. Ferner scheint Kap. 13 auf
alles zu verzichten, was schon in Kap. 7 berichtet wurde.[334]
Diese Feststellung erweist sich bei genauem Hinsehen jedoch

als unzulänglich. So kann V.17a als Zusammenfassung der ganzen Vorgeschichte betrachtet werden, V.17b als Aussage über
die Zeit in Ägypten, V.17c als Bericht über die Erlösung aus
der Knechtschaft, V.18 als Summarium über den Wüstenaufenthalt und V.19 als Schilderung des Einzugs in Kanaan. Alle
diese Themen werden auch in Kap. 7 angeschnitten, und zwar
ohne jegliche inhaltliche Diskrepanz. Anders und gewisser-
massen weiterführend sind die Sätze über die Richterzeit
(V.20), über Saul (V.21) und David (V.22). Hier stellt sich
die Frage, ob die zu besprechenden Verse nicht enger mit
Kap. 7 in Verbindung gebracht werden müssen, als es bisher
in der Forschung geschehen ist. Bei der Analyse der Stephanusrede konnten schon Anhaltspunkte gefunden werden, die
eine ursprüngliche Zusammengehörigkeit beider Geschichtsabrisse höchst wahrscheinlich machen. So stellt sich die Aufgabe, Apg 13,17-22 nach redaktionellen Eingriffen zu befragen
und vor allem die Motive für die jetzige Textgestaltung aus-
findig zu machen.

V.17a: Die Erwählung der Väter

Nach der Anrede in V.16, die sich an die Gegebenheiten einer
Synagoge in der Diaspora hält, indem sie Juden[335] und Gottes-
fürchtige[336] anredet,[337] wird wie in Apg 7,2 das eigentliche
Subjekt des ganzen Abschnitts betont an den Anfang gestellt.
Wie dort ist auch hier zu ὁ θεός ein Genitivattribut gestellt. Die sonst noch im lukanischen Doppelwerk Apg 4,10
zu findende Zusammenstellung[338] von λαός und Ἰσραήλ ergibt sich aus dem Kontext und dürfte damit als situations-
bedingt zur Redaktion gehören. ἐκλέγεσθαι wird von Lukas
des öfteren gebraucht.[339] In Lk 6,13 wird das Wort gegenüber den synoptischen Parallelen benutzt.[340] In Lk 9,35 ist
"das ἀγαπητός des Mk nach Is 42,1 (LXX: ἐκλεκτός) durch
ἐκλελεγμένος (vgl. 23,35 diff Mk: ὁ Χριστὸς τοῦ θεοῦ
ἐκλεκτός) ersetzt".[341] In Lk 14,7 wird es sich um einen
redaktionellen Einleitungsvers handeln, so dass auch dort
ἐκλέγεσθαι zu den "lukanischen Spracheigentümlichkeiten"[342]
gehört. Als lukanisch hat ebenfalls Apg 1,2 zu gelten (vgl.
Apg 1,24; 6,5; 15,7.22).[343] Weist damit die Wortwahl auf
Lukas, so liegt der Schluß nahe, dass dieser hier seine

Vorlage von Apg 7,2-16 zusammenfasst. Ob eine Anlehnung an
Dtn 4,37 vorliegt, kann erst nach der Analyse des ganzen Verses bedacht werden.

V.17b: Die Zeit in Ägypten

Der Vers[344] stimmt inhaltlich mit Apg 7,17 überein. Die der
Tradition in Kap. 7 entsprechende Parataxe und der in Apg
7,17 festgestellte lukanische Anteil lassen annehmen, dass
sich hier die Vorlage erhalten hat. Das Verb findet sich
nicht in dem wiedergegebenen Schriftzusammenhang von Ex
1,7.[345] Hier ist das Groß-Werden des Volkes gemeint.[346]
ἐν τῇ παροικίᾳ weist auf Apg 7,6. ἐν γῇ Αἰγύπτου wird
ebenfalls zur Tradition gehören, wie Apg 7,17 zu unterstützen vermag. Für die Vorlage ist festzuhalten:

καὶ ὁ θεὸς τὸν λαὸν ὕψωσεν ἐν τῇ παροικίᾳ ἐν γῇ Αἰγύπτου.

V.17c: Der Auszug aus Ägypten

Dieser Versteil berichtet die Herausführung des Volkes aus
Ägypten. Gott als Subjekt zu ἐξήγαγεν entspricht dem Gotteswort Apg 7,34 genauer als Mose als Subjekt zum gleichen
Prädikat in Apg 7,36. Die Formulierung ist biblisch, jedoch
in freier Wiedergabe der in Frage kommenden Stellen.[347] Das
aber entspricht dem schon beobachteten freien Umgang der
Vorlage in Kap. 7 mit dem Alten Testament. Auffälligerweise
ist μετὰ βραχίονος ὑψηλοῦ durchgängig nachgestellt. μετά
anstelle von ἐν könnte lukanisch sein.[348] Doch sprechen
Voranstellung und Artikellosigkeit des ganzen Ausdrucks dafür, dass μετά ebenfalls eine Abweichung der Tradition
ist. In die Vorlage von Kap. 7 gehört also καὶ μετὰ βραχίονος ὑψηλοῦ ἐξήγαγεν αὐτοὺς ἐξ αὐτῆς.

Abschliessend ist die Frage zu beantworten, aus welchem Motiv die drei Aussagen aufgrund der Vorlage so und nicht anders zusammengestellt worden sind. Zweifellos will Lukas mit
diesen Sätzen die Vorlage zusammenfassen, um nicht einfach
das schon in Kap. 7 Berichtete in gleicher Ausführlichkeit
zu wiederholen. Das gelingt ihm selbständig in V.17a als
Wiedergabe von Apg 7,2-16. In Apg 7,17 wurde in starkem
Maße Redaktion festgestellt, so dass es angemessen war, die
dort hingehörende Aussage der Tradition in V.17b aufzuheben.

Die Herausführung aus Ägypten in Apg 7,36 ist ganz der Mosetypologie dienstbar gemacht. Ihre ursprüngliche Bedeutung als
Gottestat dagegen wurde dann in V. 17c erhalten. Es ist darüber hinaus möglich, dass Lukas sich an die in Dtn 4,37.38
geschilderte Abfolge der Ereignisse hält.[349] Dort wird die
Liebe zu den Vätern, die Erwählung ihrer Nachkommenschaft,
die Herausführung aus Ägypten und das Vertreiben der Völker
mit der Übergabe des Landes zum Erbbesitz ausgesagt. Das sowieso von Lukas bevorzugte ἐξελέξατο findet sich in Dtn
4,37 ebenso wie ἐξήγαγεν .

V. 18: Die Wüstenzeit

Die Zeitangabe[350] ist der Sache nach durch Ex 16,35 gegeben.
Die Formulierung jedoch ist hellenistisch,[351] so dass für
die Vorlage ἔτη τεσσεράκοντα anzunehmen ist, wie sich bei
der Analyse von Apg 7,36 schon nahelegte.[352] ἐτροποφόρησεν [353] interpretiert Num 14,33.34 in sehr milder Weise.
Das gebrauchte Verb findet sich weder in der LXX noch sonst
im Neuen Testament. Es sagt "Gottes Verhalten in der vier-
zigjährigen Wüstenzeit" als ein Ertragen in Geduld aus,[354]
was nur verständlich wird im Zusammenhang mit dem in der Vorlage ausgesagten Verhalten des Volkes, wie es aus Apg 7,41.42
analysiert werden konnte.[355] Als Tradition ist somit zu lesen:

    καὶ ἔτη τεσσεράκοντα ἐτροποφόρησεν ὁ θεὸς αὐτοὺς
    ἐν τῇ ἐρήμῳ.

V. 19: Die Landnahme

Auf diesen Vers[356] wurde bereits bei der Analyse von Apg
7,44-50 eingegangen.[357] Hinter der Partizipialkonstruktion
liess sich ein Hauptsatz der Vorlage erkennen, so dass mit
einem parataktischen καί fortzufahren ist. κατεκληρονό-
μησεν τὴν γῆν αὐτῶν geht auf Dtn 12,10 zurück (vgl. Dtn
7,1).[358] Schriftgebrauch und parataktisches καί sprechen
in Verbindung mit den bisherigen Ergebnissen der Untersuchung
für Tradition, die nur unwesentlich von Lukas beeinflusst ist
und folgenden Wortlaut hat:

    καὶ ἐξῶσεν ἀπὸ προσώπου τῶν πατέρων ἡμῶν ἔθνη ἑπτὰ ἐν
    γῇ Χανάαν καὶ κατεκληρονόμησεν τὴν γῆν αὐτῶν.

V. 20: Die Richterzeit

Die Zeitangabe καὶ μετὰ ταῦτα ὡς ἔτεσιν τετρακοσίοις καὶ
πεντήκοντα [359] ist nicht durch die Schrift belegbar und
wird wie die bisher besprochenen Zeitangaben bis auf μετὰ
ταῦτα ,[360] ὡς [361] und dem temporalen Dativ zur Tradition
gehören. Der Vers fasst die Richterzeit ohne Anspielung auf
das Alte Testament summarisch zusammen. Zu denken ist allenthalben an Ri 2,16 und 1 Sam 3,20.[362] Als Fortführung des Geschichtsabrisses gehört die Aussage nicht zur Redaktion des
Lukas. Somit ergibt sich für die Vorlage:

    καὶ ἔτη τετρακόσια καὶ πεντήκοντα
    ἔδωκεν κριτὰς ἕως Σαμουὴλ προφήτου.

V.21: Saul

κἀκεῖθεν hat Lukas wie in Apg 7,4 für ein der Vorlage entsprechendes einfaches καί gesetzt. Das Begehren des Volkes
ist mit gleicher Begrifflichkeit wie in 1 Sam 8,10; 12,17
ausgesagt und muss auf diesem Hintergrund negativ verstanden
werden.[363] ἔδωκεν entspricht V. 20, doch ist in diesem Zusammenhang auf 1 Sam 12,13 hinzuweisen. Die Verbindung des
Namens mit dem des Vaters stammt aus 1 Sam 10,21.[364] ἄνδρα
ἐκ φυλῆς Βενιαμίν weist auf 1 Sam 9,1.16.21; 10,20.21.[365]
Die Regierungsdauer ist nicht durch die Schrift belegt, wohl
aber durch JosAnt 6,378.[366] Für eine lukanische Bildung des
Verses gibt es keinen Anhaltspunkt, als Fortführung der Vorlage aber ist er wesentlich. So ist als Tradition festzuhalten:

    καὶ ἠτήσαντο βασιλέα,
    καὶ ἔδωκεν αὐτοῖς ὁ θεὸς τὸν Σαοὺλ
    υἱὸν Κίς, ἄνδρα ἐκ φυλῆς Βενιαμίν,
    ἔτη τεσσεράκοντα.

V. 22: David

ἤγειρεν εἰς βασιλέα [367] ist in der LXX nicht zu finden.
Die Verbform wäre eher bei der Aussage über die Richter zu
erwarten (s. Ri 2,16.18; 3,9.15). εἰς βασιλέα steht für
εἰς ἄρχοντα in 1 Sam 13,14. Die kurze Partizipialkonstruktion über die Verwerfung des Saul hält sich nicht an den

Sprachgebrauch des ersten Samuelbuches, sondern ist Dan 2,21
entlehnt und kann von Lukas als Kontrast zu David von daher
genommen sein. Ein Hinweis, dass Lukas diese Stelle gekannt
hat, kann vielleicht in Apg 1,7 gesehen werden, wo von den
χρόνους ἢ καιρούς gesprochen wird, während in Dan 2,21
καιροὺς καὶ χρόνους steht. Auch ᾧ μαρτυρήσας kann dem
Verfasser der Apostelgeschichte zugeschrieben werden (s.
Lk 4,22; Apg 10,43; 14,3; 15,8; 22,5) und ist wahrscheinlich
als Steigerung eingefügt worden.[368] Das Gotteswort ist ein
Mischzitat.[369] εὗρον Δαυίδ stammt aus Ps 89,21. Die Angabe des Vaternamens hat keine Parallele in der LXX (vgl. Lk
3,32), der Sache nach ist die Herkunftsbezeichnung gut biblisch (vgl. 2 Sam 23,1; Ps 72,20; Jes 11,1.10).

ἄνδρα κατὰ τὴν καρδίαν μου[370] weist auf 1 Sam 13,14, wo
ἄνθρωπον anstelle ἄνδρα steht (vgl. Jer 3,15). Der
Schlußteil wendet Sauls Ungehorsam in 1 Sam 13,14 in Davids
Gehorsam. Benutzt werden Wörter aus Jes 44,28.[371] Das Mischzitat kann nicht Lukas zugeschrieben werden und entspricht
dem beobachteten Schriftgebrauch der bisher gefundenen Vorlage. Ausserdem findet sich eine Parallele in 1 Clem 16,18.[372]
So ist als Abschluss der alttestamentlichen Vorlage zu lesen:

καὶ ἤγειρεν τὸν Δαυὶδ αὐτοῖς εἰς βασιλέα
καὶ εἶπεν· εὗρον Δαυὶδ τὸν τοῦ Ἰεσσαί,
ἄνδρα κατὰ τὴν καρδίαν μου,
ὃς ποιήσει πάντα τὰ θελήματά μου.

II. Zur Form der Tradition

1. Wortlaut, Struktur und Wortwahl

a) Der Wortlaut

7,2	Ὁ θεὸς . . . ὤφθη τῷ πατρὶ ἡμῶν Ἀβραὰμ ὄντι ἐν τῇ Μεσοποταμίᾳ πρὶν ἢ κατοικῆσαι
7,3	αὐτὸν ἐν Χαρράν, καὶ εἶπεν πρὸς αὐτόν· ἔξελθε ἐκ τῆς γῆς σου καὶ τῆς συγγενείας σου, καὶ δεῦρο εἰς τὴν γῆν ἣν ἄν σοι
7,4	δείξω. <u>καὶ</u> μετὰ τὸ ἀποθανεῖν τὸν πατέρα αὐτοῦ μετῴκισεν αὐτὸν εἰς τὴν γῆν ταύτην,
7,5	καὶ οὐκ ἔδωκεν αὐτῷ κληρονομίαν ἐν αὐτῇ οὐδὲ βῆμα ποδός, καὶ ἐπηγγείλατο δοῦναι αὐτῷ εἰς κατάσχεσιν αὐτὴν καὶ τῷ σπέρ-
7,6	ματι αὐτοῦ μετ’ αὐτόν, ὅτι ἔσται τὸ σπέρμα αὐτοῦ πάροικον ἐν γῇ ἀλλοτρίᾳ, καὶ δουλεύσουσιν αὐτὸ καὶ κακώσουσιν
7,7	ἔτη τετρακόσια· καὶ τὸ ἔθνος ᾧ ἐὰν δου- λεύσουσιν κρινῶ ἐγώ, καὶ μετὰ ταῦτα ἐξ-
7,8	ελεύσονται καὶ λατρεύσουσίν μοι. καὶ ἔδωκεν αὐτῷ διαθήκην περιτομῆς· καὶ ἐγέν- νησεν τὸν Ἰσαὰκ καὶ περιέτεμεν αὐτὸν τῇ ἡμέρᾳ τῇ ὀγδόῃ, καὶ Ἰσαὰκ τὸν Ἰακώβ, καὶ Ἰακὼβ τοὺς δώδεκα πατριάρχας.
7,9	Καὶ οἱ πατριάρχαι τὸν Ἰωσὴφ ἀπέδοντο εἰς
7,10	Αἴγυπτον· καὶ ἦν ὁ θεὸς μετ’ αὐτοῦ, καὶ ἐξ- είλατο αὐτὸν ἐκ πασῶν τῶν θλίψεων αὐτοῦ, καὶ ἔδωκεν αὐτῷ χάριν ἐναντίον Φαραὼ βασι- λέως Αἰγύπτου, καὶ κατέστησεν αὐτὸν ἐπ’
7,11	Αἴγυπτον. καὶ ἦλθεν θλῖψις μεγάλη ἐφ’ ὅλην τὴν Αἴγυπτον καὶ Χανάαν, καὶ οὐχ ηὕρισκον
7,15	χορτάσματα οἱ πατέρες ἡμῶν. καὶ κατέβη Ἰακὼβ εἰς Αἴγυπτον. καὶ ἐτελεύτησεν αὐτὸς

7,16   καὶ οἱ πατέρες ἡμῶν, καὶ μετετέθησαν εἰς
                  Συχέμ καὶ ἐτέθησαν ἐν τῷ μνήματι ᾧ ὠνή-
                  σατο ᾽Αβραὰμ τιμῆς ἀργυρίου παρὰ τῶν υἱῶν
                  ᾽Εμμὼρ ἐν Συχέμ.

13,17   Καὶ (ὁ θεὸς) τὸν λαὸν ὕψωσεν ἐν τῇ παροικίᾳ
7,18.19   ἐν γῇ Αἰγύπτου. (καὶ)(ὁ)βασιλεὺς Αἰγύπτου
                  κατεσοφίσατο τὸ γένος ἡμῶν (καὶ) ἐκάκωσεν
7,20   τοὺς πατέρας (ἡμῶν). (καὶ) ἐγεννήθη Μωϋσῆς,
7,22   καὶ ἦν ἀστεῖος τῷ θεῷ. καὶ ἐπαιδεύθη πάσῃ
                  σοφίᾳ Αἰγυπτίων.

7,23.24   (Καὶ) ἐπληροῦντο αὐτῷ ἔτη τεσσεράκοντα. καί
                  τινα ἀδικοῦντα ἠμύνατο καὶ ἐποίησεν ἐκδί-
7,26   κησιν τῷ καταπονουμένῳ. (καὶ) ὤφθη αὐτοῖς
                  μαχομένοις καὶ συνήλλασσεν αὐτοὺς εἰς εἰ-
7,27.29   ρήνην. (καὶ) ὁ ἀδικῶν ἀπώσατο αὐτόν. (καὶ)
                  ἔφυγεν Μωϋσῆς, καὶ (ἦν) πάροικος ἐν γῇ Μαδιάμ.

7,30   Καὶ ἐπληροῦντο (αὐτῷ) ἔτη τεσσεράκοντα. (καὶ)
                  ὤφθη αὐτῷ ἐν τῇ ἐρήμῳ τοῦ ὄρους Σινᾶ ἄγγελος
                  ἐν φλογὶ πυρὸς βάτου (καὶ εἶπεν πρὸς αὐτόν)·
7,32   ἐγὼ ὁ θεὸς τῶν πατέρων σου, ὁ θεὸς ᾽Αβραὰμ
7,34   καὶ ᾽Ισαὰκ καὶ ᾽Ιακώβ. ἰδὼν εἶδον τὴν κάκω-
                  σιν τοῦ λαοῦ μου τοῦ ἐν Αἰγύπτῳ, καὶ τοῦ
                  στεναγμοῦ αὐτῶν ἤκουσα, καὶ κατέβην ἐξελέ-
                  σθαι αὐτούς· καὶ νῦν δεῦρο ἀποστείλω σε εἰς
                  Αἴγυπτον.
7,36   (καὶ ὁ θεὸς) ἐποίησεν τέρατα καὶ σημεῖα ἐν
13,17   γῇ Αἰγύπτῳ καὶ μετὰ βραχίονος ὑψηλοῦ ἐξ-
7,38   ήγαγεν αὐτοὺς ἐξ αὐτῆς. (καὶ) Μωϋσῆς ἐλάλησεν
                  τῷ ἀγγέλῳ ἐν τῇ ἐρήμῳ καὶ ἐδέξατο λόγια
                  ζῶντα ἐν τῷ ὄρει Σινᾶ (καὶ) ἔδωκεν (αὐτὰ) τοῖς
7,39   πατράσι ἡμῶν ἐν τῇ ἐκκλησίᾳ. καὶ οἱ πατέρες
                  ἡμῶν ἐστράφησαν ἐν ταῖς καρδίαις αὐτῶν εἰς
7,41   Αἴγυπτον καὶ ἐμοσχοποίησαν καὶ ἀνήγαγον
                  θυσίαν τῷ εἰδώλῳ.

13,18   καὶ <u>ἔτη τεσσεράκοντα</u> ἐτροποφόρησεν (ὁ
7,45   θεὸς) αὐτοὺς ἐν τῇ ἐρήμῳ, καὶ εἰσή-
      γαγεν <u>τοὺς πατέρας</u> ἡμῶν μετὰ ᾿Ιησοῦ
      (εἰς γῆν Χανάαν), καὶ ἐξῶσεν ἀπὸ προ-
13,19   σώπου τῶν πατέρων ἡμῶν ἔθνη ἑπτὰ ἐν
      γῇ Χανάαν καὶ κατεκληρονόμησεν τὴν
      γῆν αὐτῶν.

13,20   καὶ <u>ἔτη τετρακόσια</u> καὶ πεντήκοντα
      ἔδωκεν κριτὰς ἕως Σαμουὴλ προφήτου.

13,21   <u>καὶ</u> ᾐτήσαντο βασιλέα, καὶ ἔδωκεν αὐ-
      τοῖς ὁ θεὸς τὸν Σαοὺλ υἱὸν Κίς, ἄνδρα
      ἐκ φυλῆς Βενιαμίν, ἔτη τεσσεράκοντα.

13,22   καὶ ἤγειρεν τὸν Δαυὶδ αὐτοῖς εἰς βασι-
      λέα καὶ εἶπεν· εὗρον Δαυὶδ τὸν τοῦ
      ᾿Ιεσσαί, ἄνδρα κατὰ τὴν καρδίαν μου,
      ὃς ποιήσει πάντα τὰ θελήματά μου.

Durch Klammern eingeschlossen sind jene Wörter, die nicht
zum entsprechenden Text der Apostelgeschichte gehören, sondern für den Wortlaut der Tradition erschlossen worden sind.
Unterstrichen sind die Wortformen, die vom entsprechenden
Text der Apostelgeschichte abweichen.

b) Die Struktur und Wortwahl

Auffälliges Charakteristikum ist das die Satzanfänge bestimmende parataktische καί . Diese Auffälligkeit bleibt auch dann noch bestehen, wenn man die rekonstruierten Satzanfänge nicht hinzuzählen will. Nicht selten findet sich vorangestelltes Prädikat. Die Verben stehen mit wenigen Ausnahmen im Aorist. Partizipialkonstruktionen und Relativsätze lassen sich kaum finden.

Aufschlußreich ist die Aufteilung der Verben auf die handelnden Personen. 22 Verben haben Gott als Subjekt, 5 Verben Abraham, 2 Verben Isaak, 4 Verben Jakob, 6 Verben die Patriarchen, 2 Verben den Pharao, 12 Verben Mose und 5 Verben die Väter. Eindeutig beherrscht Gott den Ablauf der Handlung und zweifellos kommt der Person des Mose unter den Handlungspersonen eine hervorragende Stellung zu. Die Verben treiben fast ausschließlich die Handlung voran.

7,2-7 erweist sich durch dasselbe Subjekt als Einheit. Objekt ist Abraham, der in 7,8 selbst zum Subjekt wird. Die Aufnahme der Objekte als folgendes Subjekt in 7,8 bewirkt einen äusserst knappen Handlungsablauf, was durch die gleichen Prädikate noch unterstrichen wird. Dem Vers kommt allein dadurch nur verbindende Funktion zu ohne jegliches Eigengewicht in den Aussagen.

In 7,9-16 sind die in 7,8 aufgeführten Personen Träger der Handlung. Eine Ausnahme bildet 7,9.10. Hier wird das Subjekt "Gott" aus 7,2-7 aufgenommen. Dadurch ist die Annahme berechtigt, dass in diesen Aussagen eine Betonung liegt. In 13,17 findet sich wieder "Gott" als Subjekt, was nach dem bisherigen Ablauf der Schilderung auch dieser Aussage Gewicht verleiht. In 7,19 ist die Person des Pharao die Geschichte fortführender Handlungsträger.

In 7,20-22 trägt der mittlere Satz, durch zwei Passivaussagen eingegrenzt, den Akzent deshalb, weil das als beherrschend erkannte Subjekt "Gott" in den Text einbezogen wird. 7,23 und 7,30 beginnen mit einem Temporalsatz. Beide Aussagen dienen der Gliederung des Textes, wie ähnlich auch 13,18.20 (21). Der Abschnitt 7,23-29 ist vor allem durch die Person des Mose bestimmt. Der Subjektwechsel in 7,27 zeigt

den Fortgang der Handlung an. Die Übereinstimmung der Prädikate in 7,30.31 und 7,2 hebt die wörtliche Rede als bedeutsam hervor. 7,36 und 13,17 ist Folgehandlung der vorhergehenden Rede. 7,38.39.41 weisen zwar unterschiedliche Subjekte
auf, müssen aber dennoch als miteinander verbunden gesehen
werden, weil beide Aussagen sich durch das Vorhergehende und
Nachfolgende mit "Gott" als Subjekt eingeschlossen zeigen,
und vor allem weil 7,39 das vorherige $\tau o \tilde{\iota} \varsigma \ \pi \alpha \tau \rho \acute{\alpha} \sigma \iota \ \dot{\eta} \mu \tilde{\omega} \nu$
als Subjekt aufnimmt. 13,18 mit dem als wichtig eingestuften
Subjekt "Gott" ist durch die Temporalaussage hervorgehoben.
Bis zum Schluss des Textes bleibt - abgesehen von $\varkappa \alpha \grave{\iota} \ \dot{\eta} \tau \acute{\eta} -$
$\sigma \alpha \nu \tau o \ \beta \alpha \sigma \iota \lambda \acute{\epsilon} \alpha$ in 13,21 - "Gott" das Subjekt der Handlung, die wesentlich durch die unterschiedlichen Objekte ge-
gliedert wird.

Einer eigenen Würdigung sind die im Text vorhandenen direkten Reden zu unterziehen. Die erste direkte Rede, ermöglicht
durch Verben des Handelns und Sagens, steht am Anfang der ersten Einheit und bewirkt die unmittelbar folgende Handlung,
ohne durch diese erfüllt zu werden. Die in dieser Einheit
ebenfalls zu findenden Worte, von der indirekten zur direkten Rede übergehend, enthalten das, was teilweise im weiteren Ablauf der Schilderung noch zur Sprache kommt. Die dritte Rede, ähnlich der ersten eingeleitet, steht im Zentrum
der Handlung und bestimmt den weiteren Ablauf. Die vierte
Rede am Ende des Textes weist über diesen hinaus. Sie richtet sich nicht an eine Person. Alle Reden haben "Gott" als
Subjekt. Das aber darf als Hinweis für deren Bedeutsamkeit
innerhalb des Gesamten gewertet werden.

Die Wortwahl ist weitgehend durch das Alte Testament bestimmt, näherhin, wie in der Analyse deutlich wurde, durch
die LXX. Doch sind freizügiger Umgang mit der Schrift bezeichnend, darüber hinaus das Aufnehmen ausserbiblischer
Tradition und eigenständige Wortwahl bei der Wiedergabe bib-
lischer Ereignisse. Eine Wiederholung der einzelnen Fakten
zur Wortwahl erübrigt sich, weil diese in der Analyse er-
fasst sind.

2. Parallelen

a) Die Aufgabe

Für den rekonstruierten Text lässt sich eine Reihe von literarischen Parallelen finden. Eine Auswahl vergleichbarer Belegstellen bringt E. Stauffer.[373] Für die "altbiblischen Summarien" wird als der "primäre Quellort" der liturgische Bereich angenommen.[374] Zu finden seien "summarienhafte Gottesreden in der Ichform, Gebet und Hymnen in der Duform, Predigten und Paränesen in der Erform", die "Paradigmenreihen" in der Prophetie, ferner "summarienhafte Stücke" in unterschiedlichen Zusammenhängen.[375]

Innerhalb seiner Untersuchung zum "Stil der Jüdisch-Hellenistischen Homilie"[376] stellt H. Thyen die Frage, "ob sich von der Verwendung des AT und der atl Geschichte hier nicht einige ganz bestimmte Typen der hellenistischen Synagogenpredigt unterscheiden lassen".[377] In Anlehnung an R. Bultmann[378] werden als "typische Formen der Predigt"[379] "Geschichtsüberblicke" und "Exempla für eine bestimmte Tugend oder ein bestimmtes Laster" unterschieden.[380] Die Geschichtsüberblicke, als deren Entstehungsort die palästinensische Synagoge zu gelten habe, hätten "alsbald eine charakteristische Änderung" erfahren, indem beim Diasporajudentum die "Volksgeschichte" zugunsten der Geschichte einzelner in den Hintergrund trete.[381]

T. Holtz,[382] der im Zusammenhang mit dem 7. Kap der Apostelgeschichte eine "Ortsbestimmung der in der Rede verarbeiteten Tradition" versucht, weist darauf hin, dass "es, offenbar bereits seit sehr früher Zeit, kurze und die wesentlichsten Ereignisse andeutende Geschichtsabrisse in Israel" gegeben habe, "die in mannigfacher Variation und offenbar auch wechselnder Abzweckung die Heilsgeschichte darbieten".[383] Es wird angenommen, "dass die Bundestheologie der sachliche Ort ist, an dem die Erinnerung an die Frühgeschichte Israels bis zur Landnahme ihren Platz hatte, und dass daher gerade diese Periode sich immer wieder in den Vordergrund des Interesses drängte".[384] Das "Bundesformular" sei "die vornehmliche Stelle für die Erinnerung an die klassische Zeit der Gestaltung und Befestigung des Gottesverhältnisses".[385] Als historischer

oder theologischer Ort, "an den der formal und inhaltlich
durch die Tradition über den Bund bestimmte Geschichtsabriß,
wie er uns in Act 7 vorliegt, gehört",[386] wird die "Tempel-
frömmigkeit" angesehen.[387]

R. Storch widmet den geschichtlichen Abrissen das erste Kapitel seiner Arbeit zur Stephanusrede.[388] "Das älteste uns
erhaltene Beispiel liegt wohl Dt 26,5b-9 vor. Sein 'Sitz im
Leben' ist der altisraelitische Kultus. Doch löst sich diese
Gattung später vom Kultus. Zugleich damit wird im allgemeinen die Erzählung breiter und das Schema aufgelockert".[389]
Für den Umfang der geschichtlichen Abrisse wird festgestellt,
dass "in den ältesten Abrissen ausschliesslich die Ereignisse der Zeit von Ägypten bis zur Landnahme Gegenstand der Erzählung" seien, "doch bald eine Erweiterung auf frühere oder
spätere Ereignisse" erfolgt sei, aber "nur wenige Abrisse"
"die Zeit nach der Landnahme in gleichem Maße wie die vorhergehende" berücksichtigen würden.[390] Die "Erweiterung auf die
frühere Zeit" sei "in einem späteren Stadium der Entwicklung
der geschichtlichen Abrisse" nicht immer erfolgt.[391] "Alle
Darstellungen haben eine Aufgabe zu erfüllen, die - je jünger
der Abriß ist - im allgemeinen immer deutlicher zu erkennen
ist."[392] Schliesslich habe"der geschichtliche Abriß immer
mehr den Charakter einer Beispielerzählung" erhalten, "so
dass man geradezu von einem 'heilsgeschichtlichen Beweisver-
fahren' sprechen kann."[393]

In der Absicht, "den Umgang des Frühjudentums mit den alten
geschichtlichen Überlieferungen Israels ins Auge zu fassen
und von hieraus das frühjüdische Verhältnis zur eigenen ak-
tuellen Geschichte zu umschreiben", befasst sich K. Müller
mit den "Geschichtssummarien".[394] Für die Texte "des hebräischen Kanons" sei "derselbe Grundansatz charakteristisch:
Indem die göttlichen Geschichtstaten in ihrer Einmaligkeit
und Kontingenz bekannt werden, bereut Israel seinen Ungehorsam in der Gegenwart oder sucht in den vergangenen Eingriffen Gottes den Beweggrund für erneute göttliche Heilssetzun-
gen in der Zukunft".[395] Die "Summarien des Jesus Sirach, des
ersten und dritten Makkabäerbuches sowie der Sapientia Salo-
monis"[396] lassen nach K. Müller ein Geschichtsbewußtsein
erkennen, das "den Sinn für die Kontingenz des Fortgangs der

Geschichte verloren" hat[397] und von der "Überzeugung vom
prinzipiell analogen Charakter geschichtlicher Ereignisse"
geprägt sei.[398] Eine "Fortführung des alttestamentlich-
heilsgeschichtlichen Denkens" sei "in den apokalyptischen
Summarien der Tiervision und der Assumptio Mosis" festzustellen.[399] Ein "Bruch mit der Vergangenheit Israels" werde
"in den Summarien der Zehnwochenapokalypse und der Damaskusschrift" vollzogen.[400] "Die Geschichtssummarien des vierten
Esrabuches" verlagerten "das eigentliche Heilsgeschehen an
die Aussenseite des Raumes, in welchem Geschichte sich er-
eignete: in die uranfängliche Determination und in den An-
bruch des Heils am Ende".[401] Ebenso irrelevant erscheine
"die zurückliegende Geschichte Israels" in der syrischen
Baruchapokalypse.[402] Die relativ selten "Summarien der
talmudischen Haggada"[403] erwiesen ihre "Besonderheit" darin,
"dass Gott die Geschichte planmässig auf ein Ende zuführt,
ohne dass es zu innergeschichtlichen Heilsgründungen
kommt".[404] Schliesslich weist K. Müller auf das "unvermindert
wache Interesse an der Heilsgeschichte in der synagogalen Ge-
betsliteratur" hin.[405]

In der folgenden Übersicht sollen die wichtigsten Parallelen
zusammengestellt werden. Die Darstellung in einer Tabelle
wird gewählt, weil es im Rahmen dieser Untersuchung nicht möglich ist, alle in Frage kommenden Texte auch nur annähernd
sachgerecht zu würdigen. Da es ferner nicht möglich ist, den
mit den Texten gegebenen traditionsgeschichtlichen Problemen
gerecht zu werden, wird auf folgende Reihenfolge zurückgegriffen: Das Alte Testament, die "Apokryphen" oder "deutero-
kanonischen" Schriften, die "Pseudepigraphen", die Qumran-
schriften, die Tradition der Pharisäer, Philo, Josephus,
das Neue Testament, die Apostolischen Väter. Die Angaben zum
Inhalt und zur Form sind als vorsichtige Hinweise zu werten.[406]

Leider fehlt bis heute eine umfassende Darstellung dessen,
was mit geschichtstheologischen Summarien, heilsgeschichtlichen Abrissen, Rekapitulation in der Vergangenheit, Reihen-
darbietungen traditioneller Geschichtsdaten, summarischen
Aufzählungen, geschichtlichem Credo, theologischer Systembildung und ähnlichen Begriffen gemeint sein kann. Eine solche

Untersuchung hätte die nur schwer zu bewältigende Aufgabe,
das gesamte Material zu sichten und historisch-kritisch zu
untersuchen. Eine derartige Arbeit böte darüber hinaus die
Möglichkeit zu fragen, welches Verhältnis sich zwischen derartigen Texten, der Geschichte und dem Glauben zu erkennen
gibt. Die Antwort könnte einen wichtigen Beitrag für eine
Theologie der Geschichte leisten. Im Zusammenhang der vorliegenden Untersuchung hat die Übersicht nur den Sinn, aufzuzeigen, wieweit die vergleichbaren Texte gefächert sind,
um auf diesem Hintergrund die Bedeutung der aus Kap. 7 und
13 der Apostelgeschichte rekonstruierten Vorlage anzudeuten.

b) Übersicht

Stellen	Zum Inhalt	Zur Form
Dtn 26,5b-9	Vätergeschichte (Abraham), Bedrückung in Ägypten, Herausführung aus Ägypten, Landgabe	Credo, eingebaut in ein liturgisches Formular
Dtn 6,20-24	Bedrückung in Ägypten, Herausführung aus Ägypten, Landgabe	Credo innerhalb einer Predigt
Num 20,15-16	Vätergeschichte, Bedrückung in Ägypten, Herausführung aus Ägypten	in eine Botenrede aufgenommenes Credo
Jos 24,2b-13	Terach, Abraham, Isaak, Jakob, Esau, Jakobssöhne, Mose, Aaron, Herausführung aus Ägypten, Wüstenzeit, Landgabe	zur Gottesrede ausgestaltetes Credo
1Sam 12,8	Jakob und seine Söhne, Bedrückung in Ägypten, Herausführung aus Ägypten, Landgabe	zur Predigt umgesetztes Credo
Ex 15,1-19	Das Schilfmeerwunder, der Wüstenzug, die Landgabe	Hymnus
Ri 6,8-10	Herausführung aus Ägypten, Landgabe	zur Boten-(Gottes-)rede gestaltetes Credo
Ri 11,16-26	Auszug aus Ägypten, Wüstenzug, Botschaft, Landnahmekrieg	Kontextbedingte Rede-Komposition
Neh 9,6-37	Weltschöpfung, Vätergeschichte, Aufenthalt in Ägypten, Auszug aus Ägypten, Sinai, Wüstenwanderung, Landnahme, Richterzeit, Königszeit bis zur nachexilischen Zeit	hymnisches Bußgebet

Ps 78	Schilfmeerwunder, Führung durch die Wüste, Befreiung aus Ägypten, Landgabe, Gericht Gottes in der Philisterzeit, Erwählung Zions und Davids	Geschichtslehre
Ps 105	Die Verheißung an die Erzväter, Wanderungen der Erzväter, Joseph, Herausführung aus Ägypten, die Wunder der Wüstenzeit	hymnischer Geschichtspsalm
Ps 106	Herausführung aus Ägypten, die Gier des Volkes bei der Speisung durch Wachteln, Datan und Abiram, das goldene Kalb, das Murren, Baal Peor, am Haderwasser, Vergebung bei der Landnahme	Geschichtserzählung
Ps 135	Schöpfung, Herausführung aus Ägypten, Landgabe	Hymnus
Ps 136	Schöpfung, Herausführung aus Ägypten, Führung durch die Wüste, Landgabe	Litanei
Jer 2,1-19	Wüstenzeit, Herausführung aus Ägypten, Landgabe	Gedicht
Ez 20	Jakobs Nachkommen in Ägypten und ihre Herausführung aus Ägypten, Gesetzgebung, Wüstenzeit, Landgabe	Strafrede
Dan 9,4-19	Allgemeine Aussagen über Gottes Treue und die Untreue des Volkes in der Geschichte (Herausführung aus Ägypten, Gesetzgebung)	Gebet

Stelle	Inhalt	Form
Am 2,9-11	Amoriter, Herausführung aus Ägypten, Wüstenzeit, Landnahme, Propheten und Nasiräer	Göttliche Selbstprädikationen der Is-raelstrophe innerhalb eines Völker-gedichts
Jdt 5,6-21	Urväter, Zug nach Ägypten, Bedrückung in Ägypten, Herausführung aus Ägypten, Landnahme, Exil, Heimkehr	Rede
Weish 10	Adam, Noach, Abraham, Lot, Jakob, Joseph, Mose	Gebet (Geschichtsbeispiele für eine Erkenntnis)
Sir 16,6-10	Die Riesen der Urgeschichte, Sodomiter, Kanaaniter, Wüstengeneration	Beweismittel für eine Sentenz
Sir 44-50	Henoch, Noach, Abraham, Isaak und Jakob, Mose. Aaron, Pinhas, Josua, Kaleb, Rich-ter, Samuel, Natan, David, Salomo u.a.	Väterhymnus zur Würdigung der großen Männer der Vergangenheit
Bar 1,15-3,8	Unterschiedliche Rückgriffe auf die Ge-schichte als Geschichte des Versagens	Bußgebet
Dan 3,26-45	Schilderung von Gesetzesübertretungen in der Geschichte	Volksklagelied (sekundärer Einschub)
1Makk 2,49-68	Abraham, Joseph, Pinhas, Josua, Kaleb, David, Elija, Hananja mit Gefährten, Daniel	Exempelsammlung
3Makk 2,2-20	Riesen der Vorzeit, Sodomiten, Pharao, Sanherib	Gebet
3Makk 6,2-8	Pharao, Sanherib; die Gefährten aus dem Feuerofen, Daniel, Jona	Gebet
PsSal 17	David, die heidnischen Verfehlungen der jüdischen Herrscher, der Messias	messianischer Psalm
4Makk 16,20.21	Abraham mit Isaak; Daniel; Hananja, Azarja und Mischael	Begründung einer Sentenz

äth Henoch 85-90	Urgeschichte, Abraham bis David und Salomon, Epoche des Unheils, Erwartung einer letzten Epoche	Tiervision
äth Henoch 93,3-10; 91,12-17	Einteilung der Geschichte von Henoch bis zur asidäischen Bewegung und eschatologischen Heilszeit	Zehnwochenapokalypse
Assumptio Mosis 2-10	Landgabe, Königszeit, Exil, Heimkehr, Diadochenperiode, Hasmonäer, Herodes bis zur Endzeit	Weissagung
4Esra 3,4-27	Adamitische Menschheit, noachitische Epoche, Abraham, Gesetzgebung, David	Vision
4Esra 7,106-110	Abraham, Mose, Josua, Samuel, David, Salomo, Elija, Hiskija	Vision
4Esra 14,28-35	Fremdlingsdasein in Ägypten, Herausführung aus Ägypten, Gesetzgebung, Landgabe, Strafe, Gericht	Vision
Syr Baruch 53-74	Von Adam bis zur Endzeit (12 Unheils- und Heilsphasen der Geschichte)	Wolkenvision mit Auslegung
CD II,14-IV,21	Himmelswächter, Riesen, Sündflutgeneration, Noachs Nachkommen, Abraham, Isaak, Jakob, Patriarchen, Ägypten, Wüste, Könige	Paränese
1 Qm X.XI	Schöpfung, David, Könige, Propheten, Goliath, Philister, Pharao	Gebet
4 Q Dib Ham	Untreue der Väter, Erwählung Israels und Bestrafung der Ungetreuen; Erwählung Jerusalems, Israels, Judas, Davids; Untreue Israels und Strafe	Bekennendes Klagelied
Midrasch Tehillim 36,6	Ägypten, Babylon, Medien, Persien, Griechenland, Rom	Midrasch

Schma, bBer 12a	Allgemeine Aussagen über Gottes vergangene Wundertaten, Herausführung aus Ägypten	Bekenntnis
Philo, De prae-miis et poenis	Enosch, Henoch, Noach, die drei Erzväter, Mose, die zwölf Söhne Jakobs; Kain, Korach	Beispiele
Philo, De Virtu-tibus	Kain, Kemosch, Adam, die Söhne Abrahams ohne Isaak u.Esau; Abraham, Tamar; Silpa und Bilha	Beispiele
Josephus, bell V.376-419	Abraham, Befreiung aus Ägypten, Sanherib, Rückkehr aus dem Exil usw.	Beispiele zur Belehrung innerhalb einer Rede
Josephus, ant III.86.87 (vgl.IV. 43-45)	Befreiung aus Ägypten, Wüstenzeit, Adam, Noach, Abraham, Isaak, Jakob, Joseph	Beispiele zur Ermunterung innerhalb einer Rede
Hebr 11	Schöpfung, Abel und Kain, Henoch, Noach, Abraham, Isaak, Jakob, Sara, Joseph, Mose, Rahab usw.	Paradigmenreihe (ursprünglich ver-mutlich ein Credo)
Jud 5-7 (vgl. 2Petr 2,4-8))	Befreiung aus Ägypten, Wüstenzeit, Sturz der Engel, Sodom und Gomorra	Beispielsammlung
1Clem 4,1-13	Abel und Kain; Jakob und Esau; Joseph, Mose, Aaron und Machi, Datan und Abiram, David und Saul	Beispielsammlung
1Clem 7,5-8,1	Noach, Jona, die Diener der Gnade Gottes	Beispielsammlung
1Clem 9,2-12,8	Henoch, Noach, Abraham, Lot, Rahab	Beispielsammlung
1Clem 17,1-18,16	Elija und Elischa, Ezechiel und die Pro-pheten, Abraham, Job, Mose, David	Beispielsammlung
1Clem 45,6.7	Daniel, Hananja, Azarja und Mischael	Beispielsammlung
1Clem 51,3-5	Die Empörer gegen Mose; Pharao und alle Fürsten Ägyptens	Beispielsammlung

c) Ergebnis

Die Übersicht läßt erkennen, dass die Tradition der Apostelgeschichte insofern keinen Sonderfall darstellt, als Rückgriffe auf die Geschichte bis in die neutestamentliche Zeit
üblich sind. Jedoch sind Form und Inhalt der aufgeführten
Beispiele so unterschiedlich, dass nicht alle Stellen als
Parallele zur Vorlage der Apostelgeschichte angesehen werden
können.

Es erübrigt sich ein Vergleich mit jenen Texten, in denen
die Sicht der "göttlichen Geschichtstaten in ihrer Einmaligkeit und Kontingenz"[407] fehlt und eine "prinzipiell ana-
loge Wertung geschichtlicher Ereignisse"[408] zum Zweck der
Argumentation zu finden ist. Hierzu dürften bei wenigen Ausnahmen (Jdt 5,6-21[409]; Bar 1,15-3,8[410]; äthHenoch 85-90[411];
Assumptio Mosis 2-10[412]; das Schma[413]; Qumran[414]; eine zu
vermutende Tradition von Hebr 11[415]) alle Stellen ausserhalb des hebräischen Kanons gehören. Aufschlußreich sind
diese Texte nur insofern, als sie die Besonderheit der Tradition in der Apostelgeschichte erkennen lassen und zu der
Frage drängen, warum es in so später Zeit offensichtlich
gegen den allgemeinen Brauch zu einer Erneuerung der alten
Sicht der Taten Gottes in der Geschichte des alten Gottesvolkes kommen konnte. Auch formal ist ein Vergleich mit diesen Beispielen nicht angebracht, da es sich bei der Vorlage
der Apostelgeschichte weder um eine Rede noch um ein Gebet,
Lied, Psalm oder Hymnus, ebenso wenig um eine Vision, Apokalypse oder Weissagung, wie um eine Beispielsammlung oder
Paradigmenreihe und auch nicht um einen Midrasch handelt.

Jene verbleibende Gruppe, die insofern als vergleichbar gelten muss, weil in ihr die geschichtsmächtigen Taten Gottes
in ihrer Einmaligkeit und unverwechselbaren Bedeutung zur
Sprache kommen, erfährt ihrerseits eine Auswahl ebenfalls
aufgrund formaler und auch inhaltlicher Unterschiede zwischen den einzelnen Texten einerseits und im Vergleich mit
der Tradition der Apostelgeschichte andererseits. Zwar muß
ein Urteil notgedrungen unzureichend bleiben, weil die traditionsgeschichtlichen Probleme der Beispiele im Rahmen dieser Untersuchung nicht gelöst werden können. Doch dürfte es

nicht verfehlt sein, aus formalen Gründen folgende Arten auszuschliessen: Hymnen, Psalmen, Gedichte und Gebete, Visionen
und Weissagungen, Paränesen und Reden. Sie sind insofern be-
achtenswert, als in ihnen eine sehr unterschiedliche Breite
der angesprochenen Ereignisse feststellbar ist. Ein fester
Themenkatalog ist nicht gegeben. Nie aber fehlt die Herausführung aus Ägypten.

Zum Vergleich bleiben somit die Texte, die selbst oder in
ihrer Vorlage die Taten Gottes in der Geschichte des Volkes
Israel bekennen: Dtn 26,5b-9[416]; 6,20-24[417]; Num 20,15-16[418];
Jos 24,2b-13[419]; 1Sam 12,8[420]; Ri 6,7-10[421]; Hebr 11[422].
Das Schma[423] als Bekenntnis ist deswegen auszunehmen, weil
in ihm zwar die zurückliegenden "Wundertaten" Gottes bekannt
werden, aber direkt nur das zentrale Heilsereignis der Vergangenheit, nämlich die Herausführung aus Ägypten, zur Sprache kommt.

Der in diesem Zusammenhang aufschlußreichste Text darf in
Dtn 26,5b-9 gesehen werden.[424] Es handelt sich nicht nur um
das wichtigste Bekenntnis unter den angegebenen Beispielen,
sondern lässt auch am deutlichsten Art und Zielsetzung derar-
tiger Traditionen erkennen. "Das kleine geschichtliche Credo"[425] bietet eine Zusammenstellung von Gottes Handeln in
der Vätergeschichte, bei der Bedrückung in Ägypten, bei der
Herausführung aus Ägypten und bei der Landgabe. Der ursprüngliche Wortlaut scheint allein dazu bestimmt gewesen zu sein,
den Gott der Väter als den zu bekennen, der "hörte", "herausführte", "kommen ließ" und "gab", um in diesem Bekenntnis das eigene Verhältnis des so Sprechenden zu dem Gott der
Geschichte zu begründen. Durch die Aufnahme des Credo in
einen liturgischen Text wird sichtbar, wie das Rezitieren
der Geschichtstaten Gottes die Grundlage der liturgischen
Handlung zur Sprache bringt.

Wenn sich das kleine geschichtliche Credo auch in Form, Umfang und Inhalt von der Vorlage der Apostelgeschichte beträchtlich unterscheidet, so ist dennoch die Übereinstimmung gerade darin zu sehen, dass auch die aus Kap. 7 und 13
der Apostelgeschichte rekonstruierte Tradition vornehmlich
das vergangene Handeln Gottes in der Geschichte zum Ausdruck

bringt und dies offensichtlich ebenfalls zu keinem anderen
Zweck als zum Bekenntnis. Die sich daraus ergebenden Konse-
quenzen für eine Formbestimmung und für den "Sitz im Leben"
dieser Vorlage können erst dann bedacht werden, wenn die
Frage nach dem vollen Umfang der Tradition in den Reden der
Apostelgeschichte beantwortet ist.

3. Der ursprüngliche Umfang der Tradition

a) Der Beginn

Die Fragestellung

Die Übersicht über die Parallelen gibt zu erkennen, dass es
keinen festen Themenkatalog für die heilsgeschichtlichen
Summarien gibt, aufgrund dessen Postulate für die Vorlage
der Apostelgeschichte aufgestellt werden könnten. Dennoch
muss die Frage nach dem ursprünglichen Umfang der Tradition
gestellt werden, in diesem Abschnitt näherhin nach einem ursprünglichen Beginn. Die Frage ergibt sich zunächst aus der
Einsicht, dass der Abriß der Apostelgeschichte vergleichs-
weise sehr umfangreich ist, so dass ein ursprünglicher Beginn mit der Vorgeschichte (vgl. Neh 9,6-37; Ps 136 und Hebr
11) nicht ausgeschlossen werden kann. Darüber hinaus zeigte
sich, dass Lukas die Tradition an verschiedenen Stellen verwendet und darum mit Aussagen der Vorlage in anderen Rede-
zusammenhängen gerechnet werden muss. Die so konkretisierte
Frage kann daher nur anhand der Apostelgeschichte selbst
beantwortet werden.

Bei der Analyse von Apg 7,2 wurde festgestellt, dass ὁ θεὸς
τῆς δόξης   mit einiger Sicherheit auf Ps 29,3 zurückgeht,
nicht aber zur Vorlage gerechnet werden kann, weil der
Abrahamabschnitt sich fast ausschließlich an den Genesis-
bericht hält[426] und darüber hinaus andere Psalmenanklänge
in Apg 7 sich als lukanische Redaktion begreifen lassen.[427]
Da Ps 29,10 "wohl Momente der Schöpfungstheologie" enthält,[428] ist es durchaus möglich, dass Lukas hier mit
ὁ θεὸς τῆς δόξης eine Schöpfungsaussage ersetzt hat.

Damit richtet sich die Aufmerksamkeit auf jene Reden in der
Apostelgeschichte, in denen vom Schöpfergott gesprochen
wird. Die Rede des Paulus auf dem Areopag in Athen bringt

in Apg 17,24-26 Schöpfungsaussagen, die in Apg 14,15-17 eine
Parallele haben. Die Frage ist, ob beide Redeabschnitte auf
eine gemeinsame Vorlage zurückgehen, die an den Anfang der
bisher erarbeiteten Tradition gehört.

Analyse von Apg 14,15-17

E. Norden zählt zu den "Dubletten in den Reden der Acta" die
Epiklese in Apg 14,15 und Apg 17,24. Für die Erklärung derar-
tiger Übereinstimmungen sei trotz der unverkennbar gestalten-
den Hand des Schriftstellers "eine tatsächliche Grundlage"
nicht in Abrede zu stellen. Fraglich jedoch muss die These
bleiben, derartig typische Motive in den Reden der Apostelgeschichte "zum Inventar der apostolischen Missionspredigt"
zu rechnen.[429]

M. Dibelius sieht in Apg 14,15-17 eine lukanische Einschal-
tung. Im Vergleich zur Areopagrede weise die Rede in Lystra
"einen gewählteren Stil" und eine etwas grössere Nähe zur
"Septuaginta-Bibel" auf. Beide Redestücke werden als Proben
dessen gesehen, "was Lukas etwa um 90 schreibend, als unter
christlicher Verkündigung an heidnische Zuhörer ansieht".[430]

Nach E. Haenchen handelt es sich um "die erste Heidenpredigt
des Paulus", für die das "Predigtmuster" etwa der Petrusreden nicht mehr ausreiche.[431]

Für H. Conzelmann ist die Rede "eine Vorbereitung für die
Areopagrede und ein knapper Abriß der Topoi der Heidenpredigt nach lukanischer Darstellung".[432] Die Frage nach einer
möglichen Tradition wird in den Kommentaren von E. Haenchen
und H. Conzelmann nicht gestellt.

Die Rede[433] geht mit der Frage τί ταῦτα ποιεῖτε auf die Situation ein, um sofort den Ausruf der Menge mit den Worten
abzuweisen: καὶ ἡμεῖς ὁμοιοπαθεῖς ἐσμεν ὑμῖν ἄνθρωποι.
Nicht allein der Eindruck, dass die ganze Rede sich nur sehr
künstlich in die Ereignisse einpasst,[434] sondern auch die
Wortwahl weist auf lukanische Redaktion. ὁμοιοπαθής hat
nur noch Jak 5,17. Der Sache nach ist das gleiche gemeint
wie in Apg 10,26, so dass Lukas den dort wohl vorgegebenen
Gedanken aufnimmt und variiert.[435] Mit εὐαγγελίζεσθαι
wird dann ausgesagt, worum es eigentlich geht. Das Verb

"begegnet syn nur Mt 11,5 LXX, aber 10mal Lk und 15mal
Apg".[436]

ἀπὸ τῶν ματαίων ἐπιστρέφειν ἐπὶ θεὸν ζῶντα   ist eine vorgegebene Wendung, wie ein Vergleich mit 1 Thess 1,9 (vgl.
Hebr 6,1[437]) zu zeigen vermag.[438] Beide Stellen stimmen in
der Wahl des Verbs ἐπιστρέφειν überein. Für ἀπὸ τῶν
ματαίων   steht bei Paulus ἀπὸ τῶν εἰδώλων . Lukas gebraucht εἴδωλον mit der Vorlage in Apg 7,41, ferner in
Apg 15,20, wo das Wort ebenfalls vorgegeben zu sein scheint.
μάταιος ist im lukanischen Doppelwerk sonst nicht zu finden, bei Paulus noch 1 Kor 3,20 (Ps 94,11) und 15,17. Eine
Entscheidung über einen beiden Stellen vorgegebenen Wortlaut ist daher kaum möglich. Beide Begriffe meinen auf dem
Hintergrund der LXX das gleiche.[439] Für ἐπὶ θεὸν hat 1
Thess 1,9 πρὸς τὸν θεόν . Auch in diesem Fall lässt sich
nicht sagen, welche Formulierung redaktionell ist, weil "die
Apg meist ἐπί zur Kennzeichnung des Objektbezuges verwendet, während Paulus πρός bevorzugt".[440] Zwar fehlt im Thes-
salonicherbrief das Gottesprädikat ζῶν , doch findet es sich
in der folgenden Aussage. Trotz dieser Unterschiede sind die
Übereinstimmungen so weitgehend, dass eine lukanische Formulierung ausgeschlossen werden kann. Der Verfasser der Apostelgeschichte bedient sich vielmehr, wie Paulus auch, ge-
prägter Missionsterminologie, die ihrer Herkunft nach schon
vorchristlich sein und aus der hellenistisch-jüdischen Missionsliteratur stammen dürfte.[441] Doch stellt sich die Frage, ob die Aussage nicht mit einer Paulustradition der Apostelgeschichte vorgegeben war. Die Nähe zu 1 Thess 1,9 und
damit zu einer Aussage des Paulus macht es unwahrscheinlich,
dass gleiche Worte nur zufällig auch in der Apostelgeschichte von Paulus ausgesagt werden. Sieht man in Apg 14,8-10
einen vorgegebenen Wunderbericht,[442] dann erwartet man wenigstens eine kurze Angabe zu λαλοῦντος . Diese kann sehr
gut in ἀπὸ τῶν ματαίων ἐπιστρέφειν ἐπὶ θεὸν ζῶντα   bestanden haben. Lukas übernimmt die Wendung in den jetzigen Zusammenhang, um wichtige Aussagen über den lebendigen Gott
anzufügen, einmal dessen ποιεῖν , zum anderen dessen ἐᾶν
bzw. ἀφιέναι . Die beiden letzten Verben korrespondieren,
betont durch καίτοι .   καίτοι (nur noch Hebr 4,3) ist

klassisch und bedeutet "und doch",[443] wie überhaupt der "gewählte Stil" für Lukas spricht: "vgl. ἐν ταῖς παρῳχημέναις
γενεαῖς , die Litotes οὐκ ἀμάρτυρον αὐτὸν ἀφῆκεν,
das Homoioteleuton ὑετοὺς διδούς und die Alliteration
καιροὺς καρποφόρους ".[444] Die "sonst im ganzen NT unbe-
legte Wendung" καίτοι οὐκ ἀμάρτυρον αὐτὸν ἀφῆκεν ist vielleicht eine "gedächtnismässige Assoziation" an Thukydides.[445]

Das alttestamentliche Zitat lässt zusammen mit Apg 4,24 und
17,24-26 eine feste Vorlage vermuten. Hinter allen drei Stellen steht Jes 42,5 in Verbindung mit Ex 20,11.[446] Mischzitate
aber sprechen nicht für Lukas. Das sowohl hier als auch in
Apg 17,25 zu findende διδούς kann als Indiz angesehen werden, dass im Sinne Jes 42,5 eine Fortführung mit der ersten
Gottesaussage vorgegeben war. Auch πνοήν in Apg 17,25
weist auf Jes 42,5. Das in Apg 14,17 mit dem Partizip verbundene Objekt hat eine Entsprechung in προστεταγμένους
καιρούς Apg 17,26.[447] Eine ähnliche Aussage scheint also
mit διδούς neben πνοήν anzunehmen zu sein, denn ζωήν
und τὰ πάντα in Apg 17,25 gehören, wie noch zu zeigen ist,
zur lukanischen Redaktion. Der genaue Wortlaut dieser Aussage neben πνοήν lässt sich nicht mehr ausmachen. Es ist
als Inhalt zu vermuten, dass Gott nicht nur Odem, sondern
auch Nahrung gab, was dann Lukas nicht nur zu καιροί ,
sondern auch zu τὰ πάντα in Apg 17,25 veranlasst hat.
οὐρανόθεν ὑετούς und καιροὺς καρποφόρους im Sinne von
Jahreszeiten bringt Lukas aufgrund eines seiner Zeit geläufigen "Gottesbeweises"[448] hier, um das ἀγαθουργεῖν Gottes herauszustellen. Die abschliessende Partizipialkonstruktion ergänzt die Vorlage und ist mit Hilfe der LXX (vgl.
Ps 145,16; 147,8) formuliert.[449] Damit kann als vorgegebener
Text angenommen werden:

        ὁ θεὸς ὁ ποιήσας τὸν οὐρανὸν καὶ τὴν γῆν
        καὶ τὴν θάλασσαν καὶ πάντα τὰ ἐν αὐτοῖς
        καὶ διδοὺς πνοὴν καὶ . . .

Diese Mischform passt zum Anfang der in Kap. 7 gefundenen
Tradition. Lukas hat dafür ὁ θεὸς τῆς δόξης geschrie-
ben. Diese Vermutung kann dann als wahrscheinlich gelten,
wenn dadurch nicht nur der vorgegebene heilsgeschichtliche

Abriss einen sinnvollen Beginn erhält, sondern wenn sich auf
diesem Hintergrund auch Apg 4,24 und 17,24-26 erklären lassen. Letzteres wird im nächsten Abschnitt besprochen. Das Gebet der Gemeinde um Freimut beginnt Apg 4.24 mit der Anrede
δέσποτα . So wird Gott auch im Gebet Lk 2,29 angeredet. Daß
Gott so nur an diesen beiden Stellen im Neuen Testament genannt wird, rückt beide Gebete aneinander. Dafür spricht
auch ὑπὸ τοῦ πνεύματος τοῦ ἁγίου in Lk 2,26 und διὰ πνεύματος
ἁγίου in Apg 4,25. Dann wirkt ὁ ποιήσας κτλ. wie ein Einschub, der sich am besten durch die Bedeutsamkeit der angenommenen Vorlage motivieren lässt, hier angezogen durch
δεσπότης .[450]

Analyse von Apg 17,22-29

Bahnbrechend für das Verständnis der Areopagrede wurde das
berühmte Buch von E. Norden "Agnostos Theos".[451] Zwar folgt
ihm die spätere Forschung nicht in der Annahme, die Rede sei
das Werk eines späteren Redaktors, so sind doch seine gründ-
lichen Ausführungen zu den die Rede bestimmenden Motiven
jüdisch-christlicher und stoischer Art von bleibendem Wert.

Darauf aufbauend hat M. Dibelius in seinem Beitrag "Paulus
auf dem Areopag"[452] den Versuch unternommen, Apg 17,22-31
als "eine hellenistische Rede von der wahren Gotteserkenntnis" zu begreifen. Statt ausgeführter Gedanken enthalte die
Rede "lediglich Motivgruppen", die "nach Analogien aus der
hellenistischen Philosophie" verständlich gemacht werden
könnten.[453]

Dieser dann später von M. Pohlenz[454] und H. Hommel[455] wei-
tergeführten konsequent stoischen Sicht der Rede widersprach
heftig B. Gärtner in seiner Dissertation "The Areopagus
Speech and Natural Revelation".[456] Die These geht dahin,
dass die Rede nichts mit der theologia naturalis der Stoiker
zu tun hat, wohl aber mit der monotheistischen Gedankenwelt
des jüdischen Hellenismus. Die einseitige Stellung gegen
M. Dibelius führt zu einer unsachgemässen Vereinfachung des
Problems, so dass J. Dupont sogar von antistoischer Vorein-
genommenheit spricht.[457]

Auch W. Eltester[458] und ihm folgend W. Nauck[459] haben durch
ihre Arbeiten dazu beigetragen, die von M. Dibelius so betont

vertretene Auslegung der Rede von der stoischen Philoso-
phie her auf ein vertretbares Maß zurückzuführen, indem sie
Motive und Gedankengang der Rede im jüdisch-hellenistischen
Bereich wiederzufinden vermögen.

G. Conzelmann[460] befragt redaktionsgeschichtlich die Rede
nach der Komposition und findet als zugrundeliegendes Schema
das zweigliedrige Credo des frühen Christentums, wie es sich
auch in 1 Thess 1,9.10 (vgl. 1Kor 8,6) ablesen lässt. Der so
vorgegebene Rahmen enthalte dann die lukanische Reflexion
über den Menschen.

Demgegenüber stellt H.-U. Minke in seiner Dissertation "Die
Schöpfung in der frühchristlichen Verkündigung nach dem
Ersten Clemensbrief und der Areopagrede"[461] fest, dass man
das in 1 Thess 1,9.10 zu findende Schema nicht als "frühes
Credo" ansprechen dürfe, sondern als "Grundschema der Hei-
denmissionspredigt".[462] Ausserdem werde der Ernst der Rede
völlig verkannt, wenn man in ihr nicht vor allem den Kampf
gegen die Idolatrie wahrnehme. H.-U. Minke gewinnt den Zugang zur Rede vom Rahmen her.[463] Rahmenbericht und Rede
durchziehe eine doppelte Thematik: "die Auseinandersetzung
mit der heidnischen Religiosität und positiv die Verkündigung der christlichen Botschaft".[464] Die formgeschichtliche "Struktur und Gliederung der Rede"[465] werde vor allem
von der formelhaft-summarischen Zusammenfassung des auch von
Paulus vertretenen Missionskerygmas in 1 Thess 1,9.10 her
bestimmt. Danach bestehe die Rede aus zwei Hauptteilen,
nämlich V.24-29 einerseits und V.30.31 andererseits.[466] Die
Untersuchung kommt zu dem Schluss, "dass der Schöpfung keinerlei soteriologische, sondern lediglich diakritische
Funktion eignet"[467] und somit das Hauptgewicht der Rede in
ihrem zweiten Teil zu sehen sei.[468]

Anders urteilt F. Mußner.[469] Er sieht ähnlich wie H. Conzelmann ein kosmisch-anthropologisches Mittelstück der Rede
durch das Schöpfungskerygma und das Gerichtskerygma eingerahmt. Dieser interpretierende kerygmatische Rahmen ver-
hindere "ein Mißverständnis des Mittelstücks und des Prin-
zips der Anknüpfung". Zusammenfassend wird festgehalten,
dass man von Christus nur "richtig" reden könne, wenn man

"vom Schöpfergott richtig" rede.[470]

Für die Analyse ergibt sich zunächst aus dem kurzen Forschungsüberblick, daß es sich bei dieser Rede wie auch
sonst in der Apostelgeschichte um eine Komposition des dritten Evangelisten handelt. Als lukanisch kann von vornherein
all das gelten, was einen Bezug zur Redesituation erkennen
lässt, wenn auch bei derartigen Bezügen mit verschiedenartigen traditionellen Wendungen zu rechnen ist. Ferner zeigt
die Auslegungsgeschichte, dass bei der Herleitung der an-
klingenden Motive vorsichtig zu verfahren ist und das Verständnis der Aussagen wesentlich von der Einsicht in die
Struktur der Rede abhängt. Durch οὖν und καταγγέλλω bzw.
παραγγέλλει und ἀγνοοῦντες bzw. ἀγνοίας in V.23 und 30
ergibt sich die Einteilung der Rede in zwei Hauptteile.
An dieser Stelle der Untersuchung richtet sich die Aufmerksamkeit ausschließlich auf V.22-29, um auf dem Hintergrund
des Ergebnisses der Analyse von Apg 14,15-17 die Tradition
von der Redaktion zu scheiden. Die im folgenden nach M.
Dibelius vorgenommene Einteilung des ersten Teils in Haupt-
motivgruppen kann deswegen als berechtigt angesehen werden,
weil eine strenge Gedankenführung weder syntaktisch noch
inhaltlich zu finden ist und in der Tat verschiedenste Motive anklingen.

V.22 und 23 können als "Prooimion"[471] der Rede gelten. Der
situationsgemässen Anrede folgt eine "captatio benevolen-
tiae"[472], womit sich der Unterschied im Ton zu V.16 erklärt.
Dort führt das θεωρεῖν zum Zorn, hier zum Herausstellen
der Religiosität. δεισιδαίμων hat das Neue Testament nur
hier, das Substantiv noch Apg 25,19, und zwar im positiven
Sinn.[473] Die folgende Begründung (γάρ) ist für den Leser
durch V.16 vorbereitet. ἀναθεωρεῖν (noch Hebr 13,7) wechselt
den Ausdruck θεωρεῖν . σέβασμα (noch 2 Thess 2,4) korres-
pondiert mit δεισιδαίμων. Gemeint sind "überhaupt alle Ge-
genstände, die mit dem Kult verbunden sind".[474] βωμός steht
auch nur hier. διέρχεσθαι (von 42mal im Neuen Testament
31mal im lukanischen Doppelwerk) und εὑρίσκειν (80mal im
lukanischen Doppelwerk) werden von Lukas oft gebraucht.
ἐπιγράφειν hat Lukas nur hier, das Substantiv in Lk 20,24
und 23,38.

Die Inschrift ἀγνώστῳ θεῷ ist im Singular nicht belegbar,
wohl aber ist der Plural "literarisch und wahrscheinlich
auch inschriftlich bezeugt",[475] so dass hier eine redaktionelle Überarbeitung zugunsten der Fortführung der Rede vorliegt. Dahinter steht das Wissen um Altäre für unbekannte
Götter. Ursprünglich sind diese Altäre nichts anderes als
ein Zeichen für den heidnischen Polytheismus.

Das οὖν zeigt, worauf es ankommt (vgl. 13,38 u.ö.). "Der
Ton liegt auf ἀγνοοῦντες - καταγγέλλω ".[476] Der Satz hat
eine Entsprechung in V.30. Als situationsgemässe Redeein-
leitung ist V.22.23 zur lukanischen Redaktion zu zählen. So
bringt der Verfasser der Apostelgeschichte auch hier den
gleichen Gedanken wie in Apg 14,15 anschaulich zur Sprache.
Es geht um die Hinwendung von den nichtigen Götzen zu dem
lebendigen Gott, der nach dem Vorbild der hellenistisch-
jüdischen Missionsliteratur, vor allem aber mit Hilfe des
Credo als Schöpfergott gezeichnet wird.

Die Aussage der ersten "Hauptmotivgruppe"[477] in V.24 und 25
ist wesentlich in οὐκ ... κατοικεῖ , οὐδὲ ... θεραπεύεται zu sehen. Beiden Aussagen ist zur näheren Begründung
eine Partizipialkonstruktion voran- bzw. nachgestellt, das
Ganze dann aber eingerahmt durch die aus Apg 14,15-17 ana-
lysierte Schöpfungsaussage der Vorlage.[478]

Dass Lukas sich um der Situation willen bewusst "modernisierter hellenistischer Sprache"[479] bedient, ist offensichtlich. Die Häufung von πάντα , πᾶσι , πᾶν ,
παντός , πάντας , πανταχοῦ V.24-26.30"[480] entspricht
der neutestamentlichen "Vorliebe für den Begriff der Tota-
lität"[481], hier der des Verfassers der Apostelgeschichte.

Für τὸν οὐρανὸν καὶ τὴν γῆν setzt Lukas τὸν κόσμον
als "Inbegriff alles Geschaffenen", nahegelegt nicht nur
durch "philosophischen Sprachgebrauch", sondern auch durch
die LXX.[482] Den vorgegebenen Begriff zieht Lukas in die
nächste Aussage, um das Herr-Sein Gottes hervorheben zu können. ὑπάρχων mit Prädikatsnomen wird im Zusammenhang mit
Apg 2,30 besprochen.[483] Die ganze Aussage gipfelt in οὐκ
ἐν χειροποιήτοις ναοῖς κατοικεῖ . Lukas hält sich damit
an die in Apg 7,48-50 vorgegebene Tradition. Was in der

Stephanusrede auf den Tempel von Jerusalem angewendet ist,
wird hier situationsgemäss verallgemeinert. Dem entspricht
die nächste Aussage über die Bedürfnislosigkeit Gottes, ein
"Gedanke, der in hellenistischer Lehre so verbreitet und vom
hellenistischen Judentum bereitwilligst aufgenommen war".[434]
ἀνθρώπινος   und   προσδεῖσθαι   sind im lukanischen Doppelwerk singuläre Wörter, die darauf hinweisen können, dass
hier nicht nur an einen vorgegebenen Gedanken, sondern auch
an eine bestimmte Formulierung angeknüpft wird.[485] Die Aussage ist durch die folgende mit der Vorlage gegebene Prädikation angezogen worden. πνοή ist durch ζωή zum "Wort-
spiel" ergänzt.[486] Eine vermutlich ursprünglich konkrete
Aussage über Gottes Gaben hat Lukas, wie bereits gesagt,
durch   καὶ τὰ πάντα ersetzt.

Zusammenfassend ist festzuhalten, dass V.24.25 wesentlich
durch die Schöpfungsaussage der Vorlage bestimmt ist. Diese
bildet syntaktisch den Rahmen und inhaltlich die Grundlage
dessen, was Lukas situationsgemäss und grundsätzlich gegen
den heidnischen Tempelkult verkünden will.

In der zweiten "Hauptmotivgruppe"[487] (V.26.27)[488] geht es um
die Bestimmung des Menschen, wobei die Theologie die Priori-
tät behält. Ausgegangen wird von der Erschaffung des Menschen. ἐποίησεν   nimmt das obenstehende ποιήσας auf, jedoch ist eine direkte Anlehnung an Gen 1,27 nicht auszuschliessen.[489] Die enge Verbindung zu den vorhergehenden Aussagen wird durch das namentlich in der Apostelgeschichte zu
findende τε angezeigt.[490] "πᾶν ἔθνος ἀνθρώπων   bezeichnet
das ganze menschliche Geschlecht".[491] Es ist Gegensatz zu
ἐξ ἑνός , das vorangestellt ist, "um mit πᾶν konfrontiert
zu werden".[492] Die abstrakte Formulierung entspricht der Redesituation. Abhängig von der Aussage sind die beiden finalen Infinitive κατοικεῖν und ζητεῖν .[493] Hinter dem ersten
schimmert Gen 1,28 durch.[494] ἐπὶ παντὸς προσώπου τῆς γῆς
findet sich ähnlich in Lk 21,35 und ist "Anlehnung an den
Sprachstil der LXX"[495] (vgl. Jes 24,17; Dtn 7,6 u.a.).

Die nachgestellte Partizipialkonstruktion begründet den folgenden Infinitiv.[496] Veranlasst wurde ὁρίσας durch das in
der Vorlage stehende διδούς , wie das Objekt προστεταγμένους
καιρούς   im Zusammenhang mit Apg 14,17 erkennen lässt.

Gemeint sind die Jahreszeiten, deren Fruchtbarkeit das Wohnen der Menschen ermöglicht.[497] καιρός wird von Lukas
"recht häufig"[498] gebraucht. προστάσσειν hat noch Lk 5,14;
Apg 10,33.48 und ist an beiden Stellen vorgegeben.[499]
ὁροθεσίαι τῆς κατοικίας αὐτῶν wird ebenfalls vorgegeben
sein und hat dann die Wahl des Partizips bestimmt: Wie Gott
die Jahreszeiten festgesetzt hat, so auch die "Grenzen des
menschlichen Wohnens".[500] "Dass diese Verbindung keine zu-
fällige ist",[501] zeigen Ps 73,16.17 und Jer 38,36. Beide
Motive haben eine lange Geschichte und sind dem Lukas vorgegeben, wenn auch eine bestimmte literarische Abhängigkeit
nicht auszumachen ist.[502]

"ζητεῖν τὸν θεόν oder ζητεῖν κύριον wird im AT immer
wieder verwendet, um die willentliche Hinwendung des Menschen zu Gott zu kennzeichnen, so dass die Formulierung ter-
minologischen Charakter bekommt".[503] Lässt sich durch diese
Feststellung die Herkunft der Formulierung angeben, so ist
damit noch nicht das Verständnis gegeben. Dieses ergibt sich
aus dem Gesamtzusammenhang, der den Schöpfergott verkündet
und damit die Möglichkeit rechter Gotteserkenntnis andeuten
will. "ζητεῖν ist das Wort der Griechen für das Aufsuchen
und Untersuchen des Wahren und somit auch des Göttlichen".[504]

Der nächste Satz drückt durch den Optativ einen erfüllbaren
Wunsch aus,[505] der durch die Frageform das Finden des Menschen "in der Schwebe" lässt.[506] ψηλαφᾶν ist zwar ein Wort
der LXX "und heisst dort nie etwas anderes als 'betasten',
'greifen', in sinnlicher Bedeutung, die es auch im N.T. ausschließlich hat",[507] aber im Hinblick auf die Gotteserkenntnis weist diese "materialistische Ausdrucksweise"[508] "entschieden auf hellenistisch-stoische Denkweise".[509] Allerdings lassen sich keine Parallelen finden.[510]

Die nächste Aussage ist durch καί γε als Begründung ausgewiesen, und zwar als Überleitung zu der "dritten Motiv-
gruppe".[511] "καί γε ist im Neuen Testament sehr selten"
(nur noch Apg 2,18), wohl aber verwendet es oft die LXX,
allerdings mit schwankender Überlieferung.[512] οὐ μακράν
κτλ. ist nicht zufällig, wie Dio Chrysostomos XII 28
zeigt.[513] Die Litotes οὐ μακράν findet sich auch sonst.[514]

"Anknüpfend u. fortführend"[515] mit γάρ geht es in V.28 und
29[516] zunächst um die "Gottesverwandtschaft des Menschen".[517]
Die Aussage wird dem Verfasser der Apostelgeschichte vorgegeben sein.[518] Angefügt ist ein Zitat aus Aratus, Phaenome-
na 5.[519] "Die Zitationsformel mit ihrem Plural" "beweist
gebildete Haltung".[520]

Durch οὖν wird in V.29 Ergebnis und Folgerung eingeleitet.
γένος ὑπάρχοντες τοῦ θεοῦ nimmt das Aratus-Zitat auf. Die
Formulierung kann dem Lukas zugeschrieben werden, wie es der
Gebrauch von ὑπάρχειν nahelegt (s. zu V.24). οὐκ ὀφεί-
λειν bedeutet "nicht dürfen".[521] Die Apostelgeschichte hat
das Verb nur an dieser Stelle (s. aber Lk 7,41; 11,4;
16,5.7; 17,10). νομίζειν ist vornehmlich ein Wort der Apostelgeschichte (vgl. zu Apg 7,25). Das substantivische τὸ
θεῖον für "das Göttliche", "die Gottheit" ist im griechischen Sprachgebrauch sehr häufig, fehlt aber in der LXX
ganz.[522] Weish 13,10 beurteilt die als unglücklich, οἵτινες
ἐκάλεσαν θεοὺς ἔργα χειρῶν ἀνθρώπων, χρυσὸν καὶ ἄργυρον
τέχνης ἐμμελέτημα καὶ ἀπεικάσματα ζῴων (vgl. Weish
15,7-17). Gegen "die Darstellung der Gottheit in Bildern"
polemisiert Jes 40,19.20; 44,9-20; 46,6.[523] Ist auch eine
direkte literarische Abhängigkeit nicht feststellbar, so
ist damit doch der Hintergrund aufgezeigt, wie ja auch unter
anderem Schwerpunkt Apg 7,48.49 und 17,24 erkennen lassen.
χάραγμα hat Lukas nur hier und meint "das Gebilde der dar-
stellenden Kunst".[524] Ebenso nur hier ist ἐνθύμησις bei
Lukas zu finden.

So erweist sich der ganze Abschnitt als kunstvolle Komposition des Lukas im Hinblick auf die Redesituation. Verschiedenste Elemente aus unterschiedlichster Vorgegebenheit haben
die Formulierungen bestimmt. Als wichtigstes Element ist die
Aussage über den Schöpfergott zu werten, so dass die Tradition vom Handeln Gottes in der Geschichte auch diesen Redeteil beeinflusst hat.

Das Ergebnis

Für den Beginn des Geschichtsabrisses ist somit eine Formulierung über den Schöpfergott gewonnen:

ὁ θεὸς ὁ ποιήσας τὸν οὐρανὸν καὶ τὴν γῆν
καὶ τὴν θάλασσαν καὶ πάντα τὰ ἐν αὐτοῖς
καὶ διδοὺς πνοὴν καὶ . . .

Dass hier die vornehmlich in der Vorlage anzutreffende Parataxe nicht zu finden ist, ergibt sich nicht nur aus der Anlehnung an die Schrift, sondern auch aus der grundsätzlichen
Bedeutung dieser Aussage, die hier zum Attribut des die ganze
Tradition beherrschenden Subjekts wird.

b) Der Schluß

Das Problem

Das zunächst theoretische Problem, ob die vorliegende Tradition mit 13,22 geendet haben kann, oder ob der jetzige Schluß
über sich hinausweist, kann von literarischen Parallelen her
ebenso wenig wie die Frage nach dem Beginn beantwortet werden. Diese lassen höchstens ein Gefälle erkennen, das von
einer hohen Relevanz der Geschichte bis hin zur Beispielsammlung gekennzeichnet ist, so dass zu fragen ist, was denn
eigentlich erneut eine den ältesten Geschichtsabrissen vergleichbare Darstellung von Gottes Heilshandeln bewirkt haben
kann. Als Möglichkeit bleibt sinnvollerweise nur eine neue
Erfahrung göttlichen Heilshandelns anzunehmen. Diese Erfahrung muss so stark gewesen sein, dass sie dazu drängte, Gottes erneutes Handeln in der Kontinuität der Geschichte zu
sehen. Hier nun bietet sich einzig das Christusgeschehen an.
Und in der Tat hat Lukas es auch so in der Rede des Paulus
im pisidischen Antiochien verstanden. Damit drängt sich die
Frage auf, ob diese Verbindung von Lukas geschaffen oder in
der Vorlage verankert ist. Das aber muss die Analyse der Apg
13,23.32.33 ergeben.

Analyse von Apg 13,23.32.33

V.23[525] bringt den alttestamentlichen Geschichtsabriß der
Verse 17-22 zum Ziel. Der Wortwahl nach bestehen Verbindun-
gen zu V.32.33,[526] so dass eine beiden Stellen gemeinsame
Vorlage zu vermuten ist. τούτου in V.23 spricht für Redaktion (vgl. Apg 7,35). Mit κατ᾽ ἐπαγγελίαν hat Lukas zusammengefasst, was in V.33 ausgeführt ist. Dort ist

ταύτην   durch   τὴν πρὸς τοὺς πατέρας ἐπαγγελίαν   aus V.32
zu ersetzen. ἐκπληροῦν steht nur hier.[527]   ἡμῖν dürfte wie
in Apg 13,26 redaktionelle Verdeutlichung sein.   ἀναστήσας
'Ιησοῦν in V.33 kann sowohl die Bestimmung des irdischen
Lebens Jesu als auch die Auferstehung meinen,[528] worauf an
anderer Stelle noch einzugehen ist.[529] Die Formulierung dürfte lukanisch sein, so dass für die Vorlage nach V.23 ἤγαγεν
τῷ 'Ισραὴλ σωτῆρα 'Ιησοῦν anzunehmen ist. Zugrundeliegt
Ri 3,9: καὶ ἤγειρεν κύριος σωτῆρα τῷ 'Ισραὴλ   .[530] Vom
σωτήρ spricht zwar Lk 2,11 und Apg 5,31. Doch weist die
Nähe zu Ri 3,9 auf Tradition. ἀπὸ τοῦ σπέρματος wird ebenfalls der Vorlage zuzurechnen sein, denn einmal handelt es
sich um eine traditionelle Formulierung[531] und zum anderen
wird auf diese Weise die Brücke von David zu Jesus geschla-
gen. Für τούτου wird man Δαυίδ setzen müssen. So ergibt
sich als Vorlage:

> καὶ τὴν πρὸς τοὺς πατέρας ἐπαγγελίαν γενομένην
> ὁ θεὸς ἐκπεπλήρωκεν τοῖς τέκνοις
> καὶ ἀπὸ τοῦ σπέρματος Δαυὶδ
> ἤγαγεν τῷ 'Ισραὴλ σωτῆρα 'Ιησοῦν.

Mit diesem Text ist jedoch nur ein indirekter Anschluss an
das Gotteswort über David in Apg 13,22 gewonnen. Das spräche
gegen eine Fortführung der Tradition auf diese Weise. Denn
das Gotteswort über David wird man kaum direkt als den Vätern gegebene Verheißung deklarieren können. Nun findet sich
aber in Apg 13,34 ein Gotteswort, das sich anerkanntermaßen[533]
nur schwer in den dortigen Zusammenhang einfügt: εἴρηκεν ὅτι
δώσω ὑμῖν τὰ ὅσια Δαυὶδ τὰ πιστά.   Während das vorhergehende und nachfolgende Schriftzitat an David bzw. Christus
gerichtet ist, spricht dieses Zitat andere Personen an. Während das erste und dritte Zitat Psalmenzitate sind, liegt
hier "ein sehr freies Zitat von Jes 55,3"[534] vor, das scheinbar von Lukas im Zuge der Redaktion unter die Psalmenzitate
subsummiert wurde.[535] Das Problem löst sich aber, wenn " τὰ
ὅσια im Sinne von ἐπαγγελία "[536] verstanden wird. Dann
aber ergibt sich als sinnvoller Ort dieses Gotteswortes die
Vorlage, so dass sich an das Gotteswort über David ein weiteres anschliesst, dass Gott "die beständigen Gnadenerwei-
sungen, die David verheißen waren,"[537] geben wird. Der

Schriftgebrauch ist wie in der Vorlage des öfteren recht
frei. "Die Veränderung gegenüber der LXX ist ... zwar sachlich von grossem Gewicht, besteht aber in Wahrheit nur in
einem einzigen Begriff, nämlich in der Tilgung des Bundesgedankens, der sowohl den MT wie den Text der LXX beherrscht.
Die Änderung des Verbs der LXX διαθήσομαι in das neutrale
δώσω in Act 13,34 und die Auslassung von διαθήκην
αἰώνιον gehören innerlich zusammen".[538] Diese Negierung
aber entspricht der in der Vorlage anzutreffenden Bedeu-
tungslosigkeit des Bundesgedankens.

Ergebnis

Als für die gesamte Vorlage wichtiges Ergebnis ist folgende
Fortführung anzunehmen:

καὶ εἴρηκεν ὅτι δώσω ὑμῖν τὰ ὅσια Δαυὶδ τὰ πιστά.
καὶ τὴν πρὸς τοὺς πατέρας ἐπαγγελίαν γενομένην
ὁ θεὸς ἐκπεπλήρωκεν τοῖς τέκνοις
καὶ ἀπὸ τοῦ σπέρματος Δαυὶδ
ἤγαγεν τῷ Ἰσραὴλ σωτῆρα Ἰησοῦν.

Der Text entspricht genau der Struktur der bisherigen Vorlage. Gott ist das die Geschichte beherrschende Subjekt. Damit kommt die Darstellung von Gottes Handeln in der Geschichte zum Ziel. Von diesem Ziel her wird begreiflich, warum in
so später Zeit und im Vergleich zu zeitgenössischen Parallelen das Handeln Gottes an den Vätern in seiner Immanenz und
Relevanz neu gesehen und ausgesprochen werden kann. Der
Grund liegt im Christusgeschehen. Ob noch mit weiteren Aussagen über Gottes Handeln an Jesus Christus gerechnet werden muss, soll im nächsten Kapitel erörtert werden.

ZWEITES KAPITEL: Die Überlieferung über das Handeln Gottes
                an Jesus Christus

I. Synopse der Aussagen über Jesus Christus

1. Das Problem

Die Reden Apg 2,14-36; 3,12-26; 4,8-12; 5,29-32; 10,34-43
und 13,16-41 zeigen trotz aller Unterschiede gerade in ihren
Christusaussagen eine weitgehende Übereinstimmung, die der
Erklärung bedarf. Breiteste Zustimmung fand nach E. Kränkl
"die Annahme, der Verfasser der Apostelgeschichte habe sich
hier eines traditionellen Schemas bedient".[1] Diese Ansicht sieht E. Kränkl durch "formale Parallelen aus den
neutestamentlichen Briefen und vor allem aus in diesem Zusammenhang bisher weitgehend vernachlässigten frühchristlichen Vätern und Apologeten"[2] dahingehend "mit einiger
Sicherheit" bestätigt, "dass der Zeit des Lukas die Übung
nicht fremd war, so wie dieser die wichtigsten Etappen des
Heilswirkens Gottes in Jesus von Nazareth schematisch zusammenzufassen".[3] Der "Nachweis für die Existenz einer mehr
oder weniger festen Glaubensformel schon im 1.Jahrhundert"[4]
scheint E. Kränkl jedoch nicht möglich und wird deswegen
auch gar nicht erst als Arbeitshypothese versucht. Wenn
darüber hinaus am Ende seiner Ausführungen zu "Person und
Werk Jesu in den Reden der Apostelgeschichte"[5] "die konkrete Ausformung des Redeschemas" als redaktionell bewertet wird, die Lukas "in Anlehnung an ähnliche zu seiner
Zeit übliche heilsgeschichtliche Aufrisse vorgenommen zu
haben" scheint und es sogar als wahrscheinlich zu gelten
hat, dass "einzelne Wendungen und Formulierungen" in
"diesem vorgegebenen Schema" "ihren traditionsgeschichtlichen Haftpunkt" haben,[6] dann ist damit noch nicht die
Frage entschieden, ob Lukas einen vorgeprägten heilsgeschichtlichen Aufriß verwendet, an den er sich mehr oder
weniger gebunden weiss. Diese Frage muss umso mehr in den
Blick gerückt werden, als ein wie auch immer gearteter
heilsgeschichtlicher Aufriß nie als ungefülltes Schema
existiert, sondern immer nur in einem konkreten Wortlaut,
der erst im Vergleich mit anderen Texten ein Schema erkennen lässt, das zu dieser Zeit dann durchaus als varia-

bel im Wortlaut erkennbar sein kann. Ein fester dem Lukas
vorgegebener Wortlaut muss umso mehr erfragt werden, als
der Aufriß der alten Heilsgeschichte sich als festformulierte Vorlage des Lukas erweisen ließ, so dass mit der Möglichkeit eines zusammenhängenden Textes alter und neuer heilsgeschichtlicher Aussagen gerechnet werden muss. Der Klärung
dieses Problems ist das zweite Kapitel des ersten Hauptteils
gewidmet. Zunächst ist eine Synopse der parallelen Christusaussagen zu erstellen, die eine erste vorsichtige literarkritische Wertung ermöglichen soll und damit eine Zuspitzung
der Fragestellung, die dann den weiteren Verlauf der Untersuchung zu bestimmen hat.

2. Synopse

In der Synopse werden nur die Sätze gegenübergestellt, die
inhaltlich und formal wenigstens zwei Entsprechungen haben
und sich auf geschichtliche Christusaussagen beziehen.
Wird etwa wie in Kap. 2 der Apostelgeschichte die Auferweckung und Kreuzigung zweimal ausgesagt, werden die Zweit-
stellen nur mit der Verszahl angegeben. Um wenigstens eine
gewisse Übersichtlichkeit zu erreichen, muss auf den fort-
laufenden Text der einzelnen Reden verzichtet werden.

Apg 2,14-36	Apg 3,12-26	Apg 4,8-12
'Ιησοῦν τὸν Ναζωραῖον, ἄνδρα ἀποδεδειγμένον ἀπὸ τοῦ θεοῦ εἰς ὑμᾶς δυνάμεσι καὶ τέρασι καὶ σημείοις οἷς ἐποίησεν δι' αὐτοῦ ὁ θεὸς ἐν μέσῳ ὑμῶν, καθὼς αὐτοὶ οἴδατε V.22		'Ιησοῦ Χριστοῦ τοῦ Ναζωραίου V.10
τοῦτον τῇ ὡρισμένῃ βουλῇ καὶ προγνώσει τοῦ θεοῦ ἔκδοτον διὰ χειρὸς ἀνόμων προσπήξαντες ἀνείλατε, V.23 s. V.36	ὃν ὑμεῖς μὲν παρεδώκατε καὶ ἠρνήσασθε κατὰ πρόσωπον Πιλάτου, κρίναντος ἐκείνου ἀπολύειν· ὑμεῖς δὲ τὸν ἅγιον καὶ δίκαιον ἠρνήσασθε, καὶ ᾐτήσασθε ἄνδρα φονέα χαρισθῆναι ὑμῖν, τὸν δὲ ἀρχηγὸν τῆς ζωῆς ἀπεκτείνατε V.13-15 (vgl. 7,52)	ὃν ὑμεῖς ἐσταυρώσατε, V.10
ὃν ὁ θεὸς ἀνέστησεν λύσας τὰς ὠδῖνας τοῦ θανάτου V.24	ὃν ὁ θεὸς ἤγειρεν ἐκ νεκρῶν V.15 s. V.26	ὃν ὁ θεὸς ἤγειρεν ἐκ νεκρῶν V.10
οὗ πάντες ἡμεῖς ἐσμεν μάρτυρες. V.32	οὗ ἡμεῖς μάρτυρές ἐσμεν V.15	
τῇ δεξιᾷ οὖν τοῦ θεοῦ ὑψωθεὶς τήν τε ἐπαγγελίαν τοῦ πνεύματος τοῦ ἁγίου λαβὼν παρὰ τοῦ πατρὸς ἐξέχεεν τοῦτο ὃ ὑμεῖς καὶ βλέπετε καὶ ἀκούετε. V.33	ὃν δεῖ οὐρανὸν μὲν δέξασθαι ἄχρι χρόνων ἀποκαταστάσεως πάντων V.21	
μετανοήσατε, καὶ βαπτισθήτω ἕκαστος ὑμῶν ἐπὶ τῷ ὀνόματι 'Ιησοῦ Χριστοῦ εἰς ἄφεσιν τῶν ἁμαρτιῶν ὑμῶν, καὶ λήμφεσθε τὴν δωρεὰν τοῦ ἁγίου πνεύματος. V.38	μετανοήσατε οὖν καὶ ἐπιστρέψατε εἰς τὸ ἐξαλειφθῆναι ὑμῶν τὰς ἁμαρτίας V.19	

Apg 5,29-32	Apg 10,34-43	Apg 13,16-41
	ἀρξάμενος ἀπὸ τῆς Γαλιλαίας μετὰ τὸ βάπτισμα ὃ ἐκήρυξεν Ἰωάννης, V.37	προκηρύξαντος Ἰωάννου πρὸ προσώπου τῆς εἰσόδου αὐτοῦ βάπτισμα μετανοίας παντὶ τῷ λαῷ Ἰσραήλ. ὡς δὲ ἐπλήρου Ἰωάννης τὸν δρόμον, ἔλεγεν· τί ἐμὲ ὑπονοεῖτε εἶναι; οὐκ εἰμὶ ἐγώ· ἀλλ᾿ ἰδοὺ ἔρχεται μετ᾿ ἐμὲ οὗ οὐκ εἰμὶ ἄξιος τὸ ὑπόδημα τῶν ποδῶν λῦσαι. V.24,25
	Ἰησοῦν τὸν ἀπὸ Ναζαρὲθ, ὡς ἔχρισεν αὐτὸν ὁ θεὸς πνεύματι ἁγίῳ καὶ δυνάμει, ὃς διῆλθεν εὐεργετῶν καὶ ἰώμενος πάντας τοὺς καταδυναστευομένους ὑπὸ τοῦ διαβόλου, ὅτι ὁ θεὸς ἦν μετ᾿ αὐτοῦ. V.38	
		οἱ γὰρ κατοικοῦντες ἐν Ἰερουσαλὴμ καὶ οἱ ἄρχοντες αὐτῶν τοῦτον ἀγνοήσαντες καὶ τὰς φωνὰς τῶν προφητῶν τὰς κατὰ πᾶν σάββατον ἀναγινωσκομένας κρίναντες ἐπλήρωσαν, καὶ μηδεμίαν αἰτίαν θανάτου εὑρόντες ᾐτήσαντο Πιλᾶτον ἀναιρεθῆναι αὐτόν· ὡς δὲ ἐτέλεσαν πάντα τὰ περὶ αὐτοῦ γεγραμμένα, καθελόντες ἀπὸ τοῦ ξύλου ἔθηκαν εἰς μνημεῖον. V.27-29
ὃν ὑμεῖς διεχειρίσασθε κρεμάσαντες ἐπὶ ξύλου V.30	ὃν καὶ ἀνεῖλαν, κρεμάσαντες ἐπὶ ξύλου V.39	
ὁ θεὸς τῶν πατέρων ἡμῶν ἤγειρεν Ἰησοῦν V.30	τοῦτον ὁ θεὸς ἤγειρεν τῇ τρίτῃ ἡμέρᾳ V.40	ὁ δὲ θεὸς ἤγειρεν αὐτὸν ἐκ νεκρῶν V.30 s.V.(33.) 34.37
	καὶ ἔδωκεν αὐτὸν ἐμφανῆ γενέσθαι, οὐ παντὶ τῷ λαῷ ἀλλὰ μάρτυσιν τοῖς προκεχειροτονημένοις ὑπὸ τοῦ θεοῦ, ἡμῖν, οἵτινες συνεφάγομεν καὶ συνεπίομεν αὐτῷ μετὰ τὸ ἀναστῆναι αὐτὸν ἐκ νεκρῶν V.40.41	ὃς ὤφθη ἐπὶ ἡμέρας πλείους τοῖς συναναβᾶσιν αὐτῷ ἀπὸ τῆς Γαλιλαίας εἰς Ἰερουσαλήμ, V.31
καὶ ἡμεῖς ἐσμεν μάρτυρες τῶν ῥημάτων τούτων, καὶ τὸ πνεῦμα τὸ ἅγιον ὃ ἔδωκεν ὁ θεὸς τοῖς πειθαρχοῦσιν αὐτῷ. V.32	s.V.39 und 40.41	οἵτινες νῦν εἰσιν μάρτυρες αὐτοῦ πρὸς τὸν λαόν. V.31
τοῦτον ὁ θεὸς ἀρχηγὸν καὶ σωτῆρα ὕψωσεν τῇ δεξιᾷ αὐτοῦ V.31	καὶ παρήγγειλεν ἡμῖν κηρύξαι τῷ λαῷ καὶ διαμαρτύρασθαι ὅτι οὗτός ἐστιν ὁ ὡρισμένος ὑπὸ τοῦ θεοῦ κριτὴς ζώντων καὶ νεκρῶν. V.42	καθότι ἔστησεν ἡμέραν ἐν ᾗ μέλλει κρίνειν τὴν οἰκουμένην ἐν δικαιοσύνῃ ἐν ἀνδρὶ ᾧ ὥρισεν, πίστιν παρασχὼν πᾶσιν ἀναστήσας αὐτὸν ἐκ νεκρ. Apg 17,31
τοῦ δοῦναι μετάνοιαν τῷ Ἰσραὴλ καὶ ἄφεσιν ἁμαρτιῶν V.31	τούτῳ πάντες οἱ προφῆται μαρτυροῦσιν, ἄφεσιν ἁμαρτιῶν λαβεῖν διὰ τοῦ ὀνόματος αὐτοῦ πάντα τὸν πιστεύοντα εἰς αὐτόν. V.43	γνωστὸν οὖν ἔστω ὑμῖν, ἄνδρες ἀδελφοί, ὅτι διὰ τούτου ὑμῖν ἄφεσις ἁμαρτιῶν καταγγέλλεται, καὶ ἀπὸ πάντων ὧν οὐκ ἠδυνήθητε ἐν νόμῳ Μωϋσέως δικαιωθῆναι, ἐν τούτῳ πᾶς ὁ πιστεύων δικαιοῦται. Apg 13,38.39 τοὺς μὲν οὖν χρόνους τῆς ἀγνοίας ὑπεριδὼν ὁ θεὸς τὰ νῦν ἀπαγγέλλει τοῖς ἀνθρώποις πάντας πανταχοῦ μετανοεῖν Apg 17,30 (vgl.14,15)

3. Die sich aus der Synopse ergebenden Fragen

Die Synopse lässt folgenden Tatbestand erkennen: zweimal
wird der Täufer mit dem Christusgeschehen in Verbindung gebracht (10,37; 13,24.25). Zweimal wird vom Leben Jesu vor
der Kreuzigung berichtet (2,22; 10,38). Alle sechs Reden
enthalten eine Tötungsaussage (2,23; 3,13-15; 4,10; 5,30;
10,39; 13,27-29) und mindestens eine kurze fast durchgehend
gleichlautende Auferweckungsaussage (2,24; 3,15; 4,10;
5,30; 10,40; 13,30). Von den Erscheinungen des Auferweckten
findet sich in zwei Reden eine Aussage (10,40.41; 13,31).
Bis auf eine Ausnahme (4,8-12) wird in allen Reden eine
Aussage über die Zeugen gemacht (2,32; 3,15; 5,32; 10,41;
13,31). Von der Erhöhung Jesu sprechen drei Reden (2,33;
3,21; 5,31). Die Bedeutung des Erhöhten als Richter sagen
zwei Reden aus (10,42; 17,31). Von der Bekehrung sprechen
mit einer Ausnahme (4,8-12) alle Reden (2,38; 3,19; 5,31;
10,43; 13,38.39; 17,30). Daraus ergeben sich folgende Fragen: Lassen die Übereinstimmungen und die Unterschiede der
vergleichbaren Abschnitte eine literarische Abhängigkeit
erkennen, die alle Aussagen auf eine Vorlage zurückzuführen vermag? Besteht zwischen den Aussagen über Leben, Sterben, Auferweckung und Erscheinung, Erhöhung und Stellung
des Erhöhten ein ursprünglicher Zusammenhang?

II. Die Aussagen über Jesus Christus im einzelnen

1. Die Auferweckung

a) Die Auferweckungsaussagen

Das Subjekt aller Auferweckungsaussagen[7] ist ὁ θεός . In
Apg 5,30 tritt zu ὁ θεός das Genitivattribut   τῶν
πατέρων ἡμῶν . Dieselbe Verbindung findet sich in Apg 3,13;
7,32 (σου anstelle ἡμῶν); 22,14. Von "unseren Vätern"
spricht vor allem die Vorlage in Kap. 7. In Apg 3,13 formuliert Lukas aufgrund von Apg 7,32 (= Ex 3,6). In Apg 22,14
lässt Paulus den Hananias sagen, was inhaltlich in Apg 9,15
der Herr spricht. Dass Hananias "als frommer Judenchrist"
auf diese Weise hervorgehoben wird, gehört wohl zum lukanischen Konzept der Rede.[8] Nicht nur die Gestalt des Hananias, sondern auch die Wendung τῶν πατέρων ἡμῶν soll

zeigen, dass die Bekehrung des Paulus "keinen vollständigen
religiösen Bruch mit der Vergangenheit" bedeutet.[9] Dies und
vor allem die Vorlage von Apg 7,2-53 weisen darauf hin, dass
Lukas in Apg 5,30 ὁ θεός mit τῶν πατέρων ἡμῶν erweitert
hat, um gleichsam in diesem Attribut das ganze Heilshandeln
Gottes an den Vätern anklingen zu lassen.

Die Prädikate unterscheiden sich voneinander in der Wortwahl. Apg 2,24.32; 3,26; 13,34; 17,31 haben ἀνέστησεν
bzw. ἀναστήσας , Apg 3,15; 4,10; 5,30; 10,40; 13,30.37
ἤγειρεν . ἀνιστάναι findet sich noch Apg 10,41 (τὸ
ἀναστῆναι); 17,3 (ἀναστῆναι); Lk 18,33; 24,7.46 (ἀναστῆναι).[10] Hinzuweisen ist auf den Gebrauch von ἀνάστασις für denselben Inhalt: Apg 1,22; 2,31; 4,33; 26,23.
ἐγείρειν hat passivisch Lk 9,22; 24,6.34. Beide Verben
gehören zum traditionellen Bestand von Auferweckungs- bzw.
Auferstehungsaussagen.[11] Für ἀνιστάναι ist vor allem auf
Mk 8,31; 9,31; 10,34; Joh 20,9; 1 Thess 4,14 hinzuweisen.[12]
Da nur Lukas das Verb ἀνιστάναι aktivisch mit Gott als
Subjekt gebraucht, ist anzunehmen, dass der dritte Evangelist mit diesem Verb die Vorlage variiert.[13] Eindeutig gehört ἐγείρειν in der vorliegenden finiten Form zum Bestand der urchristlichen Glaubensformel.[14] Alle Parallelen
haben drei charakteristische Merkmale: "Subjekt ist Gott,
das Verbum steht im Aorist und weist auf das einmalige
Heilsereignis in der Vergangenheit hin, die Auferweckung
wird näherhin gekennzeichnet als eine Auferweckung ἐκ
νεκρῶν ".[15] Die Kennzeichnung ἐκ νεκρῶν fehlt in
Apg 10,40, wo τῇ τρίτῃ ἡμέρᾳ zu ἤγειρεν hinzutritt,
wohl in Anlehnung an Lk 9,22; 18,33; 24,7; 24,46 und in
Apg 13,37, wahrscheinlich wegen der Fortführung mit οὐκ
εἶδεν διαφθοράν.

Die meisten Auferweckungsaussagen sind Relativsätze, in denen das Relativpronomen das Objekt bezeichnet (Apg 2,24;
3,15; 4,10; 13,37). Abhängig vom syntaktischen Zusammenhang ist τοῦτον τὸν Ἰησοῦν in Apg 2,32 (s. Apg 2,36).
In Apg 5,30 macht die betonte Voranstellung des Subjekts
ὁ θεὸς τῶν πατέρων ἡμῶν die namentliche Nennung des Ob-
jekts notwendig. Die sowieso schon durch τῇ τρίτῃ ἡμέρᾳ
von Lukas bearbeitete Aussage Apg 10,40 hat am Anfang betont

τοῦτον   stehen. Das kann wie in Apg 7,35.36.37.38 zum lukanischen Stil gerechnet werden und ist damit als Abwandlung
eines einfachen Relativpronomens zu werten. Apg 13,30 setzt
als Gegensatz zu dem in Apg 13,27 genannten Subjekt hier
ὁ θεός   betont an den Anfang, so dass der Redezusammenhang
lukanische Redaktion erkennen lässt.

Zusammenfassend ist aus diesen Überlegungen der Schluss berechtigt, dass dem Lukas die Auferweckungsaussage in folgen-
dem Wortlaut vorgelegen hat: ὃν ὁ θεὸς ἤγειρεν ἐκ νεκρῶν.

Traditionsgeschichtlich steht der Satz auf der Grundlage der
vorpaulinischen Auferweckungsformeln, die sich aber syntaktisch in anderen Formen zeigt: "1.Aussagesatz: ὁ θεὸς
Ἰησοῦν ἤγειρεν ἐκ νεκρῶν ; 2.Partizipialprädikation:
ὁ ἐγείρας (τὸν) Ἰησοῦν ἐκ νεκρῶν   ".[16] Am nächsten
steht dem Traditionssatz der Apostelgeschichte 1 Thess 1,9f:
ὃν ἤγειρεν ἐκ τῶν νεκρῶν . Hier ergibt sich als Subjekt
" von v 9 her ὁ θεός . ὃν ist angeschlossen an τὸν υἱὸν
αὐτοῦ ".[17] Doch ist damit nur eine formale Parallele gewonnen, nicht aber Sicherheit darüber, ob Paulus den Relativsatz gebildet hat oder ob dieser schon als solcher vorgegeben war und damit eine Anschlußmöglichkeit verlangte.
Für den Relativsatz der Apostelgeschichte ergibt sich jedenfalls die Frage, woran dieser vorgegebene Satz sich angeschlossen hat.

Schliesslich soll noch eigens auf die Auferweckungsaussage
in Apg 2,24 eingegangen werden. Offensichtlich handelt es
sich um eine Variation der erarbeiteten Formel. Der relativische Anschluss ist beibehalten, das Verb durch das von
Lukas bevorzugte ἀνιστάναι ersetzt, für ἐκ νεκρῶν eine
partizipiale Aussage gewählt. Die Wendung λύσας τὰς ὠδῖνας
τοῦ θανάτου   wird weitgehend als rätselhaft empfunden
und sehr unterschiedlich erklärt.[18] Die Wendung ὠδῖνας
θανάτου entstammt dem Alten Testament. Infrage kommen als
Grundlage 2 Sam 22,6; Ps 18,5.6 und Ps 116,3. Auszuschliessen ist ὠδῖνας δὲ αὐτῶν ἔλυσας in Hiob 39,2, weil dort
vom Lösen aus Geburtswehen gesprochen wird und sich eine
entsprechende Vorstellung im Hinblick auf die Auferweckung
von den Toten sonst nirgends finden lässt.[19] Legt man die

zuerst genannten Schriftstellen zugrunde und sieht man in
dem Partizipialsatz nichts anderes als eine schriftgemäße
Interpretation der Auferweckung Jesu, dann soll die Wendung
betont herausstellen, dass Gott Jesus Christus aus den We-
hen, d.h. aus dem "Sein im Tode" errettet hat.[20] Gegen die
Annahme einer lukanischen Bildung spricht, dass der Verfasser der Apostelgeschichte aus eigener Kenntnis der infrage
kommenden Schriftstellen wohl eher im Hinblick auf V.27 und
31 ὠδῖνες ᾅδου aus Ps 18,6 gewählt hätte, wie es in Polykarp 2 Phil 1,2 zu finden ist.[21] Ein sachlicher Unterschied
besteht zwischen den beiden Möglichkeiten nicht. Ein weiterer Hinweis dafür, dass die Wendung vorgegeben sein dürfte, kann in dem mit καθότι eingeleiteten folgenden Satz
gesehen werden. Denn mit ihm legt Lukas nochmals aus, was
ursprünglich schon als Interpretation gedacht war.

b) Die Zeugenaussagen

Da in Apg 2,32; 3,15; 5,32; 10,39.41; 13,31[22] eine Aussage
über die Zeugen direkt oder im näheren Zusammenhang mit der
Auferweckungsaussage gemacht wird, ist zu untersuchen, ob
eine entsprechende Formulierung ursprünglich mit der Auferweckungsaussage verbunden gewesen sein kann. Apg 2,32 und
3,15 gleichen sich fast bis auf's Wort. In aller Kürze wird
Lk 24,48 und Apg 1,8 (vgl. Apg 1,22) aufgenommen. Damit ist
noch nicht die Frage nach der Tradition gelöst, zumal ὑμεῖς
μάρτυρες τούτων in Lk 24,48 "wie ein formelhafter Einschub"[23] wirkt. Die gleiche Formulierung ist noch in Apg
5,32 erhalten. "Lk Bearbeitung in V 32a ist zweifellos τῶν
ῥημάτων τούτων ".[24] Nicht auf die Auferweckung, sondern
auf das Leben Jesu wird die Zeugenaussage in Apg 10,39 bezogen. Auch dort ist noch eine bestimmte Formulierung sichtbar. Mit der Erscheinungsaussage in Apg 10,40.41 ist nochmals in eigenständiger Formulierung eine Zeugenaussage verbunden, die inhaltlich in Apg 13,31 eine Entsprechung hat.
Beide Stellen werden im Zusammenhang mit der Erscheinungs -
aussage zu behandeln sein. Der Gebrauch der Zeugenaussage
in unterschiedlichen Zusammenhängen spricht für lukanische
Redaktion, der zu findende formelhafte Klang für Tradition.
Sollte dem Lukas eine solche Wendung vorgelegen haben, so

hat sie sich wahrscheinlich wie in Apg 2,32 und 3,15 an eine
Auferweckungsaussage angeschlossen. Eine Entscheidung aber
ist kaum möglich, weil es denkbar ist, dass Lukas die Zeugenformel aus einem traditionellen Zusammenhang geholt hat, der
uns nicht erhalten ist, um sie sich für seine Aussageabsicht
dienstbar zu machen. Jedenfalls wird die Zusammenstellung
der traditionellen Christusaussagen eine gewisse Unvergleich-
barkeit der Zeugenformeln mit jenen deutlich machen können.

c) Die Erscheinungsaussagen

In Apg 10,40.41 und 13,31 folgt der Auferweckungsaussage
ein Satz über die Erscheinung Jesu Christi, die wiederum
sehr eng mit einer Zeugenaussage verbunden ist. Zweifellos
liegt in Apg 13,31 eine traditionelle Formel vor, wie 1 Kor
15,5[25] und 1 Tim 3,16[26] es einsichtig zu machen vermögen
(s. Lk 24,34). Dagegen kann καὶ ἔδωκεν αὐτὸν ἐμφανῆ γενέσθαι in Apg 10,40 nicht als Formel bestimmt werden. Die
singuläre Wendung ist am besten als lukanische Variation
der Erscheinungsformel zu verstehen. Möglicherweise formuliert Lukas auf dem Hintergrund von Jes 65,1 (vgl. Röm 10,20).
Doch kann es sich auch um eine dem Neuen Testament sonst
fremde "hellenistische Formulierung" handeln.[27] Beide Aussagen nennen die Adressaten der Erscheinung. In Apg 10,41
weist μάρτυσιν τοῖς προκεχειροτονημένοις zusammen mit
Apg 26,16 auf lukanische Redaktion.[28] Die Aussage über das
Essen und Trinken gibt Lk 24,30.41-43 (vgl. 22,30) und Apg
1,4 wieder.[29] In Apg 13,31 werden die Adressaten der Erscheinung als συναναβάντες bezeichnet. Von αἱ συναναβᾶσαι
αὐτῷ εἰς Ἱεροσόλυμα spricht noch Mk 15,41. Es ist anzunehmen, dass beide Stellen eine alte Zeugenterminologie wiedergeben, die von Lukas zusammen mit ὃς ὤφθη übernommen und
entsprechend Lk 23,49 mit ἀπὸ τῆς Γαλιλαίας ergänzt worden ist (vgl. Apg 10,37). ἐπὶ ἡμέρας πλείους "nimmt 1,3
auf: Lukas variiert gern eine Wendung, 'ohne ihren allgemeinen Sinn zu verändern' ".[30]

Als dem Lukas vorgegeben ist anzunehmen:

ὃς ὤφθη τοῖς συναναβᾶσιν αὐτῷ εἰς Ἱεροσόλυμα.

2. Das Leiden

a) Die Tötungsaussagen

Mit den hier zu besprechenden Stellen hat sich ausführlich
W.E. Pilgrim in seiner Dissertation "The Death of Christ
in Lucan Soteriology"[31] auseinandergesetzt. Die Studie beginnt mit einer Analyse des Passionskerygmas in der Apostelgeschichte.[32] Es folgt eine Exegese der Passionsaussagen des dritten Evangeliums.[33] In einem dritten Schritt
wird eine Übersicht zur lukanischen Soteriologie in Auferweckung, Erhöhung und Tod Christi gegeben.[34] Zwar wird
vorausgesetzt, dass Lukas in der Apostelgeschichte in viel
grösserem Maß als im Evangelium zu Form und Inhalt der Aussagen beigetragen habe[35] und darum zu erwarten sei, dass
die Reden in besonderer Weise die Gedanken des Lukas enthalten,[36] so wird doch auch die Frage nach möglichen Traditionen angegangen.[37] Dennoch kommt Pilgrim nicht über
die Annahme traditioneller Elemente hinaus, da eine Zusammenschau der einzelnen Ergebnisse nicht versucht wird. Demgegenüber geht die folgende Untersuchung aufgrund des Ergebnisses zur Auferweckungsaussage von der These aus, dass Lukas auch bei den Tötungsaussagen eine der Auferweckungsformel
entsprechende Formulierung vorgelegen hat, die er variiert.

Alle Reden enthalten eine Tötungsaussage.[38] Form und Umfang
aber unterscheiden sich beträchtlich. Übereinstimmend ist
in Apg 3,13; 4,10; 5,30; 10,39 der relativische Anschluß
mittels ὅν , hinzunehmen ist Apg 2,36; τοῦτον in Apg
2,23 wird nach lukanischer Gepflogenheit für ὅν gesetzt
sein. Eine eigenständige Struktur weist Apg 13,27-29 auf.
Es liegt nahe, dass auch die Tötungsaussage als Relativsatz
vorgelegen hat.

Als Subjekt werden in Apg 2,23.36; 3,13; 4,10; 5,30 die
ὑμεῖς genannt. Das aber ergibt sich aus der Redesituation
und ist damit redaktionell.[39] Wo nicht die Jerusalemer Juden angesprochen sind, nämlich in Apg 10,34-43 und 13,16-41,
bleibt das Subjekt im ersten Fall unbestimmt, im zweiten
werden die κατοικοῦντες ἐν Ἰερουσαλήμ und die ἄρχ-
οντες αὐτῶν als die Handlung bestimmende Subjekte genannt,
also derselbe Personenkreis, der in den ὑμεῖς angesprochen

ist.

Die Verben unterscheiden sich weitgehend. Apg 2,23; 10,39;
13,28 haben ἀναιρεῖν ; 2,36; 4,10 σταυροῦν ; 3,15
ἀποκτείνειν ; 5,30 διαχειρίζεσθαι .[40]

Durch"einen mit einem Zitat aus Dt 21,22f gebildeten Partizipialsatz näher charakterisiert"[41] sind διεχειρίσασθε
in Apg 5,30 und ἀνεῖλαν in Apg 10,39. Der Rückgriff auf
denselben alttestamentlichen Zusammenhang in Gal 3,13 läßt
zwar keine literarische Abhängigkeit erkennen,[42] zeigt aber
doch, dass die christologische Verwendung von Dtn 21,22.23
nicht erst von Lukas gefunden ist. Vielleicht hat dem dritten Evangelisten ein entsprechendes LXX-Zitat vorgelegen,
und zwar in einer Sammlung alttestamentlicher Texte, die
zur christologischen Interpretation des Jesusgeschehens
geeignet erschienen. "διαχειρίζεσθαι (Apg 5,30) in der
Bedeutung 'umbringen' steht innerhalb des Neuen Testaments
nur noch in Apg 26,21".[43] Es wird also lukanisch sein.

Schwierig ist die Beurteilung von ἀναιρεῖν in diesem Zusammenhang. Das Verb ist in Apg 2,23 ebenfalls mit einem
participium coniunctum verbunden. "προσπηγνύναι ist Hapaxlegomenon".[44] Das Wort ist am besten als lukanische Varian-
te von κρεμάσαντες ἐπὶ ξύλου anzusehen. In Apg 13,28 ist
ἀναιρεῖν im Aorist Infinitiv passiv nicht näher charakterisiert; doch wird dort der gleiche Sachverhalt durch Apg
13,29 deutlich, dessen Formulierung bis auf ἀπὸ τοῦ ξύλου
Lk 23,53 folgt, so dass ἀπὸ τοῦ ξύλου durch eine Apg 5,30
und 10,39 vorgegebene Formulierung bewirkt sein könnte bzw.
durch eine Tradition, die die Art des Todes mit beinhaltete.
Nun lässt sich aber der wortstatistische Befund kaum anders
deuten, als dass hier ein lukanisches Vorzugswort vorliegt,
weil es ausser im lukanischen Doppelwerk[45] nur noch Mt 2,16;
2 Thess 2,8 und Hebr 10,9 vorkommt. Lk 22,2 ist redaktionell.
Dort geht es um das Trachten der Hohenpriester und Schrift-
gelehrten, Jesus umzubringen (Mk hat ἀποκτείνειν). Lk
23,32 ersetzt in der Aussage über die Hinrichtung der Schä-
cher σταυροῦν (Mk und Mt) durch ἀναιρεῖν . Apg 7,21.28
folgt der LXX; Apg 5,36 kann traditionell sein, ebenso Apg
16,27. Alle übrigen Stellen sprechen vom Tötungsversuch oder

von der Tötung der Christen, des Paulus, des Stephanus, des
Jakobus, was doch wohl von Lukas in bewusster Angleichung
des Schicksals der Christen an das Schicksal Jesu so formuliert worden ist.

Die Frage, ob eine beabsichtigte Nachwirkung einer traditionellen Tötungsaussage mit dem Verb ἀναιρεῖν vorliegt,
kann erst beantwortet werden, wenn die anderen Verben in
den Tötungsaussagen untersucht worden sind. Denn grundsätzlich kann die Vorliebe des Lukas für dieses Verb auch ein
Zeichen dafür sein, dass ihn eine entsprechende traditionelle Formulierung leitet. Denn die Bevorzugung eines Wortes kann durch den bedeutungsvollen "Sitz im Leben" jener
Formulierung, in der das Wort zu finden ist, veranlasst
sein. Doch das von Lukas so betont herausgestellte Versa-
gen der Juden in der schändlichen Tötung Jesu und dessen
Anhänger ist ein Motiv, das kaum zu einem christologischen
Satz passt. Soviel jedenfalls wird sich sagen lassen, daß
die Tötungsaussage auch die Tötungsart mitgenannt hat.

Apg 2,36 und 4,10 haben σταυροῦν . In Lk 23,21 folgt Lukas dem Markus, ebenso in 23,23.33. Lk 24,7 variiert die
Leidensankündigung, die Lukas im Markusevangelium vorfand
und fügt σταυροῦν ein, und zwar aufgrund von Mk 16,6. Als
lukanisch ist die Wortwahl in Lk 24,20 anzusehen, wo wohl
der Passionsbericht nachwirkt (vgl. auch Joh 19).[46] Ein besonderes Interesse jedoch hat Lukas für dieses Verb nicht.[47]
Gegenüber Mk 15,15.20.25.27 fehlt bei Lukas in den Parallel-
stellen σταυροῦν. An den Stellen, wo Matthäus in Zusammenhängen, die aus Q stammen, σταυροῦν gebraucht, ist
dieser redaktionell tätig,[48] so dass Lukas der Logienquelle
getreuer folgt. Die Kreuzesaussagen mit σταυροῦν in den
paulinischen Briefen[49] haben als genuin paulinisch zu gelten.[50] Damit ist nicht ausgeschlossen, dass Paulus sich bei
dem Gebrauch des Verbs dennoch einer traditionellen Terminologie bedient.[51] Eine Einwirkung der paulinischen Schriften auf Lukas ist gerade nicht feststellbar. Interessant
ist in diesem Zusammenhang Hebr 12,2. Dort wird abweichend
von der sonstigen Terminologie dieser Schrift vom Kreuz
Jesu gesprochen. Ohne dem Problem der Tradition hier nach-
gehen zu können, legt sich doch die Vermutung nahe, dass

diese Aussage zusammen mit einem in Kap. 11 vorgegebenen
Abriß der Heilsgeschichte vorgegeben sein könnte.[52] "In
der Apokalypse findet sich einmal ein Hinweis auf die Kreuzigung Christi. 11,8 steht vor den Augen des Sehers die
grosse Stadt (Jerusalem)":[53] ὅπου καὶ ὁ κύριος αὐτῶν ἐσταυρώθη . Zusammenfassend lässt sich sagen, dass σταυροῦν
wohl als "ein traditioneller Terminus für den Tod Jesu"[54]
zu gelten hat, aber sein Gebrauch im Rahmen einer feststehenden Formel schwer nachweisbar ist. Im Lukasevangelium
ergibt sich der Wortgebrauch aus der Passionsgeschichte,
so dass dessen Nachwirkung auch für die Apostelgeschichte
angenommen werden könnte. Dagegen spricht jedoch, dass Lukas kein besonderes Interesse an diesem Wort erkennen läßt.

So bleibt noch ἀποκτείνειν zu behandeln. Lk 9,22; 18,33
folgen der Markusvorlage. Die dritte Leidensankündigung
dürfte für Apg 3,13-15 ein entscheidender Ausgangspunkt sein,
wie παραδιδόναι und ἀποκτείνειν zusammen erkennen lassen.[55] Lk 13,31 gehört zur lukanischen Sondertradition.[56]
Apg 7,52 wurde bereits besprochen. Ausser in den Evangelien
(einschließlich Joh) und in der Apostelgeschichte findet
sich eine vergleichbare Tötungsaussage nur 1Thess 2,15, die
eher in die Nähe von Lk 11,47-49; 13,34 zu rücken ist, ohne
damit eine Verbindung postulieren zu wollen.

Die Übersicht macht deutlich, dass alle gebrauchten Verben
einen traditionsgeschichtlichen Hintergrund haben und dennoch in den Reden redaktionell sein können. ἀναιρεῖν ist
am ehesten als redaktionell zu bewerten. διαχειρίζεσθαι
ist nichts anderes als lukanische Variation im Ausdruck. Die
nähere Kennzeichnung des Tötens als Kreuzigung in Apg 2,23;
5,30; 10,39 und indirekt auch in 13,28 und 29 verweist auf
ein Wort, das die Kreuzigung aussagt, so dass sich für eine
mögliche Vorlage eigentlich am ehesten σταυροῦν (Apg 2,36;
4,10) als Verbum finitum anbietet. Dann ergibt sich als
Tradition möglicherweise ὃς ἐσταυρώθη.

b) Die Erweiterungen der Tötungsaussagen

Da in Apg 2,23; 3,13-15; 13,27-29 erweiterte Passionsaussagen zu finden sind, muss geklärt werden, ob diese Erweiterungen der traditionellen Tötungsaussage anhaften oder

nachträglich mit dieser in Verbindung gebracht worden sind.
Die Tötungsaussage in Apg 2,23 wird durch das für Lukas typische τοῦτον eingeleitet. Der durch die Angeredeten getö-
tete Jesus wird durch τῇ ὡρισμένῃ βουλῇ καὶ προγνώσει τοῦ
θεοῦ ἔκδοτον näherhin gekennzeichnet als "ausgelie-
fert", und zwar "nach festgesetztem Plan und Vorherwissen
Gottes".[57] "Ἔκδοτος ist Hapaxlegomenon".[58] Das Gemeinte
ist hier wegen des positiven Zusammenhanges eine Abmilde-
rung dessen, was sonst mit παραδιδόναι über das Schicksal
Jesu ausgesagt wird. Der in den näheren Bestimmungen zu
ἔκδοτος angesprochene Plan Gottes weist auf ein zentra-
les theologisches Anliegen des Lukas.[59] Ob hier aber eine
traditionelle Formulierung vorliegt, ist schwer zu entscheiden. Mit einiger Wahrscheinlichkeit kann τῇ ὡρισμένῃ
βουλῇ als lukanisches Interpretament gewertet werden. In
Lk 7,30 ist βουλή lukanisch "(sonst nur noch 3mal im Apo-
stolos) und steht auch Eph 1,11 und Hebr 6,17 vom Heilsplan
Gottes wie Apg 2,23; 4,28; 20,27".[60] πρόγνωσις ist zwar
hier im lukanischen Doppelwerk singulär, aber "Komposita mit
πρό- " müssen als für Lukas typisch angesehen werden.[61]
Sprachgebrauch und lukanisches Interesse am "Plan Gottes"
machen wahrscheinlich, dass der ganze Ausdruck von ihm gebildet ist. Formal entspricht er damit dem ἀποδεδειγμένον
in Apg 2,22. Die Tötung Jesu geschah διὰ χειρὸς ἀνόμων.
διὰ χειρός τινος ist "ein für den lukanischen Sprachgebrauch kennzeichnender Ausdruck, der sich ausser bei Lukas
im Neuen Testament nur noch Mk 6,2 findet".[62] Welchen Personenkreis aber meinen die ἄνομοι ? "Die Heiden? Oder am
Ende die Juden, von denen er nachher sagt, dass sie das Gesetz empfangen, aber nicht gehalten haben, act 7,51?"[63] Es
dürfte sich nach allgemein jüdischem Sprachgebrauch um die
Heiden handeln.[64] Das schliesst nicht aus, dass Lukas die
Wendung als Charakterisierung der Juden verstanden haben
will.[65] Ebenso kann die Sprache von ihm überformt sein. Es
besteht kein Grund, die Nennung derer, die Jesus töteten,
aus der traditionellen Tötungsaussage zu nehmen, so dass
sich ergibt: ὃς διὰ ἀνόμων ἐσταυρώθη.

Die Wortwahl der Passionsaussagen in Apg 3,13-15 weist auf
das Lukasevangelium als Grundlage hin. Zu παραδιδόναι ist

auf Lk 20,20 zu **verweisen**.[66] ἀρνεῖσθαι κατὰ πρόσωπον Πιλάτου mit der näheren Bestimmung κρίναντος ἐκείνου ἀπο-
λύειν fasst Lk 23,1-25 zusammen. Diese Beziehung zeigt sich
auch in der Gegenüberstellung von ἅγιος καὶ δίκαιος und
ἀνὴρ φονεύς.   δίκαιος gibt den Inhalt von Lk 23,47 wieder (vgl. Apg 7,52; 22,14). φονεύς ist in Apg 28,4 wohl
traditionell. In Apg 7,52 bilden φονεύς und δίκαιος ebenfalls einen Kontrast. χαρίζεσθαι steht vorgegeben innerhalb eines Gleichnisses in Lk 7,42.43. Lk 7,21 kann als lukanische Erweiterung angesehen werden.[67] Das Verb steht
sonst nicht in den Evangelien. Die Apostelgeschichte hat es
noch 25,11.16; 27,24.

Die Aussage über die Tötung gewinnt durch   τὸν ἀρχηγὸν τῆς
ζωῆς   an Gewicht. Der Ausdruck wird zusammen mit Apg 5,31
(ἀρχηγὸν καὶ σωτῆρα) vorgegeben sein (vgl. Apg 7,35).
Hebr spricht vom ἀρχηγὸς τῆς σωτηρίας (2,10) und vom ὁ τῆς
πίστεως ἀρχηγὸς καὶ τελειωτής   (12,2). Als vorgegeben
ist ἀρχηγὸς τῆς σωτηρίας zu vermuten. Denn beide Schriften
weisen auf ein dem Titel anhaftendes Genitivattribut. Dieses
kann aufgrund von Hebr 2,10 und Apg 5,31 nur τῆς σωτηρίας
heißen, wenn Apg 3,15 ἀρχὸς τῆς ζωῆς als Gegensatz zu
φονεύς und als inhaltliche Zusammenfassung der Auferwek-
kungsaussage verstanden und σωτῆρα in Apg 5,31 als durch
die Vorlage in Apg 13,23 bedingte Abwandlung von τῆς
σωτηρίας gesehen wird.[68]

Wenn der Verfasser der Apostelgeschichte die vorgegebene
Wendung ἀρχηγὸς τῆς σωτηρίας in Apg 3,15 und 5,31 eingefügt hat, dann ist von den jetzigen Zusammenhängen allein
kein umfassender Zugang über die ursprüngliche Bedeutung der
Aussage zu gewinnen. Doch dürfte es von Belang sein, dass
an beiden Stellen vom Tod und von der Auferweckung bzw. von
der Erhöhung gesprochen wird und gleiches auch von Hebr 2,10
und 12,2 zu sagen ist.[69] Wenn Jesus an allen vier neutestamentlichen Stellen im Zusammenhang mit seinem Leiden und
Erhöhtwerden als ἀρχηγός bezeichnet wird, dann dürfte dahinter die Vorstellung stehen, dass Jesus "durch sein Leiden
und seinen Tod, durch seine Auferstehung und Erhöhung"[70]
zum "Anführer"[71] geworden ist. Der Weg Jesu wird somit zum
Weg der Christen. Durch das Genitivattribut τῆς σωτηρίας

ist die Aufgabe Jesu als Führung zum Heil bestimmt und damit in ihrer soteriologischen Dimension umfassend beschrieben. Die jetzigen Zusammenhänge[72] weisen die Bezeichnung der
Verkündigung und Unterweisung zu. Jedoch übersteigt der unvermittelte und nirgends entfaltete Gebrauch der Wendung den
jetzigen Kontext. ἀρχηγὸς τῆς σωτηρίας haftet also eine
gewisse Eigenständigkeit an, die am ehesten mit der Verwendung des κύριος- oder χριστός-Titel vergleichbar ist.
Es darf daher angenommen werden, dass eine Christusprädikation vorliegt,[73] als deren "Sitz im Leben" der Gottesdienst
angegeben werden kann. Die Gemeinde preist, akklamiert oder
bekennt in ihrem Gottesdienst Jesus als Anführer des Heils.
Vielleicht kann darüber hinaus auch gesagt werden, dass der
Inhalt dieses Gottesdienstes - zu denken ist an die Taufe -
wesentlich von Tod und Auferstehung bestimmt gewesen sein
muss.

Die Passionsaussagen in Apg 13,27-29 erscheinen syntaktisch
und inhaltlich als sehr überlastet. Das γάρ in V.27 macht
deutlich, dass die erklärende und begründende Fortführung
des in V.26 allgemein Gesagten folgt. Betont ist das Subjekt an den Anfang gestellt, ebenso in V.30. Die Konfrontation der Juden liegt, wie sich z.B. Apg 2,22-24 noch deutlicher zeigen lässt, in der Intention lukanischer Redaktion.
Die Konstruktion Apg 13,17 ist schwierig und hat verschiedene Versuche veranlasst, mit den sprachlichen "Härten" fertig
zu werden.[74] Die Hauptaussage des V.27 wird man im Verbum
finitum ἐπλήρωσαν sehen müssen. Objekt ist τὰς φωνὰς τῶν
προφητῶν τὰς κτλ. . Die Stellung des Partizips κρίναντες
zwischen Objekt und Prädikat zeigt an, in welcher Tätig-
keit das Erfüllen der Prophetensprüche zu sehen ist. Objekt
zu κρίναντες ist wie zu ἀγνοήσαντες das betont vorangestellte τοῦτον .[75]

Schwer zu entscheiden ist die Frage nach der Tradition. Die
syntaktische Schwerfälligkeit des Satzes kann als Hinweis
sowohl auf das Aufeinandertreffen von Tradition und Redaktion gewertet werden als auch auf gehobene Sprache des Verfassers der Apostelgeschichte. Am sichersten ist die Hauptaussage des Satzes auf Lukas zurückzuführen, da die "Erfüllung der Schrift" ein "typisch"lukanisches Motiv ist[76] und

darüber hinaus die Rede als λόγος παρακλήσεως begreifen lässt. κρίνειν steht nur Apg 3,13 im Zusammenhang mit
der Passion Jesu und beschreibt dort die Tat des Pilatus
(vgl. Lk 23,14 ἀνακρίνας). Doch gehört die Vokabel durchaus zum Wortschatz des Lukas.[77] ἀγνοεῖν steht in Lk 9,45
vorgegeben und in Apg 17,23 redaktionell. Eine inhaltliche
Entsprechung liegt in Apg 3,17 vor. Es besteht durchaus die
Möglichkeit, dass dem Satz eine traditionelle Formulierung
zugrundeliegt, die sich in den beiden Partizipien erhalten
hat. Wenn dennoch das Ganze als lukanische Bildung betrachtet wird, so nur unter dem Zwang der Entscheidung, ohne die
literarkritische Untersuchungen auch bei grösseren Unschär-
fen nicht auskommen. Für diese Entscheidung spricht die Tendenz des ganzen Abschnitts. Lukas stellt dem Heilshandeln
Gottes allein das Handeln der verantwortlichen Juden gegenüber. Deren Schuld für Jesu Tod wird ungeachtet anderer Passionsaussagen, aber mit deren Hilfe durch die Abhängigkeit
aller Handlungsverben von einem einzigen Subjekt unterstrichen.[78] μηδεμίαν αἰτίαν θανάτου εὑρόντες in Apg 13,28
dürfte lukanisch sein (vgl. Lk 23,4.14.22), ebenso ᾐτήσαντο
Πιλᾶτον ἀναιρεθῆναι αὐτόν (vgl. Lk 23,23). "Wenn hier nicht
(wie in Apg 3,13c) Pilatus die Unschuld Jesu bezeugt, sondern
die Juden selbst an ihm keine Schuld finden (V.28), darf man
daraus nicht vorschnell auf eine von der sonstigen lukanischen Darstellung abweichende Quelle schliessen".[79] Vielmehr
zeigt sich auch hierin die schon bemerkte Tendenz, alle Aussagen von einem Subjekt abhängig zu machen, um dadurch eine
Steigerung des Versagens der Schuldigen zu bewirken.[80]

Apg 13,29 formuliert die Grablegung mit denselben Worten wie
Lk 23,53.[81] Das darüber hinausgehende ἀπὸ τοῦ ξύλου kennzeichnet rückwirkend die Todesart und weist damit auf die
rekonstruierte Tötungsaussage. Der Temporalsatz ὡς δὲ ἐτέλε-
σαν πάντα τὰ περὶ αὐτοῦ γεγραμμένα entspricht nicht nur
lukanischem Sprachgebrauch, sondern auch, wie schon kurz zuvor deutlich wurde, seiner besonderen Aussageabsicht.

3. Das irdische Leben

a) Die Aussagen über das Leben Jesu

Auf das Leben Jesu vor dessen Passion gehen Apg 2,22 und

10,37.38 ein. Beide Redeabschnitte weisen Gemeinsamkeiten
auf, die eine Vorlage vermuten lassen. Gemeinsam ist der
Hinweis, dass den Zuhörern das Jesusgeschehen bekannt ist.
In Apg 2,22 ist οἴδατε eingeschoben, in Apg 10,37 vorangestellt. Beides kann als lukanische Akzentuierung zugunsten der Redesituation verstanden werden. An betonter Stelle
steht in Apg 2,22 Ἰησοῦν τὸν Ναζωραῖον und in 10,38
Ἰησοῦν τὸν ἀπὸ Ναζαρέθ . Letzteres ist als Interpretation des Ersteren anzusehen, und zwar als "Herkunftsbezeichnung"[82] im Sinne von Lk 2,39.51 und 4,16. Die Konstruktion mit ἀνήρ in Apg 2,22 weist auf Lukas.[83] Das sich anschliessende ἀποδεδειγμένον ist singulär und kann als
traditionell gelten. Apg 10,38 sagt den gleichen Sachverhalt lukanisch mit ἔχρισεν und ἦν μετ' αὐτοῦ aus (vgl.
Apg 7,9; ferner Lk 1,66). Beide Stellen sprechen von den
Taten Jesu. Dabei dürfte δυνάμεσι zu ἀποδεδειγμένον
gehören, während τέρασι καὶ σημείοις durch das Joelzitat
in Apg 2,22 verursacht worden ist.[84] In Apg 10,38 hat dann
δύναμις aus der Vorlage dazu geführt, dass Lukas Jesus
als göttlichen Kraftträger im engen Zusammenhang mit der
Geistgabe beschreibt (Lk 4,18). Das wiederum führte zu der
summarischen Bemerkung über Jesu öffentliche Wirksamkeit
ὃς διῆλθεν , die näherhin mit εὐεργετῶν und ἰώμενος
beschrieben ist. Dass nur von Tun die Rede ist und nicht
etwa wie in Apg 1,1 auch vom Lehren, ergibt sich aus dem
Zwang der Vorlage. εὐεργετεῖν findet sich im Neuen Testament nur hier. Zu dessen Wortfeld gehört noch εὐεργεσία
in Apg 4,9 (noch 1Tim 6,2) und εὐεργέτης in Lk 22,25. Der
hellenistische Klang kann am besten dem Lukas zugedacht
werden.[85] " ἰᾶσθαι ist ein lukanisches Lieblingswort".[86]
καταδυναστεύειν hat nur noch Jak 2,6 und "wird schon im
AT (LXX) vom gewalttätigen Benehmen gegen Arme, Witwen und
Waisen gebraucht",[87] wodurch noch ein weiterer Hinweis auf
Lk 4,18 gegeben sein kann. Die nähere Bestimmung des Heilens
durch ὑπὸ τοῦ διαβόλου kann ebenfalls als lukanisch gewertet werden.[88]

Beide Stellen sprechen in einem Relativsatz von ἐποίησεν.
In Apg 2,22 ist Gott das Subjekt. Dort scheint die ganze
Bemerkung überflüssig zu sein und wird nur sinnvoll durch

die Beziehung auf die Adressaten der Rede und kann von daher
als lukanische Redaktion gelten. In Apg 10,39 ist Jesus das
Subjekt. Auch dort erscheint die Aussage als Wiederholung
dessen, was schon hinreichend gesagt ist. Sinnvoll wird die
Aussage durch die Einführung der Zeugenaussage. Wenn sich
der Zeugenbegriff hier nur auf die Taten Jesu bezieht, so
ist das am besten durch das Aufeinandertreffen einer Vorlage mit der Zeugenformel im Zuge der Redaktion verständlich.[89] ποιεῖν ist nach Apg 1,1 umfassender Terminus für
Jesu Heilshandeln.[90] Ist der Relativsatz also in Apg 2,22
durch δυνάμεσι κτλ. ermöglicht im Hinblick auf die Angeredeten, so ergibt er sich in Apg 10,39 durch die Anführung der Zeugenaussage.

ἐν μέσῳ ὑμῶν in Apg 2,22 ist vor Kornelius zur konkreten
Ortsangabe geworden. τε "hinter der vorausgehenden, den
verbundenen Begriffen gemeinsamen Präposition"[91] hat auch
Apg 25,23 und 28,33. Für τῶν Ἰουδαίων könnte wie in Apg
26,20 τῆς Ἰουδαίας stehen, doch Lukas variiert wie so
oft den Ausdruck.

Als Vorlage kann folgendes Fragment rekonstruiert werden:
Ἰησοῦν τὸν Ναζωραῖον ἀπὸ τοῦ θεοῦ δυνάμεσι ἀποδεδειγμένον. In welchem Zusammenhang und in welcher syntaktischen Form eine solche Aussage gestanden haben kann, wird
noch zu behandeln sein.

b) Die Aussagen über Johannes den Täufer

Hier muss auf jene beiden Stellen eingegangen werden, in denen Johannes der Täufer in die Aussagen über Jesus einbezogen wird (Apg 10,37; 13,24.25). In Apg 10,37 geht es um das
"bekannte" Christusgeschehen (vgl. Apg 2,23). ὑμεῖς οἴδατε
τὸ γενόμενον ῥῆμα ist "Topos" "für konkrete, auf die Messianität Jesu hinweisende und Jesus, als den von Gott Bestä-
tigten, qualifizierende Ereignisse".[92] γίνεσθαι ist von
Lukas bevorzugt. καθ' ὅλης τῆς Ἰουδαίας (vgl. Lk 1,65;
Apg 9,31) mit ἀρχόμενος [93] ἀπὸ τῆς Γαλιλαίας greift
wörtlich auf Lk 23,5 zurück, verbunden mit der Nennung der
Taufe nach Apg 1,22.[94] Das κηρύσσειν des Johannes ist
besonders von Lukas betont (Lk 3,3; Apg 13,24). μετὰ τὸ

βάπτισμα   zeigt gegenüber ἀπὸ τοῦ βαπτίσματος   in
Apg 1,22 am deutlichsten die Stellung des Täufers im lukanischen Konzept. Die eigentlichen Aussagen über Jesus beginnen
deswegen auch erst mit V. 38.

Dieser Befund wird durch Apg 13,24.25 vollauf bestätigt. Auch
dort gehören die Einführung des Johannes und die unmittelba-
re Einleitung des Johanneswortes der lukanischen Redaktion
an. Denn mehrfach wird die Vorläuferfunktion des Täufers betont. προκηρύσσειν   wird durch πρὸ προσώπου (s. Lk 1,76;
7,27; vgl. 9,52; 10,1) verdeutlicht und unterstrichen.   τῆς
εἰσόδου meint sachlich dasselbe wie ἀρξάμενος in Apg
10,37 (1,22). Nochmals wird die Einstellung des Johannes als
Vorläufer ganz dem dritten Evangelium entsprechend hervorgehoben durch ὡς δὲ ἐπλήρου 'Ιωάννης τὸν δρόμον   , was
ähnlich von Paulus in Apg 20,24 ausgesagt wird. Zu παντὶ
τῷ λαῷ 'Ισραήλ ist auf Apg 4,10 zu verweisen. Aufgrund
von Apg 19,4 ist eine gesonderte Tradition aufspürbar. Beiden sind der technische Begriff βάπτισμα μετανοίας , ferner τῷ λαῷ und ἔλεγεν bzw. λέγων gemeinsam. Diese
Übereinstimmungen können als Hinweise auf eine vorgegebene Einleitung zu einem Johanneswort angesehen werden. Der
erste Teil des Johanneswortes[95] ist nach Lk 3,15 gebildet.
Die lukanische Redaktion ist besonders in dem Verb ὑπονο-
εῖν zu greifen, das im Neuen Testament nur Lukas gebraucht,
und zwar Apg 25,18 und 27,27. ἀλλ' ἰδού dient wie des
öfteren dem Lukas zur Verstärkung der folgenden Begründung.[96] Für ἔρχεται wird in einer möglichen Tradition
ὁ ἐρχόμενος anzunehmen sein, verbunden mit ὀπίσω μοῦ
anstelle μετ' ἐμέ (vgl. ὁ ὀπίσω μου ἐρχόμενος in Mt 3,11;
Joh 1,27 und τὸν ἐρχόμενον μετ' αὐτόν in Apg 19,4). Der
Relativsatz gehört zur Tradition. ἄξιος und der Singular
ὑπόδημα rücken die Aussage in die Nähe der Tradition, die
Joh 1,26.27 benutzt hat, so dass hier ein Fragment des Johanneswortes zu erkennen ist, das nicht von den Synoptikern
hergeleitet werden kann und im Zusammenhang mit Apg 19,4
eine eigene Überlieferung darstellt. Dieses Johanneswort
hat Lukas aus seinem Evangelium (Lk 3,15) erweitert, wie
überhaupt die Stellung des Johannes im dritten Evangelium
für die Formulierung dieses Abschnittes maßgeblich ist.[97]

4. Die Erhöhung

a) Die Erhöhungsaussagen

Die hier zu besprechenden Stellen unterscheiden sich stark
in Form und Inhalt. Apg 2,33 und 5,31[98] stimmen darin überein, dass in beiden Versen die gleiche Terminologie verwendet wird.[99]

Die Partizipialkonstruktion in Apg 2,33 dürfte lukanisch
sein. Sie gibt den inhaltlichen Grund für die Hauptaussage
des ganzen Satzes an. Dieser ist ganz durch die Situation
des Pfingstereignisses bestimmt (βλέπετε καὶ ἀκούετε).
Das Hauptverb ἐξέχεεν nimmt die Aussage des Joelzitates
in Apg 2,18 auf.[100] Darüber hinaus wird über Apg 1,4 die
Brücke zu Lk 24,49 zurückgeschlagen (ἐπαγγελία).[101] In
dem zweiten Partizipialsatz scheint "eine Formel der ur-
kirchlichen Gemeindesprache"[102] aufgenommen zu sein. So findet sich λαμβάνειν πνεῦμα noch in Apg 8,15.17.19; 10,47;
19,2 (vgl. Apg 1,8; 2,38). Ausserdem ist hinzuweisen auf
Joh 20,22; Röm 8,15; 2 Kor 11,4 und vor allem auf Gal 3,14
(τὴν ἐπαγγελίαν τοῦ πνεύματος λάβωμεν). Es ist also offensichtlich, dass sich Lukas einer geprägten Wendung bedient.
Da alle anderen Stellen nie vom Geistempfang Jesu sprechen,
dürfte die Anwendung der Worte auf den Erhöhten redaktionell sein. Dies wurde dadurch ermöglicht, dass in Lk 24,49
ausdrücklich das zu Sendende als Verheißung des Vaters beschrieben wird. Ein theologisches Verständnis der Geistsendung zeigt sich auch in Apg 5,32; 15,8. Andererseits wird
durch die christologische Aussageform in Apg 2,33 deutlich,
wie eng für Lukas theologisches und christologisches Verständnis zusammengehören.[103]

Für das typisch lukanische τοῦτον in Apg 5,31 kann als ursprünglich ein ὅν angenommen werden. Dass es sich bei
ἀρχηγὸν καὶ σωτῆρα um eine redaktionelle Einfügung handelt, der ἀρχηγὸς τῆς σωτηρίας zugrundeliegt, wurde schon
festgestellt.[104] Damit ergibt sich ein Satz, der formal den
bisher als traditionell bestimmten Christusaussagen gleicht:
ὅν ὁ θεὸς ὕψωσεν τῇ δεξιᾷ αὐτοῦ.

Von dieser Formulierung unterscheidet sich in Apg 3,21 ὅν
δεῖ οὐρανὸν μὲν δέξασθαι . Mag der Satz auch von Lukas

überformt sein,[105] so ist er doch zusammen mit ἄχρι χρόνων
ἀποκαταστάσεως der Tradition zuzuweisen.[106] Denn dahinter
"steht klar die Vorstellung der Apokalyptik, dass bestimmte
Personen in den Himmel entrückt und dort für die Endzeit
aufbewahrt werden können".[107] Die Aussage wird sich ursprünglich nicht auf Jesus Christus bezogen haben, zumal τὸν προ-
κεχειρισμένον ὑμῖν χριστὸν Ἰησοῦν [108] in V.20 als lukanisch zu erklären ist. προχειρίζειν steht nur in der Apostelgeschichte.[109] ὑμῖν ist Aktualisierung im Sinne der
Redesituation.[110] Der titulare Gebrauch von χριστός findet
sich nur bei Lukas.[111] Als ursprüngliches Objekt kann aufgrund von Mal 3,22 Ἡλίαν vermutet werden.[112] Ebenfalls
traditionell ist V.20a. "Dafür sprechen erstens _stilisti-
sche_ Gründe (ὅπως ἄν ; ἀπὸ προσώπου ; zwei aufeinanderfolgende Finalsätze), zweitens _inhaltliche_ Gründe (Vorstellung
von den καιροὶ ἀναψύξεως , die als Heilsgut bereitste-
hen)".[113] Auffällig ist der unvermittelte Subjektwechsel
zwischen V.20a und 20b, ohne daß im zweiten Satz das neue
Subjekt eigens genannt wird. Ursprünglich könnte die umge-
kehrte Reihenfolge der Sätze gestanden haben, da nach jüdi-
scher Vorstellung Elias "das Gottesvolk für die Heilszeit"
rüstet.[114] Die Umstellung hat kompositionelle Gründe, um
mit πάντων ὧν ἐλάλησεν fortfahren zu können.[115] Kommt aber
ursprünglich καὶ ἀποστελῇ Ἡλίαν an den Anfang der Aussagen, dann ist die durch den jetzigen Zusammenhang bedingte Form des Verbs nicht möglich. Von Mal 3.12 her bietet
sich der Indikativ präsens an. Für die in Apg 3,20.21 aufgenommene Eliastradition kann nach dem Ergebnis der Untersuchung folgender Wortlaut angegeben werden:

καὶ ἀποστέλλει Ἡλίαν, ὃν (δεῖ) οὐρανὸν μὲν δέξασθαι
ἄχρι χρόνων ἀποκαταστάσεως,
ὅπως ἄν ἔλθωσιν καιροὶ ἀναψύξεως
ἀπὸ προσώπου τοῦ κυρίου.

Dieser Tradition liegt, wie bereits gesagt, Mal 3,22.23 zugrunde. Beide Texte sprechen von der Sendung des Elias. Als
Ziel dieser Sendung wird übereinstimmend die "Wiederherstel-
lung" genannt. Eine weitere Gemeinsamkeit kann auch noch
darin gesehen werden, dass die Aufgabe des Elias der Vor-

bereitung eines Endgeschehens dient. Doch zeigen sich hier
inhaltliche Unterschiede. In Mal 3,22.23 wird vom furchtba-
ren Tag Gottes gesprochen, in der vorliegenden Tradition
von den Zeiten des Aufatmens. Ebenso weiss Mal 3,22.23
nichts von einer Entrückung des Elias zu berichten. In den
Unterschieden wird deutlich, dass noch andere Vorstellungen
auf den vorliegenden Text eingewirkt haben, die alle in die
jüdische Apokalyptik weisen. Dazu gehört die Vorstellung
von der Entrückung bis zur Endzeit.[116] Als apokalyptische
termini technici haben zu gelten χρόνοι ἀποκαταστάσεως
und καιροὶ ἀναψύξεως .[117]Wie sehr gerade die Eliaserwar-
tungen des Judentums zu einer christologischen Interpretation führten, bezeugen die Schriften des Neuen Testamentes
hinlänglich.[118]

Der Relativsatz V.21b hat einen deutlichen Anklang an Lk
1,70. An beiden Stellen geht es Lukas um den "Erfüllungs-
charakter"[119] seiner Christusaussagen. Damit ist gleichzeitig ein Übergang zum Folgenden geschaffen.

b) Die Aussagen über Christus als Richter

Die Synopse zeigt noch zwei wichtige Aussagen über den Er-
höhten in Apg 10,42 und 17,31,[120] die auf eine vorgegebene
Formulierung schliessen lassen. Beide Stellen sprechen vom
Richteramt, zu dem Jesus bestimmt ist.

ὁρίζειν hat noch Lk 22,22 und Apg 2,23 im Hinblick auf
Christus. Ohne eine Verbindung zu Röm 1,4 herstellen zu können, kann der urchristliche Bekenntnissatz im Römerbriefprä-
skript[121] als Hinweis gewertet werden, dass in Apg 10,42 und
17,31 ebenfalls Tradition vorliegt, in der ὁρίζειν in der
Bedeutung von "bestimmen", "einsetzen" mit doppeltem Akkusativ steht.[122]

"Die Formel ζῶντας καὶ νεκρούς ist alt vgl R 14,9; als Objekt zu κρίνειν findet sie sich 2 Tim 4,1; 1 Pt 4,5; sie
ist jüdischen Ursprungs".[123] In 2 Tim 4,1 ist aus dem Kontext herausgelöst die Formel zu finden: ὁ μέλλων κρίνειν
ζῶντας καὶ νεκρούς , die auch als Grundlage für 1 Petr 4,5
anzunehmen ist. Ebenfalls kann vermutet werden, dass der
Ausdruck ζῶντας καὶ νεκρούς in Röm 14,9 erst von Paulus

mit dem Verb κυριεύειν anstelle eines κρίνειν verbunden
worden ist.

κρίνειν τὴν οἰκουμένην ἐν δικαιοσύνῃ in Apg 17,31 weist auf
Ps 96,13 (vgl. Ps 9,9 und 98,9: κρίνει κτλ.). Die Bedeutung der οἰκουμένη für Lukas, wie sie sich etwa Lk 21,26
zeigt,[124] wird das Psalmwort angezogen haben. Von daher erklärt sich auch der unterschiedliche Subjektgebrauch.[125]
Kann aber sowohl ὁρίζειν als auch κρίνειν ζῶντας καὶ νεκρούς als vorgegeben angenommen werden, so hat sich zweifellos in Apg 10,42 die Tradition besser erhalten. οὗτός ἐστιν
ὁ ... ist wie τοῦτον ... ὃν ... in Apg 2,36 lukanischer
Stil. ὑπό mit Genitiv ist namentlich im Doppelwerk des dritten Evangelisten zu finden, so dass sich die ursprüngliche
Verbform in Apg 17,31 erhalten hat. Damit kann als Vorlage
rekonstruiert werden:

> ὃν ὁ θεὸς ὥρισεν
> κριτὴν ζώντων καὶ νεκρῶν.

5. Umkehr und Vergebung

Die Synopse lässt erkennen, dass mit den Christusaussagen
gleich- oder ähnlichklingende Aussagen über Umkehr und Sündenvergebung verbunden sind. Als direkte Verbindung mit einer Erhöhungsaussage erscheinen sie nur in Apg 5,31. Während
in Apg 2,33 mit der Erhöhungsaussage die Geistaussendung verbunden ist, ist es in Apg 5,31 die Gabe der Umkehr und die
Vergebung der Sünden. Nach Apg 11,18 gibt Gott die Umkehr
(ἔδωκεν). Auch in Apg 5,31 kann ὁ θεός als Subjekt gedacht werden. Für das Gesamtverständnis ist eine Festlegung
jedoch nicht nötig. Denn "Jesus ist der Vermittler der Sündenvergebung, die Menschen erhalten sie durch ihn".[126] δοῦναι
μετάνοιαν ist eine vorgegebene Wendung aus dem Judentum.[127]
Daraus ergibt sich, dass der feststehende Begriff ἄφεσις
ἁμαρτιῶν "wie ein Nachtrag"[128] wirkt. Israel als Adressat
ist bewusst von Lukas gewählt, entsprechend seinem Apg 1,8
"angegebenen geographischen Kompositionsprinzip".[129] Der Genitiv des Infinitivs mit Artikel, der "namentlich bei Lukas"
"ein ausgedehntes Gebiet hat",[130] und das Zusammenbringen
verschiedener vorgegebener Begriffe zugunsten einer fest-

stellbaren Gesamtkomposition sprechen dafür, dass Lukas für
die ganze Aussage verantwortlich zu machen ist.

In Apg 2,38.40 ergeben sich die Aussagen aufgrund der Frage
in Apg 2,37 τί ποιήσωμεν . Um des Kontextes willen ist die
Taufe einbezogen.

Apg 3,19 ist von Lk 24,27 her zu verstehen. μετανοήσατε
οὖν kann, wie Apg 8,22 (vgl. 13,38) nahelegt, dem Verfasser der Apostelgeschichte zugeschrieben werden.[131]
ἐπιστρέφειν wird im lukanischen Doppelwerk bevorzugt gebraucht, die Zusammenstellung μετανοεῖν καὶ ἐπιστρέφειν
findet sich im Neuen Testament nur noch Apg 26,20.[132] εἰς τὸ
ἐξαλειφθῆναι ὑμῶν τὰς ἁμαρτίας kann ebenfalls als redaktionell gelten, da für Lukas "die Verknüpfung Umkehr - Nach-
lass der Sünden" "geradezu charakteristisch" ist.[133]

Apg 10,43 formuliert ἄφησιν ἁμαρτιῶν λαβεῖν und hat eine
Parallele in Apg 26,18. διὰ τοῦ ὀνόματος αὐτοῦ weist die
ganze Aussage als aus Lk 24,47 entstanden aus und damit als
lukanische Variation.

Besonders ausgestaltet ist der Gedanke der Sündenvergebung
in Apg 13,38-41.[134] Der Abschnitt wird durch οὖν "als das
Ergebnis"[135] gekennzeichnet, wie es ebenso in Apg 2,36 und
3,19 der Fall ist. γνωστὸν ἔστω ὑμῖν ist lukanische Aktualisierung der Redesituation wie auch Apg 2,14; 4,10 und
28,28, wo bei den letzten beiden Stellen ebenfalls mit ὅτι
fortgefahren wird. Der Sache nach ist das Gleiche in Apg
2,36 gemeint: ἀσφαλῶς οὖν γινωσκέτω πᾶς οἶκος Ἰσραὴλ
ὅτι ... . Von der ἄφεσις ἁμαρτιῶν sprechen Apg 2,38;
5,31; 10,43; 26,18. In Apg 2,38 ist sie das Ziel der Taufe,
in Apg 5,31 ist sie die Gabe des Erhöhten (δοῦναι), in
26,28 wird sie von den Heiden angenommen (λαβεῖν), Lk
1,77 spricht von τοῦ δοῦναι γνῶσιν σωτηρίας ... ἐν ἀφέσει
ἁμαρτιῶν , Lk 3,3 von κηρύσσων βάπτισμα μετανοίας εἰς
ἄφεσιν ἁμαρτιῶν im Zusammenhang mit dem Täufer, Lk 24,47
auf Jesus Christus hin: κηρυχθῆναι ἐπὶ τῷ ὀνόματι αὐτοῦ
μετάνοιαν καὶ ἄφεσιν ἁμαρτιῶν . "Die Wendung ἄφεσις ἁμαρτιῶν ist der LXX unbekannt und auch sonst sehr selten."[136] Ist
der Ausdruck von Lukas auch besonders häufig gebraucht, so
zeigen doch Mt 26,28; Mk 1,4 (= Lk 3,3) und Kol 1,14, dass

er vorgegeben ist. καταγγέλλειν entspricht lukanischem
Sprachgebrauch (Apg 3,24; 4,2; 13,5; 15,36; 16,17.21; 17,3.
13.23; 26,23).

Neben der Sündenvergebung vermittelt der Auferweckte "ein
weiteres Heilsgut, die Rechtfertigung".[137] Der Anschluss an
das ὅτι mit καί und der folgenden Konstruktion erscheint
wie etwas Nachträgliches. Darüber hinaus ist der Inhalt für
die Apostelgeschichte singulär (vgl. Lk 18,13.14). Zwar weisen πάντων und πᾶς auf den Verfasser der Apostelgeschichte, ebenso πιστεύων , aber vom Gerechtfertigtwerden wird
nur hier in der Apostelgeschichte gesprochen. Es ist eine vorgegebene Formulierung zu vermuten, die der Unmöglichkeit einer Rechtfertigung aus dem Gesetz der Rechtfertigung in Jesus Christus gegenüberstellt. Damit wäre aber eine Aussage
gegeben, die einen Zentralgedanken der paulinischen Verkündigung enthält. Eine direkte Benutzung der paulinischen
Schriften durch den Verfasser der Apostelgeschichte ist nicht
nachweisbar, und es legt sich der Schluss nahe, dass in diesem Satz sich Worte erhalten haben, die mit der ursprünglichen Redesituation vorgegeben waren. Dann hätte der λόγος
παρακλήσεως der zugrundeliegenden Tradition mindestens in
einer summarischen Inhaltsangabe der paulinischen Rechtfer-
tigungslehre bestanden.

Die Schlussmahnung unter Heranziehung eines Schriftzitates
entspricht formal und inhaltlich der Abschlussmahnung des Petrus in Apg 2,40. βλέπετε μή kennzeichnet genau wie in Lk
21,8 den "paränetischen Einsatz".[138] Wie dort wird auch hier
das Folgende "als besondere Mahn-bzw. Warnrede dargestellt".[139] Das οὖν knüpft an die erste Aufforderung in V.
38 an. ἐπέρχεσθαι ist mit Apg 8,24 zu vergleichen und "gehört zu den 'poetischen Ausdrücken' des Evangelisten und be-
sitzt bei ihm eine grosse Verwendungsbreite".[140] τὸ εἰρημένον findet sich als Zitationsformel in Apg 2,16 und ist
hier als Ausdruckswechsel zu begreifen (vgl. Lk 2,24). Das
so eingeleitete Zitat stammt aus Hab 1,5. Zitiert wird die
LXX "mit unwesentlichen Abweichungen".[141] Bei den Änderungen
handelt es sich vornehmlich, soweit erkennbar, um stilistische Besserungen. Sie berühren den Inhalt des Wortes
nicht".[142] Es wird auf die Ablehnung der Juden angespielt

(vgl. Apg 2,40). Schwer ist die Frage zu beantworten, ob Lukas selbständig aus der LXX zitiert oder ob ihm das Zitat
vorgegeben war. Da jedoch Hab 1,5 weder im Neuen Testament
noch bei den Apostolischen Vätern begegnet, liegt die Annahme nahe, dass der Verfasser der Apostelgeschichte es selbst
für diesen Zusammenhang ausgesucht hat. Der so komponierte
Abschnitt beruht auf dem vorgegebenen Begriff ἄφεσις ἁμαρτιῶν   , dem vielleicht zum Kontext gehörenden Satz καὶ ἀπὸ
πάντων ὧν οὐκ ἠδυνήθητε ἐν νόμῳ Μωϋσέως δικαιωθῆναι, ἐν τούτῳ
πᾶς δικαιοῦται   und dem von Lukas gefundenen (?)Schrift-
zitat Hab 1,5.

Als ganz der Redesituation angepasst erscheint die Umkehr in
Apg 14,15 als Hinwendung zu Gott und als Umkehr schlechthin
in Apg 17,30.[143]

Zusammenfassend lässt sich sagen, dass eine vorgegebene, fest
formulierte Christusaussage über Umkehr und Sündenvergebung
nicht auszumachen ist.

III. Die Zusammengehörigkeit der traditionellen Aussagen

Folgende formelhafte Wendungen, in denen das Christusgeschehen sich ausdrückt, wurden als vorgegeben erkannt:

ὃν ὁ θεὸς ἤγειρεν ἐκ νεκρῶν
ὃς ὤφθη τοῖς συναναβᾶσιν αὐτῷ εἰς Ἱεροσόλυμα
ὃς διὰ ἀνόμων ἐσταυρώθη
Ἰησοῦν τὸν Ναζωραῖον
ἀπὸ τοῦ θεοῦ δυνάμεσι ἀποδεδειγμένον
ὃν ὁ θεὸς ὕψωσεν τῇ δεξιᾷ αὐτοῦ
ὃν ὁ θεὸς ὥρισεν κριτὴν
ζώντων καὶ νεκρῶν

Überschaut man die Christusaussagen und bringt diese in eine
chronologische Reihenfolge, so ergibt sich in den Relativsätzen eine Reihe der wichtigsten christologischen Heilsereignisse. Auffallend ist die weitgehende formale Ähnlichkeit der
einzelnen Aussagen. Eine Ausnahme bildet nur die Akkusativ-
aussage Ἰησοῦν τὸν Ναζωραῖον ... ἀποδεδειγμένον . Aber
gerade dieser Akkusativ weist direkt auf den Abschluss der
aus Kap. 7 und 13 rekonstruierten Vorlage, wo ja der Name

Jesus als letztes Wort, und zwar im Akkusativ, genannt
wird.[144] Die Frage, ob die Partizipialkonstruktion ursprünglich ein Relativsatz war, erübrigt sich insofern, als Partizipialkonstruktionen durchaus zum Stil christologischer Aussagen gehören, die ohne weiteres mit Relativsätzen fortgesetzt werden können.[145] ἀπὸ τοῦ θεοῦ kann fortfallen,
weil das handelnde Subjekt bereits genannt ist. Anders ist
es in der folgenden passiven Tötungsaussage, die der Nennung
der Handelnden bedarf. Die danach stehende Auferweckungsformel nennt dann wieder "Gott" als Subjekt. Der Erscheinungsformel folgt die Erhöhungsaussage wieder mit "Gott" als Subjekt, so dass eigentlich nur im letzten Glied der Reihe
"Gott" ungenannt bleiben könnte.

Dass es sich bei dieser Zusammenschau der traditionellen
Christusaussagen nicht um eine Konstruktion handelt, belegen
die Reden der Apostelgeschichte selbst, in denen ja diese
Aussagen mehr oder weniger festverbunden schon vorliegen und
es keine zwingenden Gründe dafür gibt, dass Lukas diese Ver-
bindungen geschaffen hat.

IV. Zur Form der Tradition

1. Wortlaut, Struktur und Wortwahl

Als Wortlaut der christologischen Aussagen wird angenommen:

        Ἰησοῦν τὸν Ναζωραῖον
        δυνάμεσι ἀποδεδειγμένον,
        ὃς διὰ ἀνόμων ἐσταυρώθη,
        ὃν ὁ θεὸς ἤγειρεν ἐκ νεκρῶν,
        ὃς ὤφθη τοῖς συναναβᾶσιν αὐτῷ εἰς Ἱεροσόλυμα,
        ὃν ὁ θεὸς ὕψωσεν τῇ δεξιᾷ αὐτοῦ,
        ὃν ὥρισεν κριτὴν ζώντων καὶ νεκρῶν.

Zum Objekt der in der alttestamentlichen Vorlage zuletzt gemachten Aussage treten zwei nähere Bestimmungen: ein Name
und eine Partizipialkonstruktion. Es folgen vier Relativsätze zu dem vorher genannten Objekt. In drei Sätzen ist "Gott"
das Subjekt. Der erste Relativsatz steht im Passiv; die Handelnden werden durch διὰ ἀνόμων angegeben. Wichtig ist also
nicht das innere Subjekt, sondern das Geschehen am eigentli-

chen Objekt dieses ersten Relativsatzes. Im dritten Relativsatz wird dieses Objekt des vorhergehenden Satzes selbst zur
handelnden Person.

Die Struktur der Sätze und deren Wortwahl sind jedoch, wie
die Analyse zu zeigen vermochte, nicht durch den jetzigen Zu-
sammenhang entstanden, sondern greifen auf verschiedenartige
Vorgegebenheiten zurück. So nur ist verständlich, dass die
Form des christologischen Teils anders ausfällt als die des
Teils über Gottes Handeln an unseren Vätern.

Zusammenfassend ist festzuhalten, dass Lukas nicht nur ein
bekanntes Schema vorschwebte, an das er sich anlehnte, oder
in dem "einzelne Wendungen und Formulierungen ihren traditionsgeschichtlichen Haftpunkt"[146] hatten, sondern der Verfasser der Apostelgeschichte benutzte einen festgeprägten
Text, dessen Weitergabe selbstverständlich immer zugleich
auch dessen Interpretation bedeutet,[147] wie es im zweiten
Hauptteil der Untersuchung aufgezeigt werden soll.

2. Parallelen

a) Vorbemerkung

Wie der Alte Bund summarische Darstellungen des Handelns Gottes kennt, so finden sich auch im Neuen Bund prägnante Zusam-
menfassungen über die geschichtliche Bedeutung Jesu Christi.
Im folgenden soll nicht eine Traditionsgeschichte entworfen
werden, wie, wozu, warum und wann es zu solchen Darstellungen kam. Es geht nur um eine Übersicht vergleichbarer Beispiele, die zeigen, wie man schon sehr früh und im Laufe der
Zeit immer umfänglicher christologische Sätze zusammenbrach-
te und so einen mehr oder weniger geschichtlichen Ablauf in
der Zusammenstellung bewirkte. Als eigenständige Form kommen
die Hymnen oder Hymnenfragmente nicht als Parallelen in Be-
tracht, obwohl sie in hervorragender Weise den Weg Jesu aus-
zusagen wissen (vgl. Joh 1,1-18; Phil 2,6-11; Kol 1,15-20;
Hebr 1,3; 1 Tim 3,16). Um einer notwendigen Begrenzung willen soll die Übersicht sich nur auf das Neue Testament und
die Apostolischen Väter beziehen. Auszugehen ist von den
christologischen Glaubensformeln, es folgt beispielhaft für
das Zusammenwachsen ursprünglich selbständiger Glaubensfor-

meln eine kurze Besprechung von 1 Kor 15,3-5, ferner vergleichbare Christusbekenntnisse bei Ignatius (Eph 18,2; Trall
9,1.2; Sm 1,1.2) und Polykarp (2 Phil 2,1).

b) Übersicht

Glaubensformeln im Neuen Testament

Am Anfang der Entwicklung, "das vergangene Heilsereignis"[148]
in Jesus Christus zu formulieren, stehen einzelne Glaubensformeln. Als wichtigste Aussage muss die Auferweckungsformel
angesehen werden, wie sie etwa Röm 10,9 erhalten ist: ὅτι ὁ
θεὸς αὐτὸν ἤγειρεν ἐκ νεκρῶν (vgl. Röm 8,11; 1 Kor 6,14;
2 Kor 4,14; Gal 1,1; Eph 1,20; Kol 2,12; 1 Thess 1,10).[149]
Ihr entsprechend wird die Heilsbedeutung des Sterbens Jesu
Christi in einer Glaubensformel ausgesagt. So heißt es Röm
5,8: Χριστὸς ὑπὲρ ἡμῶν ἀπέθανεν (vgl. Röm 5,6; 14,15;
1 Kor 8,11; Gal 2,21; 3,13).[150]

Als nächster Schritt in der Entwicklung der Glaubensformulie-
rungen ist ein Zusammenbringen der Auferweckungs- und Sterbensformel festzustellen. Kurz und prägnant überliefert
1 Thess 4,14: Ἰησοῦς ἀπέθανεν καὶ ἀνέστη (vgl. Röm
8,34; 14,9; 2 Kor 5,15; ferner Röm 4,24.25; 6,3-9; 2 Kor
13,4).[151]

Anderer Art aber ebenfalls zwei "Stationen" auf dem Weg Jesu beschreibend, ist der in Röm 1,3.4 aufgenommene "Bekenntnissatz"[152]: ὁ γενόμενος ἐκ σπέρματος Δαυὶδ κατὰ σάρκα,
          ὁ ὁρισθεὶς υἱὸς θεοῦ κατὰ πνεῦμα ἁγιωσύνης
          ἐξ ἀναστάσεως νεκρῶν.[153]

Der erste Partizipialsatz richtet den Blick "auf das irdische Leben Jesu", der zweite "auf die Auferstehung".[154] Ursprünglich handelt es sich um zwei selbständige Bekenntnis-
formeln.[155]

1 Kor 15,3-5

Das wohl bedeutendste vorpaulinische Glaubensbekenntnis ist
in 1 Kor 15,3-5 überliefert[156]:

ὅτι Χριστὸς ἀπέθανεν ὑπὲρ τῶν ἁμαρτιῶν ἡμῶν κατὰ τὰς γραφάς,
καὶ ὅτι ἐτάφη,

καὶ ὅτι ἐγήγερται τῇ ἡμέρᾳ τῇ τρίτῃ κατὰ τὰς γραφάς,
καὶ ὅτι ὤφθη Κηφᾷ, εἶτα τοῖς δώδεκα.

Der Satz stellt"das Ergebnis einer längeren Entwicklung"[157]
dar. Drei selbständige Glaubensformeln, die Sterbens-, Auf-
erweckungs- und Erscheinungsformel, bilden die Grundlage.
Der kunstvolle Aufbau bewirkte als Entsprechung zur Erscheinungsformel die Hinzufügung von   καὶ ὅτι ἐτάφη .[158] Durch
die Zuordnung ursprünglich selbständiger Glaubensformeln ent-
stand "eine chronologische Abfolge im Sinne eines zeitlichen
Nacheinander".[159]

Die in 1 Kor 15,3-5 feststellbare "Fortbildung des verbalen
Credo"[160] ist auch in anderen traditionellen Texten der neutestamentlichen Briefliteratur feststellbar. Eine eigene Würdigung dieser Traditionen erübrigt sich insofern, als es sich
wohl nicht um Glaubensbekenntnisse handelt. Röm 8,34 scheint
ein "Bekenntnislied"[161] vorzuliegen. 1 Tim 6,13 enthält
"eine zweigliedrige Formel im Partizipialstil",[162] deren erste Aussage auf Gott den Schöpfer schaut und deren zweite
auf Jesus Christus "in seinem Zeugnis vor Pontius Pilatus".[163]
Die Formbestimmung und der "Sitz im Leben" sind umstritten.
1 Petr 2,21-23 enthält ein Traditionsstück, das als "Interpretation der Sterbensformel" eher ein katechetisches Lehr-
stück" darstellt.[164] 1 Petr 3,18-20 überliefert ein nur
schwer rekonstruierbares "Taufbekenntnis, das ein Übergang
zum Tauflied ist".[165]

Ignatius

Die Briefe des Ignatius enthalten "Christusbekenntnisse eines bestimmten Typs, der nämlich die wichtigsten Heilstatsa-
chen nennt, die sich an die Person Christi anknüpfen".[166]
IgnEph 18,2 bietet wahrscheinlich nicht mehr als"ein Fragment, das nur bis zur Erwähnung der Taufe reicht".[167] Mit
Sicherheit kann der Relativsatz zur Tradition gerechnet werden, der durch seine Prägnanz auf die ursprüngliche Form des
Glaubensbekenntnisses schliessen lässt. Der sich ihm anschliessende ἵνα-Satz trägt einen anderen Gedanken ein, der
nur durch τῷ πάθει anzeigt, dass der Text einmal noch andere

Aussagen über Jesus enthalten haben wird. Den passiven Verb-
formen entspricht ἐκυοφορήθη , das mit den Herkunftsbezeichnungen als traditionell anzusehen ist. κατ᾽ οἰκονομίαν
θεοῦ und πνεύματος ἁγίου scheinen spätere Interpreta-
mente zu sein, die jedoch nicht von Ignatius stammen müssen.
Nur so erklärt sich die Überlastigkeit des Satzes gegenüber
dem kurzen Relativsatz. Ob die anfängliche Bezeichnung Jesu
Christi zum Bekenntnis gehört hat, kann kaum eindeutig entschieden werden. Als Tradition ist mindestens folgender Wortlaut festzuhalten[168]:

> ἐκυοφορήθη ὑπὸ Μαρίας ἐκ σπέρματος Δαυίδ,
> ὃς ἐγεννήθη καὶ ἐβαπτίσθη . . .

Dieses Fragment ist nicht nur durch ἐκ σπέρματος Δαυίδ für
das Ergebnis der christologischen Vorlage der Apostelgeschichte aufschlußreich, sondern auch formal durch den Relativsatz
und dadurch, dass eine Ausweitung des Glaubensbekenntnisses
mit ursprünglich nicht als Glaubensformeln bekannten Aussagen festzustellen ist.

IgnTrall 9,1.2 enthält ein Glaubensbekenntnis,[169] das sich
verhältnismässig gut vom Kontext abheben lässt, wenn auch der
genaue Umfang der Tradition umstritten ist.[17o] Im Einleitungsvers geht es um die Warnung vor Irrlehrern. Das Bekenntnis
hat das in die Warnung einbezogene Ἰησοῦ Χριστοῦ zu ent-
falten. Die beiden Herkunftsbezeichnungen sind in den Nominativ zurückzuversetzen. Mit Sicherheit haben die folgenden
zwei Relativsätze zum ursprünglichen Bestand des Bekenntnisses gehört. Wie ein nachträglicher Einschub erscheinen die
beiden Partizipialkonstruktionen und das viermalige beteu-
ernde ἀληθῶς ; ob von Ignatius oder vor ihm hinzugefügt,
mag dahingestellt bleiben.[171] Ungewöhnlich für ein Bekenntnis sind die sich durch das Aktiv abhebenden Verben ἔφαγέν
τε καὶ ἔπιεν .[172] Singulär ist auch ἐδιώχθη , so dass
ἐπὶ Ποντίου Πιλάτου sehr gut anstelle des eigentlich über-
flüssigen καὶ ἀπέθανεν gestanden haben kann. Der sich an
den Genitivus absolutus ἐγείραντος κτλ. anschliessende Satz
ist sowohl stilistisch als auch inhaltlich vom vorhergehenden
unterschieden.[173] Damit ergibt sich:

ὁ ἐκ γένους Δαυίδ,
ὁ ἐκ μαρίας,
ὃς ἐγεννήθη
(καὶ) ἐσταυρώθη ἐπὶ Ποντίου Πιλάτου,
ὃς ἠγέρθη ἀπὸ νεκρῶν.

Das Glaubensbekenntnis zeigt einen gleichmässigen Aufbau. Den
beiden Herkunftsbezeichnungen folgen zwei passive Relativsätze. Beides ist formal und inhaltlich im Hinblick auf die Vorlage der Apostelgeschichte bemerkenswert.

IgnSm 1,1.2 wird der Inhalt des Glaubens, von dem die Smyr-
näer vollkommen überzeugt sind, "mit Hilfe vorgegebener Tradition"[174] ausgedrückt. Für das vorgegebene Glaubensbekenntnis ist bei allen Aussagen ursprünglich ein Nominativ anstelle des im jetzigen Kontext notwendigen Akkusatives anzunehmen. Die Vorlage ist am einfachsten in der Partizipialkonstruktion βαπτισμένος ὑπὸ 'Ιωάννου   erhalten. Der ἵνα-
Satz klingt wie eine nachträgliche Interpretation. Entsprechend können die anderen Partizipialkonstruktionen ebenfalls zur Vorlage gerechnet werden. ὢν ἐκ γένους Δαυίδ
wird nachträglich mit den nachfolgenden Aussagen erweitert
worden sein, ganz entsprechend dem vorherigen Beispiel.
γεγεννημένος ἐκ παρθένου   ist wie auch der vorhergehende
und nachfolgende Partizipialsatz mit ἀληθῶς   bekräftigend
erweitert. Die der vierten Partizipialaussage folgende Paren-
these kann als "relativ sicher ignatianisch" angesehen werden.[175] Sie legt den Schluss nahe, dass der Text ursprünglich weiterging und auch die Auferstehung beinhaltete.[176]
Als Tradition kann festgehalten werden:
    ὁ κύριος ἡμῶν,
    ὢν ἐκ γένους Δαυίδ,
    γεγεννημένος ἐκ παρθένου,
    βαπτισμένος ὑπὸ 'Ιωάννου,
    ἐπὶ Ποντίου Πιλάτου καὶ 'Ηρώδου τετράρχου
    καθηλώμενος ὑπὲρ ἡμῶν ἐν σαρκί.

Der Aufbau wird durch die Partizipien bestimmt. Inhaltlich
ist die Anführung des Herodes neben Pilatus einmalig.

Polykarp

2 Phil 2,1 enthält innerhalb einer Reihe von Ermahnungen die Aufforderung zum Glauben: πιστεύσαντες εἰς .[177] Zusammen mit τὸν ἐγείροντα . . . ἐκ νεκρῶν und δόντα αὐτῷ δόξαν liegt eindeutig ein Zitat nach 1 Petr 1,21 vor. So kann man wohl kaum von einem eigenständigen Glaubensbekenntnis sprechen. καὶ θρόνον ἐκ δεξιῶν αὐτοῦ ist als Zusatz durch Polykarp zu werten. Es folgen vier Relativsätze. ᾧ ὑπετάγη τὰ πάντα weist auf 1 Kor 15,27.28. ἐπουράνια καὶ ἐπίγεια ist frei nach 1 Kor 15,40 (vgl. Phil 2,10) hinzugefügt. ᾧ πᾶσα πνοὴ λατρεύει hat keinen Grund im Neuen Testament (vgl. Ps 150,6 πᾶσα πνοή ; 1 Kön 15,29; Jes 57,16). λατρεύειν wird im Neuen Testament nie im Hinblick auf Christus gebraucht. Der dritte Relativsatz hat einen Anklang an Apg 10,42; 2 Tim 4,1; 1 Petr 4,5. Der vierte Relativsatz erscheint angehängt, was vor allem durch das Subjekt ὁ θεός angezeigt wird. Die drei ersten Relativsätze können ursprünglich zu einem mehr liedhaften Text gehört haben.[178] Die wohl ad hoc komponierten Aussagen zeigen den Weg von der Auferweckung über die Erhöhung zur Wiederkunft des Herrn als Richter und sind somit der christologischen Vorlage der Apostelgeschichte gut vergleichbar.[179]

c) Ergebnis

Eine umfassende Auswertung der Übersicht ist im Rahmen dieser Untersuchung nicht möglich, nämlich die Erstellung einer lückenlosen Formgeschichte einfacher Glaubensformeln bis hin zu den immer breiter werdenden Bekenntnissen der Heilsereignisse Jesu Christi. Ebenso wenig konnte eine erschöpfende Struktur- und Inhaltsanalyse der genannten Parallelen erbracht werden. Das hätte den Rahmen der vorliegenden Untersuchung weit überschreiten müssen. Dennoch wird deutlich, dass der christologische Teil der aus der Apostelgeschichte rekonstruierten Vorlage nicht für sich alleine steht. Es zeigt sich, dass tatsächlich von einem "Schema" gesprochen werden kann,[18o] nach dem das Christusgeschehen bekenntnishaft zusammengefasst wird. Der Ausdruck Schema ist insofern zur Beschreibung des Sachverhaltes geeignet, als sich Form, Umfang,

Wortwahl und Inhalt dieser Bekenntnisse sehr voneinander
unterscheiden. Die Tatsache aber, dass es sich weitgehend um
traditionelle Texte handelt, die eben nicht ad hoc formuliert
sind, lässt deren verbindlichen und umfassenderen Charakter
erahnen, womit bei weitem die Individualität derer, die sie
in ihren Schriften einfügen, überstiegen wird.

Trotz der festzustellenden Unterschiede halten sich formale
und inhaltliche Charakteristika durch, verwiesen sei nur auf
den anzutreffenden Relativ- und Partizipialstil und die Art
der Aussage bestimmter christologischer Heilsgeschehnisse.
Für den "Sitz im Leben" all dieser Bekenntnisse "scheint es
ohne Zweifel zu sein, dass sie im Gottesdienst der Gemeinde
ihren Platz haben und also liturgischen Charakter erhalten."[181] Dass über diesen "Ursprung" hinaus ein vielseitiger
"Gebrauch" in den unterschiedlichsten Zusammenhängen möglich
ist,[182] davon zeugen nicht zuletzt jene Texte, in denen uns
die Überlieferung erhalten ist.

DRITTES KAPITEL: Das heilsgeschichtliche Credo

I. Die Zusammengehörigkeit der Überlieferung über das Handeln
   Gottes in der Geschichte des alten Gottesvolkes und an
   Jesus Christus

1. Literarkritische Gründe

Die Analyse von Apg 7,2-53 erbrachte das Ergebnis, dass dem
Verfasser der Apostelgeschichte ein fest formulierter Text
über das Handeln Gottes in der Geschichte des alten Gottesvolkes vorgelegen hat, der vor allem die Grundlage der Stephanusrede bildete. Ein Teil dieser Vorlage wurde, wie sich
aus der Analyse von Apg 13,17-22 ergab, von Lukas für die
Rede des Paulus im pisidischen Antiochien verwendet. War es
damit klar geworden, dass Lukas einen vorgegebenen zusammenhängenden Text auf verschiedene Reden verteilt hat, ergab
sich notwendig die Frage nach dem ursprünglichen Umfang dieses Textes.

Für den Beginn konnte aus Apg 14,15-17 und 17,22-29 eine
Schöpfungsaussage gefunden werden. Die Untersuchung von Apg
13,23.32.33 führte unter Einbeziehung von Apg 13,34 zu dem
Schluss, dass die vorgegebenen Aussagen über das Handeln Gottes an den Vätern nicht mit dem Gotteswort über David ende-
ten, sondern im Christusgeschehen gipfelten. Damit war noch
nicht die Frage entschieden, ob der aus Apg 13,23.32.33 rekonstruierte Satz den Abschluss der Tradition bildete oder
durch weitere Christusaussagen fortgeführt wurde.

Die parallelen Christusaussagen der Reden liessen sich weitgehend auf vorgegebene Sätze zurückführen, deren ursprüngliche Zusammengehörigkeit sich einerseits durch ihre Gleichför-
migkeit und andererseits durch die Reden selbst nahelegte.
Als sinnvoller Ort dieses Textes bot sich an, die Christusaussagen direkt als Fortführung der Zielaussage über Gottes
Handeln, wie sie sich aus Apg 13,23.32.33 ergab, zu begreifen. Grundlage dieser Argumentation war die Einsicht, dass
Lukas nicht nur traditionelle Elemente und Formulierungen
aus verschiedenartigsten vorgegebenen Zusammenhängen zur
Komposition der Reden verwendete, sondern sich trotz seiner
weitgehenden schriftstellerischen Selbständigkeit an zusammenhängende festgeformte Traditionen gebunden wusste.

2. Formale und inhaltliche Gründe

Die möglichen Parallelen zu den rekonstruierten Aussagen über
das Handeln Gottes an den Vätern lassen keine literarische
Abhängigkeit von einem dieser Texte erkennen. Die in Inhalt
und Form sehr unterschiedlichen Beispiele zeigen jedoch, daß
die Vorlage der Apostelgeschichte am ehesten mit den Texten
des hebräischen Kanons und am wenigsten mit den ausserbiblischen und zeitgenössischen Darstellungen vergleichbar ist.
Die Tradition der Apostelgeschichte lässt eine erneute Sicht
der geschichtsmächtigen Taten Gottes erkennen. Der Grund dafür muss im Christusgeschehen gesehen werden. Das Christusereignis führt zu einer neuen Erfahrung von Gottes Heilshandeln in der Geschichte. Das bezeugt unübersehbar die formelhafte Darstellung des Christusweges. Von daher ist es nicht
verwunderlich, dass die Christen durch den Glauben an die Geschichtsmächtigkeit Gottes im Christusgeschehen zu einer er-
neuten Sicht von Gottes Handeln in der Geschichte der Väter
gelangten, zumal ihre Heilige Schrift allein das Alte Testament war.

Die alttestamentliche Grundlage der Tradition über das Handeln Gottes an den Vätern erklärt auch, warum dieser Teil in
Umfang und Form anders ausfällt als der christologische. Während die Christusaussagen auf vorgegebene Formeln zurückgehen, hält sich die Darstellung der Vätergeschichte an die Be-
richte der entsprechenden alttestamentlichen Schriften, die
teils wörtlich, teils frei unter Einbeziehung ausserbiblischer Wendungen und Vorstellungen summarisch wiedergegeben
werden.

Wenn nach dem bisher Gesagten der alttestamentliche Teil der
Vorlage als christliche Bildung anzusehen ist, dieser also
nicht für sich existiert hat und folglich ohne den christologischen Teil nicht begriffen werden kann, dann ist zu fragen, ob die Tradition über die Väter Hinweise auf die Christusaussagen erkennen lässt. Offensichtlich ist die Verbindung von den Aussagen über David zu der christologischen
Zielaussage des ganzen Textes. Wenn darüber hinaus keine direkten Beziehungen zwischen beiden Teilen feststellbar sind,
so können dafür zwei Gründe angegeben werden. Einmal ist das
summarische Nachzeichnen des Handelns Gottes an den Vätern

an die Darstellung der Schrift gebunden. Zum anderen liegt
die Eigenart der Tradition gerade darin, dass aufgrund des
Christusgeschehens die unverwechselbare Bedeutung und Eigenständigkeit der zurückliegenden Heilstaten Gottes neu begriffen werden. Dennoch dürfen aus dem ersten Teil der Tradition einige indirekte Hinweise auf das Christusgeschehen
entnommen werden, wenn der ganze Text aus christlicher Sicht
verstanden wird. Hinzuweisen ist auf die auch sonst zu findende bedeutsame Stellung Abrahams im Christentum, wofür das
lukanische Doppelwerk selbst Zeugnis ablegt (vgl. Lk 1,55.73;
19,9; Apg 3,25). Zur Bedeutung des Mose sei auf Lk 9,30.33;
20,37 und vor allem auf Apg 3,22 verwiesen. In der Verwendung
von der ὤφθη-Formel darf eine Linie von den Aussagen über die
Erscheinungen Gottes zu der Erscheinung des Auferweckten gesehen werden. Ferner ist zu fragen, ob nicht von den Christen
die Aussage über die Gabe des Bundes in Apg 7,8 als Hinweis
auf den Neuen Bund in Christus (vgl. Lk 22,20) verstanden
wurde. Gleiches kann angenommen werden von der Wendung λόγια
ζῶντα   in Apg 7,38 im Hinblick auf das die Geschichte der
Kirche bewirkende Wort Gottes (vgl. Apg 13,26). Schließlich
kann die Bestimmung Jesu zum σωτήρ   darin vorgezeichnet gesehen werden, dass die Geschichte der Väter vor allem durch
herausragende Menschen bestimmt ist, die Gott beruft, sendet,
einsetzt und erstehen lässt.

3. Redaktionskritische Gründe

Die Zusammengehörigkeit der Überlieferung über das Handeln
Gottes in der Geschichte des alten Gottesvolkes und an Jesus Christus wird noch durch einige redaktionskritische Beobachtungen nahegelegt. Die lukanische Redaktion des Mose-
teiles vor allem erweist auf ihre Weise die Offenheit der
alten Geschichte für das Christusgeschehen. Apg 10,38 zeigt,
wie die Aussage über Joseph in Apg 7,9 transparent für Christus ist. Apg 3,13a lässt sich am sinnvollsten als Zusammenfassung des gesamten vorgegebenen heilsgeschichtlichen Abris-
ses verstehen. Noch kürzer und prägnanter erscheint dieses
Verfahren in Apg 5,30. Apg 7,51-53 macht mit Hilfe eigener
Tradition ebenfalls deutlich, wie die alte Geschichte in Jesus Christus mündet. Die Anrede in Apg 13,26 kann als indi-

rekter Verweis auf die Abrahamgeschichte der Vorlage gesehen
werden. Ein sehr instruktives Beispiel bildet die Areopagrede, in der nur das aus der vorgegebenen Tradition übernommen
wird, was zur Redesituation passt, nämlich Anfang und Ende
der Gesamtvorlage.

II. Formbestimmung und "Sitz im Leben"

1. Formbestimmung

Bei der Formbestimmung der Vorlage ist von den Ergebnissen
der Übersicht über die Parallelen zum alttestamentlichen Teil
und über die der christologischen Aussagen auszugehen. Einen
vergleichbaren Text, der Gottes Handeln an den Vätern und an
Jesus Christus darstellt, gibt es, abgesehen vielleicht von
Hebr 11, nicht.

Da die Parallelen zur Tradition über die Geschichte der Väter
sehr unterschiedlich in Form und Inhalt sind und darüber hinaus der alttestamentliche Teil von seiner christologischen
Zielaussage nicht isoliert werden kann, erscheint es angebracht, bei der Formbestimmung vom christologischen Teil auszugehen. Es dürfte nicht zu bestreiten sein, dass die Christusaussagen formgeschichtlich fast ausschliesslich auf Glaubensformeln zurückgehen, in denen vergangene Heilsereignisse
formuliert werden.[1] Das Zusammenbringen verschiedener ursprünglich selbständiger Glaubenssätze zu einem Bekenntnis,
das "die wesentlichen Heilsereignisse der Vergangenheit"[2]
zusammenfasst, geschah schon in der vorpaulinischen Überlieferung. Diese Art der Bekenntnisbildung wird nicht nur
durch das Neue Testament, sondern auch von den Apostolischen
Vätern bezeugt. Die Linie könnte weitergezogen werden bis
hin zur "Aufstellung von Glaubenssymbolen"[3] in den folgenden
Jahrhunderten. Die christologische Vorlage der Apostelgeschichte steht also nicht für sich und ist im Kontext der
frühchristlichen Literatur als "Bekenntnis"[4] oder als "christologisches Credo"[5] zu bestimmen.

Von dieser Bestimmung her kann der Zugang auch für die Einordnung des alttestamentlichen Teils und damit die Bezeichnung des ganzen Textes gewonnen werden, da dieser von vorn-

herein auf die christologische Zielaussage ausgerichtet war.
Die Übersicht möglicher Parallelen zu der Tradition über das
Handeln Gottes an den Vätern ergab, dass vor allem Dtn 26,5-9
mit der Vorlage der Apostelgeschichte zusammengesehen werden
darf, auch wenn sich beide Texte beträchtlich unterscheiden.
Sowohl in der Vorlage der Apostelgeschichte als auch in Dtn
26,5-9 "wird die vergangene Geschichte Gottes mit Israel als
Heilsgeschichte vergegenwärtigt; die zurückliegenden ge-
schichtsimmanenten Setzungen erhalten im Bekenntnis Aktuali-
tät für die Gegenwart".[6] Ist Dtn 26,5-9 richtig als Credo bestimmt[7] und trifft diese Kennzeichnung ebenso für den christologischen Teil der Vorlage zu, so dürfte nunmehr die Formbestimmung des ganzen Textes als Credo berechtigt sein. Da
es sich um ein Credo der vergangenen Heilstaten Gottes handelt, erscheint es angemessen, dieses Bekenntnis als heilsgeschichtliches Credo zu bezeichnen.[8]

2. Der "Sitz im Leben"

Der "Sitz im Leben" ist wie bei vielen anderen Formen des
Neuen Testamentes nur schwer zu bestimmen und man wird nicht
umhinkommen, sich mit sehr allgemeinen Angaben zu begnügen.
Die Bestimmung des "Sitzes im Leben" ist deswegen so schwer,
weil die Tradition in ihrem jetzigen Zusammenhang nicht den
ursprünglichen "Sitz im Leben" wiedergibt, sondern ganz und
gar dem redaktionellen Rahmen und der Aussageabsicht des Verfassers dienstbar gemacht worden ist. Von der Formbestimmung
als heilsgeschichtliches Credo her kann die Vorlage weder in
der Predigt noch in der Unterweisung untergebracht werden,
wenn sich auch beides mit den Inhalten des Credo zu befassen
hat. Hier ist auf die Bekenntnisse der Urkirche zu verweisen,
die "in der Liturgie der Urkirche einen festen Platz" haben.[9]
"Die Feier der Sakramente Taufe und Eucharistie machte das
Bekennen des Glaubens erforderlich".[10] Nur handelt es sich
in unserem Falle nicht um eine kurze, prägnante Formulierung des Glaubens, wie etwa in 1Kor 15,3-5, sondern um einen
langen Text, der sicherlich erst in einer späteren Zeit formuliert werden konnte. Wenigstens Hebr 11 ist ein gleichar-
tiges Credo als Grundlage zu vermuten. Das dürfte kein Zu-
fall sein. Beide Schriften gehören einer Generation an.

III. Der Inhalt

1. Der Schöpfergott

Das Credo beginnt mit einer gewichtigen Aussage zu dem die
Handlung des ganzen Textes bestimmenden Subjekt "Gott". Die
Sonderstellung der Aussage ist formal kenntlich durch den
Partizipialstil, der sich vom übrigen Text abhebt. Dieses
häufig zu findende "partizipiale" Charakteristikum[11] verleiht
der Aussage einen gehobenen Ausdruck. Wie in der Analyse festgestellt wurde, handelt es sich um ein Mischzitat aus Ex
20,11 und Jes 42,5. ὁ ποιήσας ist so sehr mit Aussagen
über den Schöpfergott verbunden, dass es sich verselbständi-
gen kann (s. 1 Clem 7,3). "Himmel und Erde" wollen "das Ganze
der Schöpfung"[12] zum Ausdruck bringen. Gleiches gilt von den
weiteren Zusätzen.

διδοὺς πνοήν meint die Erschaffung des Menschen, die in Jes
42,5 "auf den einen Akt der Verleihung des Lebens(hauches)
beschränkt" ist; "dabei ist interessant, dass hier die ältere
Vorstellung der Menschenschöpfung als das Bilden eines Menschen (wie in Gen.2) schon verblaßt ist und dagegen von der
Erschaffung bzw. Belebung des Menschengeschlechtes, der
Menschheit gesprochen wird (genauso 45,12, angedeutet 45,18;
auch 57,16). Einer der Sätze drückt es so aus: 'Der Lebens-
atem gibt dem Volk auf ihr (der Erde)'".[13] Es wurde aufgrund
der lukanischen Redaktion vermutet, dass ursprünglich noch
andere Gaben mitgenannt wurden, die jedoch nicht mehr rekonstruierbar sind (vgl. Didache 10,3).

Diese, das ganze Credo bestimmende Aussage über den Schöpfergott ist nicht nur auf dem Hintergrund der Schrift zu sehen,
sondern beinhaltet eines der wesentlichen Unterscheidungsmerk-
male sowohl des alttestamentlichen[14] und jüdisch-hellenistischen[15] als auch des christlichen[16] Glaubens gegenüber allen
anderen Religionen. Als Aussage des Credo ist der den Schöpfergott bekennende Satz weit mehr als nur "weitergegebene
Überlieferung, sondern den Glauben begründende Wirklichkeit".[17]

2. Gott und Abraham

Der Abrahamabschnitt ist nicht nur die summarische Wiedergabe
des Genesisberichtes, sondern als Beginn des Credo die erste
grosse geschichtsmächtige Tat Gottes. Gottes Handeln an Abraham wird dargestellt als Erscheinen und Sprechen, als Wohnenlassen, als Nichtgeben und Verheißen und als Geben des Bundes
der Beschneidung, wobei zweifellos das Schwergewicht der Aussagen in den Gottesworten selbst zu suchen ist. Wichtig ist
nicht das Vorverlegen der Berufung und das Wohnenlassen nach
dem Tod des Vaters. Das sind nur Modalitäten, die durch andere Traditionen vorgegeben sein werden.[18] Es scheint in diesem
Abschnitt bedeutsam zu sein, dass Gott dem Abraham zwar in
dem Land, in das aufzubrechen sein Wort fordert, zu wohnen
gibt, es ihm aber nicht zum Besitz überlässt.

Als Gabe Gottes ist in 7,8 kurz und prägnant der Bund der Beschneidung genannt. Dies ist als Antithese zu V.5 zu sehen.[19]
Dass es sich nicht um einem bedeutungslosen Nebenzug handelt,
wird durch den singulären Ausdruck διαθήκη περιτομῆς nahegelegt. "Dh. dem heiligen Land wird für die Abrahamkindschaft
jede Bedeutung genommen; nur die Beschneidung ist das die
Abrahamkindschaft kennzeichnende und damit das Gottesvolk
konstituierende Moment".[20] 7,8 fasst in äusserster Knappheit
die Geschichte von Isaak bis zu den Patriarchen zusammen. Das
Fehlen eigener Handlungsverben unterstellt die verkürzten Sätze den vorangestellten Aussagen über Abraham.

Die Bedeutung des ganzen Abrahamteiles als Bekenntnis des
Heilshandelns Gottes wird nicht zuletzt auch dadurch deutlich, als die Gestalt des Abraham sehr im Dunkeln bleibt und
gerade nicht mit jenen vielen möglichen Themen ausgestaltet
wird, die in der jüdischen und christlichen Literatur mit
Abraham verbunden zu finden sind.[21]

3. Gott und Joseph

Der Abschnitt ist vorwiegend nichts anderes als eine Schilderung, wie Jakob und die Patriarchen nach Ägypten kommen.
Motiv war wahrscheinlich das Bemühen um eine lückenlose Darstellung der Geschichte. Dass sie hier relativ umfänglich
ausfällt, hängt mit der Gestalt des Joseph zusammen. Wie Abra-

ham wird auch Joseph als eine hervorragende Persönlichkeit
angesehen, die ganz dazu geeignet ist, für Gottes Heilshandeln in der Geschichte transparent zu werden. Gott wird als
der gesehen, der mit Joseph war, diesen errettete, ihm Gunst
schenkte und über Ägypten setzte. So wird die Josephgeschichte der Theologie dienstbar gemacht.[22]

4. Gott und Mose

Mit 13,17 wird eine neue Epoche der Heilsgeschichte eingeleitet, indem hervorgehoben wird, "dass Gott das Volk groß gemacht hat in der Fremde".[23] Gemeint ist das, was in Ex
1,7.9.12 (vgl. Jdt 5,10; Ps 105,24) ausgesagt ist. Das hier
gebrauchte Verb ὑφοῦν ist im wiedergegebenen Zusammenhang
nicht zu finden (vgl. aber Jes 1,2) und bedeutet in der LXX
"erheben", meint aber "wahrscheinlich" "zahlreich machen und
erstarken lassen".[24] Die Verbwahl macht eine theologische
Interpretation kenntlich. Dem steht als Kontrast die Mißhand-
lung durch die Ägypter gegenüber, und zwar als Erfüllung dessen, was in 7,6 als Schicksal des Volkes angesagt worden ist.
In diese Zeit fällt die Geburt des Mose. Die Aussage καὶ ἦν
ἀστεῖος τῷ θεῷ wird man inhaltlich im Zusammenhang mit
καὶ ἦν ὁ θεὸς μετ' αὐτοῦ zu sehen haben, so dass zu über-
setzen ist: "Er war Gott angenehm".[25] Die Aussage über die
Erziehung des Mose hat im Alten Testament keinen Anhalt. Hier
werden ausserbiblische Motive aufgenommen.[26]

In 7,23-29 wird mit relativ eigenständiger Wortwahl wiedergegeben, wie die Hilfe des Mose zu dessen Verstoßung und
Flucht führt. Wahrscheinlich wurden diese Ausführungen innerhalb eines Credo als transparent empfunden für das Schicksal der Gottesmänner, wie es ja dann auch die lukanischen
Erweiterungen zum Ausdruck bringen.

7,30-34 ist durch die gleichen Verben wie in 7,2 und das so
eingeführte Gotteswort als bedeutungsvoller Abschnitt hervorgehoben. Gott offenbart sich als der Gott der Väter, um die
Errettung anzusagen, jenes Heilsereignis, das entscheidend
das Gottesbild des Judentums bestimmt hat. 7,36 und 13,17
schildern die Erfüllung des Gotteswortes. Die "geprägte Aus-
sageweise"[27] zeigt nochmals die zentrale Bedeutung dieser

Tat Gottes an.[28]

Die beiden nächsten Aussagen 7,38.39.41 stellen das Verhalten des Mose und das des Volkes in der Wüste gegenüber, näherhin bei der Gesetzgebung am Sinai. Mose ist mit Gott zusammen. Das wird hier wahrscheinlich in Anlehnung an 7,30 mit
ἐλάλησεν τῷ ἀγγέλῳ umschrieben. Dahinter dürfte die spät-
jüdische "Vorstellung von der Übergabe des Gesetzes durch
Engel"[29] stehen. Mit λόγια ζῶντα wird auf Dtn 32,47 zurückgegriffen. Gemeint sind die Worte des Gesetzes.[30] Der Ungehorsam der Väter steht dem Handeln Gottes an Mose gegenüber und gipfelt in der Herstellung des goldenen Kalbes und
im Opfer (Ex 32,4.6). Die Aussage wird verstärkt durch τῷ
εἰδώλῳ ; der Begriff meint "das Wirklichkeitslose, das von
törichten Menschen an die Stelle des wirklichen Gottes gesetzt ist".[31]

Nach der Schilderung des Ungehorsams der Väter folgt in 13,18
die Aussage über die Geduld Gottes. Die Geschichte bleibt
trotz des Versagens der Wüstengeneration eine Geschichte des
Heilshandelns Gottes.

7,45 und 13,19 beschreiben die Landnahme "völlig als Gottes
Werk".[32] μετὰ Ἰησοῦ werden die Väter nach Kanaan geführt
und danach sieben Völker ἀπὸ προσώπου τῶν πατέρων ἡμῶν
vertrieben. So erfüllt sich die Verheißung von 7,5: Die Väter erhalten, was Abraham versagt blieb. Gott bleibt treu.

5. Gott und David

13,20 erwähnt, wenn auch durch die Zeitangabe hervorgehoben,
nur mit einem Satz die Richter. "Als die von Gott eingesetz-
ten Leiter des Volkes führen sie hinüber zum Königtum, auf
dessen Entstehung um David willen eingegangen wird".[33] Die
Aussage über das Verlangen des Volkes nach einem König muss
wegen des alttestamentlichen Hintergrundes (1 Sam 8,10;
12,17) negativ verstanden werden.[34] Doch das Credo hat kein
Interesse, das Fehlverhalten des Volkes herauszustellen. Es
geht vielmehr um das Bekenntnis der Geschichtsmächtigkeit
Gottes. Die dem Namen Saul hinzugefügten Attribute bewirken
eine Steigerung innerhalb der prägnanten Schilderung von den
Richtern bis zu den Königen, deren vorläufiger Höhepunkt in

den Aussagen über David erreicht ist. Die Einsetzung Davids
zum König wird mit ἤγειρεν τὸν Δαυὶδ αὐτοῖς εἰς βασιλέα als
Tat Gottes umschrieben, und zwar als in der Wortwahl freie
Wiedergabe von 1 Sam 13,14 (ἐντελεῖται κύριος αὐτῷ εἰς
ἄρχοντα ἐπὶ τὸν λαὸν αὐτοῦ).[35] Die Bedeutung des Geschehens
ist überἤγειρεν hinaus ganz in Gottes Wort über David zu suchen. Drei Aussagen macht Gott. Die erste geht auf Ps 89,21
zurück. Für eine Gemeinde, die mit den Psalmen betet, wird
der ganze Abschnitt V.20-38 mit seiner Anhäufung von prophetischen Zusagen mitklingen.[36] τοῦ Ἰεσσαί kann als Andeutung
jenes messianischen Sprachgebrauchs gelten, der vom Wurzel-
sproß des Isai spricht.[37] Die zweite Aussage des Gotteswortes ist aus 1 Sam 13,14 (ἄνθρωπον κατὰ τὴν καρδίαν αὐτοῦ)
genommen. Der folgende Relativsatz aus Jes 44,28 wird als
Interpretation zu verstehen sein, warum David als ein Mann
nach Gottes Herzen bezeichnet wird. So darf das aus verschiedenen Schriftzusammenhängen komponierte Gotteswort als
Zeugnis für die überragende Wertschätzung des Königs David
nicht nur im Judentum,[38] sondern auch im christlichen Glauben gesehen werden,[39] das in einem christlichen Credo geradezu zur Darstellung des Handelns Gottes an Jesus Christus
drängt.

Diesem entscheidenden Gotteswort schließt sich im Perfekt ein
Verbum des Sagens an, gewissermaßen "als Resultat einer vergangenen Handlung"[40] in dem Sinne: "Gott sprach und spricht
nun". Als Adressaten sind die Väter zu denken, denen mit Jes
55,3 "die 'unvergänglichen Gnaden Davids' zugewendet"[41] werden sollen.

6. Gott und Jesus Christus

Die an die Väter ergangene Verheißung hat Gott in der Gegenwart an den Kindern erfüllt. Wieder steht das Verb im Perfekt, denn es geht um das Resultat des Vorhergesagten. Dabei
muß nicht unbedingt die Nathan-Weissagung (2 Sam 7,8-16)
mitgedacht werden,[42] da die beiden letzten Gottesworte für
sich genommen alles anklingen lassen, was mit der ἐπαγγελία
gemeint sein kann. Was das christologisch bedeutet, sagt
der Schlußteil des Credo aus. Durch ἀπὸ τοῦ σπέρματος Δαυίδ

wird einmal "die physische Verbindung Jesu mit dem auserwähl-
ten Volk hervorgehoben, zum anderen kann die alttestamentlich-
jüdische Messiaserwartung, die eng mit dem Haus David verknüpft war, aufgegriffen und auf Jesus bezogen werden".[43]
ἤγαγεν τῷ Ἰσραὴλ σωτῆρα ist nach Ri 3,9 formuliert. Der Begriff σωτήρ ist ganz durch den vorhergehenden Text bestimmt:
Jesus ist als σωτήρ Gottes Gabe (τὰ ὅσια Δαυὶδ τὰ πιστά).
So kennzeichnen die beiden Hauptsätze den Abschluß des heilsgeschichtlichen Credo als Höhepunkt: Gott erfüllt die an die
Väter ergangenen Verheißungen an den Kindern, indem er für
Israel als Retter Jesus erstehen liess.[44] Damit ist die ganze
Bedeutung Jesu ausgesprochen. Alle anderen Aussagen über Jesus Christus sind darin enthalten und deswegen diesen beiden
Hauptsätzen zugeordnet. Zwar haften Partizipial- und Relativ-
stil an formelhaften Christusaussagen, doch ist dieser Stil
keinesfalls zwingend, so dass grundsätzlich auch eine andere
Satzstruktur hätte gebildet werden können. Man wird daher sagen müssen, dass die gewählte Syntax als angemessen empfunden wurde für das, was inhaltlich betont und entfaltet werden sollte. Selbstverständlich sind die im folgenden zu besprechenden Relativsätze nicht nur als Anhang zu werten. Sie
führen vielmehr vollwertig die Zielaussage des alttestamentlichen Teiles fort. Die Aussagen, die ursprünglich keineswegs gleichwertig waren und einzeln als umfassende Bekennt-
nissätze für das ganze Christusgeschehen stehen konnten, werden zu weiterführenden Etappen des göttlichen Handelns, die
zusammen als umfassende, wenngleich auch nicht alles erfas-
sende Heilsgeschichte verstanden und bekannt werden.

a) Jesus der Nazoräer

Der Name des Retters wird näherhin durch Ναζωραῖος bestimmt. Herkunft und Bedeutung des Wortes sind umstritten.[45]
Etymologisch ist die Herleitung der Bezeichnung aus dem Orts-
namen Nazaret wohl kaum bestreitbar[46] und von daher haben
Mattäus und Lukas auch Ναζωραῖος verstanden.[47] "Es wäre
weiter möglich, dass die Bildung ναζιραῖος eingewirkt hat,
das mit 'rein heilig' in Verbindung gebracht werden kann"
(= נָזִיר ; vgl. Ri 13,5.7).[48] Auf diesem Hintergrund wäre
dann ein "Geweihter Gottes" gemeint. "Das sind Männer, die

entweder in bestimmter Weise von Gott ergriffen und zu besonderem Dienst berufen sind oder die sich in bestimmter Weise zu besonderem Dienst verpflichtet haben".[49] Eine Entscheidung ist kaum möglich. Die Herkunftsbezeichnung sowohl als auch die Bedeutung "Geweihter Gottes" ergeben einen Sinn, wobei letzteres inhaltsreicher ist.

b) Der durch Machttaten Beglaubigte

Das Verständnis des Partizipialsatzes ergibt sich aus der Bedeutung von δυνάμεσι . Der Plural muss, wie es auch die lukanische Redaktion nahelegt, als Ausdruck für die Wundertaten des irdischen Lebens Jesu verstanden werden.[50] Die synoptischen Evangelien geben davon Zeugnis.[51] Durch die Wundertaten seines Lebens ist Jesus der Nazoräer ausgewiesen, legitimiert, beglaubigt. Damit ist einmal eine Interpretation der Taten des irdischen Lebens Jesu gegeben und zum anderen eine nähere Bestimmung zu ἤγαγεν τῷ Ἰσραὴλ σωτῆρα. Die Wundertaten dienen der Legitimation und damit der Interpretation der Bestimmung Jesu zum Retter für Israel. Es versteht sich von selbst, dass das passive Partizip Gottes Handeln umschreibt. Gott selbst ist letztlich der Urheber der Wundertaten und das Tun des irdischen Jesu offenbart so das Heilshandeln Gottes in der Geschichte.

c) Der Gekreuzigte

ὃς διὰ ἀνόμων ἐσταυρώθη als Sterbensaussage fällt zunächst dadurch auf, dass das Sterben Jesu nicht, wie es in der vorpaulinischen Sterbensformel geschieht,[52] in seiner Heilsbedeutung ausgesagt wird. Das ist allerdings nicht völlig ungebräuchlich (s. z.B. IgnTrall 9,1). Ob dennoch die theologische Tragweite des Χριστὸς ἐσταυρωμένος bei Paulus mitklingt, ist nicht zu entscheiden. Die zu spürende "Entleerung" mag am ehesten dadurch zu erklären sein, dass eine ursprünglich soteriologische Bekenntnisformel in ein umfassenderes Bekenntnis der Geschichte Jesu aufgenommen wird. Als Geschichtsaussage fasst der Satz des Credo das ganze Passionsgeschehen zusammen. Das wird noch deutlicher durch die Hinzufügung von διὰ ἀνόμων . Gemeint sind die Heiden als die

Ausführenden der Kreuzigung.[53] Die einfache Aussage gewinnt
jedoch gleich eine andere Dimension, wenn man sie in ihrem
Kontext sieht. Innerhalb der vorangestellten Heilsbedeutung
Jesu und der nachfolgenden Christusaussagen scheint die Kreuzigung als Tiefpunkt der Jesusgeschichte zu verblassen. Denn
der Akzent liegt dort, wo Gott als der Handelnde ausgesagt
wird, dessen Heilsgeschichte durch die Kreuzigung nicht nur
nicht verhindert, sondern zum Höhepunkt geführt wird.

d) Der Auferweckte

Die Auferweckungsaussage entspricht ganz der Auferweckungsformel in Röm 10,9. Der relativische Anschluss ist durch den
Kontext bestimmt. "Das Subjekt des Satzes ist Gott. Die Auferweckung Jesu Christi wird als das Handeln Gottes verstanden".[54] Durch die Wendung ἐκ νεκρῶν wird diese Aussage zum
endzeitlichen Ereignis schlechthin, als mit Jesus Christus
die Auferweckung der Toten beginnt.[55] Es kann nicht genug betont werden, was die Traditionsgeschichte der Auferweckungsformel erkennen lässt, dass nämlich die Auferweckung Jesu
"als die Machttat"[56] zu begreifen und zu bekennen ist. Dieses
ursprünglich alles überbietende Bekenntnis verliert durch den
hier zu findenden Zusammenhang nichts an Aussagekraft und
muss deswegen als die entscheidende und grundlegende Aussage
auch dieses Bekenntnisses gewertet werden. Das Zusammenfügen
verschiedener Heilsereignisse bewirkt zwar eine chronologische
Abfolge, nicht aber notwendig eine Verflüchtigung von Einmaligkeit und Tragweite eines Ereignisses.

e) Der Erschienene

ὅς ὤφθη   "ist ein durch die Septuaginta vorgeprägter Ausdruck, der im Alten Testament häufig im Zusammenhang mit der
Erscheinung Gottes beziehungsweise des Engels Jahwes begegnet".[57] Aus dieser alttestamentlichen Grundlage ergibt sich
auch das Verständnis der Erscheinung des Auferweckten. Es
geht um die Offenbarung Christi als des Herrn "in seiner
göttlichen Präsenz".[58] Der Herr erscheint, um zu senden.[59]
Dieser Sendungsauftrag ist in den Adressaten enthalten, wie
es die lukanische Interpretation dann auch entfaltet: οἵτινές
εἰσιν μάρτυρες αὐτοῦ πρὸς τὸν λαόν   (Apg 13,31; vgl. Apg

10,41.42). Wie Gott Abraham erscheint, um ihn zu berufen,
und dem Mose, um ihn zur Befreiung des Volkes nach Ägypten
zu senden, so erscheint Christus den Seinen, um sie in den
Dienst der Verkündigung zu nehmen. Dass die Erscheinungsformel tatsächlich in den Zusammenhang eines Credo gehört, vermag 1 Kor 15,3-7 schon zu belegen (vgl. 1 Tim 3,16).

f) Der Erhöhte

Die alttestamentliche Herkunft der Formulierung ist offenkundig, deren genaue Quelle jedoch umstritten.[60] Infrage kommen Stellen wie Jes 52,13; Ps 118,16; Ps 110,1 und Ps 68,19.
Die Entscheidung hängt weitgehend von Verständnis des Dativs
τῇ δεξιᾷ ab. Sieht man in der Formulierung einen instrumen-
talen Dativ,[61] so bietet sich Ps 118,16 als Grundlage an.
Versteht man die Worte als lokalen Dativ,[62] kann an Ps 110,1
und sogar an Ps 68,19 gedacht werden. Die lokale Bedeutung
verdient insofern den Vorrang, als nicht nur das lukanische
Doppelwerk, sondern auch andere neutestamentliche Texte
δεξιᾷ in diesem Zusammenhang nur lokal verstehen.[63] Doch
die Wortwahl weist auf Ps 118,16.[64] Dort ist δεξιά Subjekt
zu ὕψωσεν . Wird es durch ὁ θεός ersetzt, bleibt nur ein
instrumentales Verständnis übrig, zumal "der schon in klas-
sischem Griechisch seltene Dativ des Ortes im Neuen Testament praktisch keine Rolle mehr spielt".[65] Die "rechte Hand
Gottes" als "Symbol göttlicher Kraft"[66] lässt die Erhöhung
Jesu zur göttlichen Heilstat von machtvoller Überlegenheit
werden.[67] In dem Verb klingt nicht nur der ganze Bedeutungs-
umfang jener Stellen der LXX mit, in denen Gott Menschen er-
hebt und erhöht, so das Volk Israel, den König, den Gesalb-
ten, den Gerechten, den Frommen, den Knecht Gottes,[68] sondern auch all das, was das Neue Testament mit "Auferweckung,
Auferstehung, Aufnahme, Aufstieg, Entrückung (Diastase Lk
24,51), Inthronisierung (Mt 26,64; Ps 110,1), Königsherr-
schaft (Lk 22,29f; 1Kor 15,25)" auszudrücken versucht.[69]

g) Der Richter

Die letzte christologische Aussage, dass Gott den Erhöhten
zum Richter der Lebenden und Toten bestimmt hat, gehört zum
festen Bestand des neutestamentlichen Glaubens.[70] Grundgelegt

ist diese Vorstellung in dem feststehenden Glaubensartikel
des Judentums, "dass Gott richte".[71] Die Weiterführung dieser Grundlage und ihre Verbindung mit Motiven der Apokalyptik[72] bis hin zu den Menschensohnvorstellungen[73] ermöglichen es, "neben Gott oder an Gottes Stelle" "Jesus Christus
als Weltrichter" erscheinen zu lassen.[74] Im Gesamtzusammenhang der Christusaussagen des Credo ist nicht zu übersehen,
dass Jesus, der Retter, gleichfalls als endzeitlicher Richter bekannt wird, aber gerade nicht nur als der Richter,
"sondern eben damit zugleich als der Retter für diejenigen,
die zur Gemeinde der Glaubenden gehören".[75]

7. Abschliessende Würdigung des Credo

Gott wird in dem Credo als Gott der Geschichte ausgesagt.
Gott als der Schöpfer ist der, der erscheint und spricht, der
wohnen lässt und verheißt, der zurückhält und gibt, der erhöht und herausführt, der erträgt und führt, der erstehen
lässt, erfüllt und einsetzt. Er ist der Gott unserer Väter,
der am Ende dieser Geschichte an den Kindern seine Verheis-
sung erfüllt, indem er aus dem Samen Davids Jesus zum Retter
Israels bestellt. Hier formuliert sich Theologie und Heilsgeschichte, der jeder Bruch mit der Vergangenheit abgeht und
das Interesse, die dunklen Phasen der Geschichte Israels
auszubreiten.

Die summarische Darstellung des Handelns Gottes in der Geschichte Israels steht, wie gezeigt werden konnte, nicht für
sich, sondern ist im Traditionsstrom gleichwertiger oder ähn-
licher heilsgeschichtlicher Abrisse zu sehen. Das Gleiche
gilt für den christologischen Teil im Hinblick auf vergleichbare Texte im frühen Christentum. Auffällig ist die unübersehbar dargestellte Geschichtsmächtigkeit Gottes, die zu dieser Zeit für ähnliche, nicht christliche Rückgriffe auf die
Geschichte Israels beinahe völlig ausser acht gelassen wird.
Der Grund dafür muss allein in der Erfahrung des Handelns
Gottes an Jesus Christus gesehen werden. Unter seinem Eindruck ist es wieder möglich geworden, die Kontinuität der
Heilsgeschichte in den Blick zu bekommen. Die so ermöglichte
Zusammenschau alter und neuer Heilsgeschichte, des alten und
neuen Glaubens kann nicht hoch genug bewertet werden als be-

kennende und einzig angemessene Antwort auf Gottes Handeln.
Es dürfte daher das Urteil berechtigt sein, dass die in dem
Bekenntnis sich ausdrückende Gesamtschau der Geschichte Got-
tes mit den Menschen von einem hohen Stand des gläubigen
Selbstbewußtseins der Christen Zeugnis gibt.

Die positive Sicht der Geschichte, in der das Handeln Gottes
durchgehend als Heil erkannt und bekannt wird, kann kaum am
Anfang des Urchristentums für möglich gehalten werden, sondern muss vielmehr als Frucht eines Glaubens an den geschichtsmächtigen Gott gesehen werden. Die Christen, die so
ihren Glauben bekennen, sehen sich fest verbunden mit der alten Heilsgeschichte. Dabei ist nicht entscheidend, dass alle Etappen der Heilsgeschichte schriftgetreu und erschöpfend
ausgedrückt werden, sondern entscheidend ist, dass der gegenwärtige Glaube die Theologie bestimmt, die sich im Credo ausdrückt.

Hier stellt sich nun die Frage, was geschieht, wenn die Kirche so von Gott sprechend ihren Glauben bekennt. Der christologische Quellgrund dieser Darstellung macht deutlich genug, dass hier mehr ausgesagt wird als ein Wort der Erinnerung, des Gedächtnisses oder der Vergegenwärtigung, aus dem
Heilszuversicht für die Gegenwart und Zukunft beschworen werden kann. Es ist vielmehr die vom gegenwärtigen Heil gezeich-
nete Betroffenheit, aus der die Kraft erwächst, die in den
Schriften und Traditionen ausgesagte Geschichte als Gottes
Heilshandeln an den Menschen neu auszusprechen.

Als "Sitz im Leben" ist allgemein die Liturgie angegeben worden, in der sich der Glaube der Kirche zum Bekenntnis arti-
kuliert. Als Bekenntnis der Kirche ist das Credo zweifellos
auch Grundlage der Unterweisung und der Verkündigung, wie es
die Apostelgeschichte in der Form geschichtlicher Darstellung
eindringlich zu belegen vermag.

VIERTES KAPITEL: Andere in den Reden verwendete Traditionen

Vorbemerkung

In diesem Kapitel soll jene in den Reden verwendete Tradition dargestellt werden, die zusammen mit dem heilsgeschichtlichen Credo die Redaktion dieser Reden wesentlich bestimmt hat. Eine erschöpfende Behandlung ist nicht beabsichtigt, weil das Hauptgewicht der Untersuchung auf der Erarbeitung des heilsgeschichtlichen Credo und auf der Darstellung von seiner Bedeutung für das Verständnis der Apostelgeschichte liegen soll. Dies darf nicht nur aus einer notwendigen Eingrenzung der Gesamtproblematik heraus als berechtigt gelten, sondern ist auch sachlich in der grundlegenden Stellung des Credo für die Redaktion begründet. Die im folgenden vorgenommene Einteilung in Schriftzitate, Schriftauslegung, mit dem Kontext vorgegebene Aussagen und traditionelle Wendungen ergibt sich zum Teil aus den bisherigen Ergebnissen, zum grösseren Teil aber aus einer vorangegangenen Einzelanalyse aller Reden, die zur grösseren Übersichtlichkeit nach ihren Ergebnissen gegliedert wird.

Bei der Behandlung der Schriftzitate ist nur an jene Redeteile gedacht, die offensichtlich auf die Schrift zurückgreifen, nicht jedoch an Worte und Wendungen, die nur als "Nachahmung" der LXX-Sprache angesehen werden können. Verzichtet wird auf eine nochmalige Anführung der Schriftbezüge, die sich in der Analyse der Stephanusrede als redaktionell zu erkennen gaben. Ausserdem wird nicht mehr auf die schon behandelten Schriftzitate und Schriftanklänge in Apg 2,24;[1] 5,30; 10,39[2] und 13,41[3] eingegangen. Zum Thema "Schriftauslegung" sei auch auf Apg 7,42.43 und 7,48-50 verwiesen.[4] Als mit dem Kontext vorgegeben wurden bereits Aussagen in Apg 7,51-53;[5] 13,38.39[6] und Apg 14,15[7] erkannt. Zu den im folgenden angeführten traditionellen Wendungen sind die Ergebnisse aus der Untersuchung von Apg 2,33;[8] 3,15; 5,31;[9] 3,20.21;[10] 13,24.25[11] und 17,22-31[12] mit zu denken. Nicht eigens zusammengestellt werden die Einwirkungen des dritten Evangeliums oder dessen Tradition.

I. Schriftzitate

1. Apg 2,16-21

Mit Apg 2,15 knüpft Lukas direkt an den Vorwurf in Apg 2,13 an.[13] Für dessen Zurückweisung wird eine natürliche Begründung[14] und eine Interpretation des Pfingstereignisses mit Hilfe der Schrift gegeben. Das angeführte Schriftzitat aus Joel 3,1-5 wird abgegrenzt durch die Zitationsformel in V.16 und eine erneute Anrede in V.22.[15] Die Genauigkeit der Stellenangabe[16] und die Funktion des Zitates [17] weisen auf lukanischen Schriftgebrauch. Lk 2,24 und Apg 13,40 haben τὸ εἰρημένον (vgl. Apg 13,34; 17,28). Gegenüber der LXX Joel 3,1-5 sind folgende Abweichungen festzustellen: ἐν ταῖς ἐσχάταις ἡμέραις für μετὰ ταῦτα bedeutet kein "sachlicher Differenzierungspunkt",[18] wohl aber eine Verdeutlichung, die durchaus der Redaktion zugeschrieben werden kann.[19] λέγει ὁ θεός fehlt in der LXX. Lukas scheint zu verdeutlichen, dass es sich hier um ein Gotteswort handelt.[20] Das Fehlen von καί vor ἐκχεῶ , ἐνυπνίοις statt ἐνύπνια, καί γε statt καί und τοὺς δούλους μου καὶ ἐπὶ τὰς δούλας μου statt τοὺς δούλους καὶ ἐπὶ τὰς δούλας können als Sonderlesart der LXX gewertet werden.[21] In der LXX fehlt καί προφητεύσουσιν . Der Zusatz kann als lukanisch gelten. Diese Annahme wird durch Apg 19,6 nahegelegt.[22] Dass καὶ οἱ νεανίσκοι κτλ. in der LXX nach καὶ οἱ πρεσβύτεροι κτλ. steht, kann als Versehen angesehen werden.[23] Anstelle καὶ δώσω τέρατα ἐν τῷ οὐρανῷ καὶ ἐπὶ τῆς γῆς hat Lukas καὶ δώσω τέρατα ἐν τῷ οὐρανῷ ἄνω καὶ σημεῖα ἐπὶ τῆς γῆς κάτω. Diese Abweichung ist in Verbindung mit V.22 zu sehen.[24] Der Doppelausdruck entspricht dem Sprachgebrauch der Apostelgeschichte (2,43; 4,30; 5,12; 6,8; 7,36; 14,3; 15,12). Joel 3,5b hat Lukas wegen dessen Einschränkung der Verheißung ausgelassen.[25] Ob Lukas dieses Zitat selbst aus der Schrift entnommen oder schon in einem nicht mehr feststellbaren anderen Zusammenhang vorgefunden hat, ist kaum sicher zu entscheiden. Röm 10,13 vermag jedoch zu zeigen, dass wenigstens Joel 3,5a schon vor Lukas christologisch verstanden wurde.[26] Vielleicht hat der Verfasser der Apostelgeschichte Joel 3,5a in einer Sammlung christologischer LXX-Zitate vorgefunden und erweitert.

2. Apg 2,25-28

Wenn sich, wie noch gezeigt werden kann, in Apg 2,29-31 eine
dem Verfasser der Apostelgeschichte vorgegebene Schriftauslegung feststellen lässt, dann dürfte die in dieser Tradition
zu finden Anführung von Ps 16,10 die Zitation von Ps
16,8-11 in Apg 2,25-28 verursacht haben. Der Wortlaut des
Psalmzitates stimmt fast völlig mit der LXX überein.[27] Ein
Eingriff durch Lukas ist nicht zu erweisen.[28] Die Frage ist,
ob Lukas das Zitat selbst seiner Schrift entnommen hat oder
ob es ihm in einem anderen Zusammenhang vorgegeben war. Der
Beginn mit Ps 16,8 kann darüber keinen Aufschluss geben, weil
der damit eingeleitete Teil grundsätzlich für eine christologische Anwendung geeigneter als der erste Teil erscheinen
musste. Auffallend ist, dass der Schluss des Psalmes fehlt,
nämlich τερπνότητες ἐν τῇ δεξιᾷ σου εἰς τέλος.   Dieses
Fehlen kann kaum dem Lukas zugeschrieben werden, der sich um
"korrekte Zitate müht",[29] zumal dieser Schluss als genehme
Verstärkung etwa auch im Hinblick auf Apg 2,33-35 hätte dien-
lich sein können. Dann aber wären diese Psalmverse dem Verfasser der Apostelgeschichte so in einem nicht mehr näher be-
stimmbaren Zusammenhang vorgegeben. Doch ist die Möglichkeit
nicht auszuschliessen, dass Lukas gerade wegen seines Gedan-
kenganges, also im Hinblick auf V.33-35, diesen Psalmschluss
ausgelassen hat, nicht nur um anderes Traditionsgut dafür zu
verwenden, sondern auch im Sinne einer Steigerung.[30]

Das Zitat für sich genommen muss nicht nur, wie V.24 und 29
bis 31 es verstehen, die "heilsgeschichtliche Notwendigkeit"[31]
der Auferweckung Jesu beinhalten, sondern kann als Interpretation und Beweismittel[32] des ganzen Christusgeschehens gewertet werden. Denn V.25 könnte auch auf das Leben Jesu einschliesslich Kreuz bezogen werden,[33] während V.28 das Leben
des Erhöhten "umschreibt".[34] Das aber spräche wiederum dafür, dass dieser so geeignete Psalm Lukas in einem christologischen Zusammenhang schon vorgegeben gewesen wäre, vielleicht in einer Sammlung von Schriftzitaten.

3. Apg 3,13

In Apg 3,13 ist ἐδόξασεν τὸν παῖδα αὐτοῦ   als Anspielung
auf Jes 52,13 zu verstehen.[35] Für diese Annahme spricht nicht

nur das Zusammentraffen von παῖς und δοξάζειν , sondern
auch das im lukanischen Doppelwerk nur hier vorliegende Verständnis des Verbs als "verherrlichen".[36] Schwer ist die Frage zu beantworten, ob der dritte Evangelist selbst die Aussage mit Hilfe der LXX formuliert hat. Dafür könnte Lk 24,26
sprechen, wo das Leiden Christi und dessen Eingehen in die
δόξα zusammen genannt sind,[37] so dass hier nichts anderes
vorläge als eine Variation desselben Gedankens, in dieser Rede hervorgerufen durch die entsprechenden Aussagen des Credo.
Es ist jedoch nicht auszuschliessen, dass der Verfasser der
Apostelgeschichte auch diese Schriftstelle einer Sammlung
christologischer Texte aus der LXX entnommen hat. Darauf
könnten jene Stellen des dritten Evangeliums hinweisen, in
denen auf die Gottesknechtslieder zurückgegriffen wird, ohne
jedoch die Bezeichnung Christi als παῖς θεοῦ aufzuweisen.[38]
Dagegen lassen sich die Aussagen der Apostelgeschichte, in
denen vom "Gottesknecht" gesprochen wird (Apg 3,26; 4,27.30),
aus einer vorliegenden Formulierung nach Jes 52,13 erklären.
So nimmt Apg 3,26 nochmals die Eingangsaussage der Rede auf.
Ebenfalls kann Apg 4,27 aus dieser Rede begriffen werden.
Und schliesslich zeigt Apg 4,30, dass Lukas Apg 3,13 nicht
nur als Variation der Erhöhungsaussage verstanden wissen will,
sondern gleichzeitig als Interpretation des Wunders διὰ τοῦ
ὀνόματος τοῦ ἁγίου παιδός σου 'Ιησοῦ.[39]

4. Apg 3,22-25

Die Zitate in Apg 3,22-25[40] erweisen sich insofern als selbständiger Redeteil, als die Analyse von V.19-21[41] eine ursprünglich selbständige Eliastradition erbrachte, die Lukas
christologisch interpretiert hat. Erst durch den Relativsatz
ὧν ἐλάλησεν ὁ θεὸς διὰ στόματος τῶν ἁγίων ἀπ' αἰῶνος αὐτοῦ
προφητῶν hat der Verfasser der Apostelgeschichte die Möglichkeit geschaffen, die Schriftzitate anzuführen. Kompositionsprinzip der V.22-24 dürfte Lk 24,27; Apg 26,22; 28,23
(vgl. Lk 16,29.31) sein.[42] Die Worte des Mose sind aus verschiedenen Schriftstellen gebildet.[43] Das aber spricht dafür, dass Lukas das Zitat vorgefunden hat, weil die Bildung
von Mischzitaten für die lukanische Redaktion nicht nachweisbar ist. Wie bereits bemerkt wurde,[44] wird sich die ursprüng-

liche Einleitung dieses Mosewortes in Apg 7,37 erhalten haben, weil dort die Nennung der Adressaten (υἱοῖς Ἰσραήλ   )
die Umsetzung des Singulars von Dtn 18,15 in den Plural er-
klärlich macht. Ausserdem wird aus dieser ursprünglichen Nennung der Adressaten οἱ υἱοί in Apg 3,25 verständlich. V.23
ist aus Dtn 18,16.19 und Lev 23,29 gebildet.[45]

V.25 und 26 sind abschliessende Anrede an die Zuhörer. οἱ
υἱοὶ τῶν προφητῶν knüpft an das unmittelbar vorher Gesagte
an. τῆς διαθήκης ist im Hinblick auf das Gotteswort an
Abraham gesagt. Mögliche Grundlage für das ungenaue Gotteswort in Apg 3,25 ist Gen 12,3 oder 22,18 in der LXX (vgl. Gen
26,4; 28,14; Ps 72,17; Sir 44,21).[46] Legt man Gen 12,3 zugrunde, dann wurde aus christologischen Motiven heraus ἐν
τῷ σπέρματί σου aus Gen 22,18 (26,4) für ἐν σοί betont
an den Anfang gestellt und φυλαί durch πατριαί ausgewech-
selt. Denkt man jedoch an Gen 22,18 als Grundlage, so wäre
ἐν τῷ σπέρματί σου einfach betont vorangestellt und τὰ
ἔθνη durch πατριαί ersetzt, um die Juden in die Verheis-
sung einbeziehen zu können.[47] Das aber dürfte Gen 22,18 als
die besser zu begründende Quelle erscheinen lassen. Diese
sehr freie Schriftbenutzung kann ebenfalls nicht für lukanisch gehalten werden. So legt sich die Vermutung nahe, dass
Lukas aus einer Sammlung zitiert, in der christologisch
transparente Worte der Schrift zusammengestellt waren.[48] Darauf vermag wenigstens für das Abrahamwort Gal 3,8 hinzuweisen.[49]

5. Apg 4,11

Darf es als sicher gelten, dass Lukas in Apg 4,10 das heilsgeschichtliche Credo verwendet[50] und dass darüber hinaus, wie
noch gezeigt werden soll,[51] sich alle Aussagen über die Heilung eines Kranken aus einer ursprünglich nicht die Verhaftung der Apostel beinhaltenden Tradition über die Heilung
eines Gelähmten ableiten, dann ist Apg 4,11 als lukanische
Aussage mit Hilfe Ps 118,22 zu werten. Darauf weist auch die
Einleitung der Worte οὗτός ἐστιν ὁ mit Partizip als einer
Aussageform, die schon die Analyse von Apg 7,37.38 und 10,42
als von Lukas bevorzugt zu erkennen gab.[52] Die Wahl dieser
Form macht es verständlich, warum das Zitat nicht als solches

gekennzeichnet ist. Eine Übernahme des Psalmverses aus Lk
20,17 scheidet aus. Alle drei Synoptiker folgen in ihren Evangelien der LXX, nicht aber Apg 4,11.[53] Die Wahl von ἐξουθε-
νεῖν anstelle des in der LXX stehenden ἀποδοκιμάζειν
kann eigenständige Übersetzung der hebräischen Grundlage sein
und macht deutlich, dass nicht Lk 20,17 als Grundlage diente.[54] Dagegen ist die Einfügung von ὑμῶν entsprechend dem
ὑμεῖς in V.10 sicher lukanisch.[55] Die auch sonst im Neuen
Testament zu findende christologische Verwendung des Psalmverses[56] legt den Schluss nahe, dass Lukas dieses Schriftwort einer Sammlung alttestamentlicher Texte über Christus
entnommen hat. Dass er das Zitat in den Wortlaut der Rede
einfügt, ohne dies durch eine Zitationsformel deutlich zu
machen, entspricht dem beobachteten Verfahren in Apg 3,13.

6. Apg 13,33

In Apg 13,33-37 finden sich drei Schriftzitate. Das zweite,
hier zur Begründung der Auferweckung angeführt, ist, wie gezeigt werden konnte,[57] aus dem heilsgeschichtlichen Credo
genommen. Das dritte war dem Verfasser der Apostelgeschichte
in einem selbständigen traditionellen Text vorgegeben, was
noch im folgenden besprochen werden wird.[58] Umstritten in
seiner Funktion innerhalb der Rede ist das erste Zitat. Die
Frage ist, ob es das Leben Jesu oder dessen Auferweckung
interpretiert.[59] Wiedergegeben ist Ps 2,7[60] in wörtlicher
Übereinstimmung mit der LXX.[61] "Die Zitationsformel ist in
ihrer Genauigkeit einmalig im NT".[62] Ist es richtig, dass
Apg 13,23.32.33 auf das heilsgeschichtliche Credo zurückgehen,[63] dann muss ἀναστήσας Ἰησοῦν als Variation von
ἤγαγεν σωτῆρα Ἰησοῦν und somit als Umschreibung des umfassenden Handelns Gottes an Jesus Christus verstanden werden. Wie σωτήρ im Credo die Funktion Jesu angibt, so umschreibt das Psalmzitat, als wen Gott Jesus hat erstehen lassen. Mit dieser Erklärung ist nicht nur dem sprachlich unter-
schiedenen ἀναστήσας Ἰησοῦν einerseits und ἀνέστησεν
αὐτὸν ἐκ νεκρῶν (V.34) andererseits Rechnung getragen,[64]
sondern auch dem Zitat selbst.[65] Dieses wäre dann nicht nur
auf das Leben Jesu oder nur auf dessen Auferweckung bezogen,
sondern diente einer umfassenden Beschreibung der Bedeutung

Jesu in Erfüllung der Schrift. Doch der Redezusammenhang scheint mehr auf die Auferweckung Jesu abzuzielen.[66] Die bestehende Verständnisschwierigkeit erklärt sich am ehesten aus dem Eigengewicht der Credoaussage und der Zielsetzung lukanischer Redaktion. Wenn Lukas Ps 2,7 hier anführt, mag er das Zitat, wie der Wortlaut und die genaue Herkunftsbezeichnung es nahelegen, direkt nach LXX wiedergeben. Die auch sonst zu findende Verwendung dieses Verses kann jedoch auch als Hinweis gewertet werden, dass hier ein weiteres für eine christologische Verwendung geeignetes Schriftzitat einer Sammlung vorliegt.

II. Schriftauslegung

1. Apg 2,29-31; 13,36.37

Auf das Schriftzitat in Apg 2,25-28 wurde bereits eingegangen. Es handelt sich um Ps 16,8-11. Die Verse sollen an dieser Stelle der Pfingstrede die Notwendigkeit der Auferweckung beweisen. Ist damit die Funktion des Zitates richtig bestimmt, so fällt bei der für Lukas selbstverständlichen Verbindlichkeit der Schrift auf, dass in V.29-31 eine weitere Begründung für die Auferweckung zu finden ist, als muß "erst in einem besonderen Gedankengang nachgewiesen werden, dass das Zitat als Beweismittel dienen kann".[67] Es legt sich daher der Schluss nahe, dass der Verfasser der Apostelgeschichte an das Schriftzitat eine ihm vorgegebene Argumentation anfügt.

V.29-31 sind als Einheit erkennbar einerseits durch die erneute Anrede in V.29 und andererseits durch die Wiederaufnahme der Auferweckungsaussage in V.32. Die Bemerkung ἐξὸν εἰπεῖν μετὰ παρρησίας πρὸς ὑμᾶς περὶ τοῦ πατριάρχου Δαυίδ soll ähnlich wie in V.14 und 22 die Aufmerksamkeit der Hörer erwirken, wie es vor allem durch πρὸς ὑμᾶς angezeigt wird. Gut griechisch ist das adjektivierte Partizip ἐξόν[68] und die Auslassung von ἐστίν in unpersönlichen Ausdrücken.[69] μετὰ παρρησίας lässt lukanische Wortwahl erkennen, wie Apg 4,(13.)29.31; 28,31 zu zeigen vermögen. Der Titel πατριάρχης ist von David nur hier ausgesagt und wird deswegen zur Tradition zu ziehen sein, die mit dem ὅτι-Satz beginnt.

Zur Erhebung der Tradition ist Apg 13,36.37 in die Überlegungen einzubeziehen.[70] Denn die Übereinstimmungen beider Redeabschnitte und deren Unterschiede legen den Schluß nahe, daß Lukas in der Rede des Paulus nicht einfach Apg 2,29-31 verkürzt aufnimmt, sondern einem beiden Stellen vorgegebenen Text folgt und diesen dem jeweiligen Kontext anpasst. An beiden Stellen wird, nachdem die Auferweckung Jesu verkündet und mit der Schrift belegt worden ist, vom Tode Davids ausgegangen. Beide Stellen haben das Ziel herauszustellen, daß der Auferweckte die Verwesung nicht sah.

Der zweifachen Aussage über den Tod Davids καὶ ἐτελεύτησεν καὶ ἐτάφη in 2,29 entspricht die dreifache Aussage ἐκοιμήθη καὶ προσετέθη πρὸς τοὺς πατέρας αὐτοῦ καὶ εἶδεν διαφθοράν in 13,36. Die Vermutung, dass 2,29 ἐκοιμήθη καὶ προσετέθη (13,36) vielleicht in Anlehnung an 7,15 mit ἐτελεύτησεν zusammenfasst, während 13,36 καὶ ἐτάφη in 2,29 mit καὶ εἶδεν διαφθοράν wiedergibt, um eine deutlichere Gegenüberstellung David / Jesus zu erwirken, wird zur Gewißheit, wenn die ursprüngliche Aussage auf dem Hintergrund der LXX gesehen wird.

1 Kön 2,10 heißt es: καὶ ἐκοιμήθη Δαυὶδ μετὰ τῶν πατέρων αὐτοῦ καὶ ἐτάφη ἐν πόλει Δαυίδ . Hieraus dürfte mit Sicherheit ἐκοιμήθη καὶ ἐτάφη genommen sein. μετὰ τῶν πατέρων hat dann zu einer Verbindung dieser Stelle mit der Formel προστιθέναι πρὸς τοὺς πατέρας geführt, wie sie in Ri 2.10; 2 Kön 22,20 und 1 Makk 2,69 zu finden ist.[71] Auch ist in diesem Zusammenhang auf 2 Sam 7,12 zu verweisen. Diese Stelle könnte sogar das indirekte Gotteswort in Apg 2,30 verursacht haben.

Eine gewisse Verständnisschwierigkeit bietet in 13,36 der wahrscheinlich lukanische Satzteil ἰδίᾳ γενεᾷ ὑπηρετήσας τῇ τοῦ θεοῦ βουλῇ . "Diente David seiner Generation oder dem Willen Gottes? Entschlief David in seiner Generation (dat.temporis) oder durch Gottes Willen? Oder hat David in seiner Generation dem Willen Gottes gedient?"[72] ὑπηρετεῖν findet sich im Neuen Testament nur in der Apostelgeschichte (noch 20,34; 24,23). Versteht man das Verb "im Rahmen der in der Umwelt üblichen Bedeutung helfen auf Grund von aus-

drücklicher Willensbestimmung eines anderen",[73] dann wäre
τῇ βουλῇ   zu ὑπηρετήσας   zu ziehen, was aufgrund von Apg
13,22 möglich erscheint. Wenn aber die βουλή   Gottes bei Lukas sonst immer den göttlichen Ratschluß, "der den Ablauf der
Heilsgeschichte bestimmt",[74] meint, dann dürfte die sinnvoll-
ste Lösung darin liegen, βουλή   zu den beiden folgenden Verben zu ziehen, so dass dem ὁ θεός   im δέ-Satz ein τῇ τοῦ θεοῦ βουλῇ   im μέν-Satz entspricht. γενεά   ist Lukas ge-
läufig, ἴδιος ebenfalls.[75] Der Ausdruck wird die zeitlich
begrenzte Bedeutsamkeit Davids ausdrücken wollen.

Durch den Hinweis auf das Grab   καὶ τὸ μνῆμα αὐτοῦ ἔστιν ἐν
ἡμῖν ἄχρι τῆς ἡμέρας ταύτης   in Apg 2,29 wird die Redesituation einbezogen, so dass "die Rückkehr zum Hauptthema" im
folgenden durch   οὖν   angezeigt wird.[76]   καὶ ἐτάφη   wird mit
ἐν πόλει Δαυίδ   aus 1 Kön 2,10 weitergeführt gewesen sein,
doch kann die Kenntnis des davidischen Grabes in Jerusalem
auch für Lukas zum Allgemeinwissen gehört haben.

Der weitere Gedankengang der Tradition hängt davon ab, ob das
Schriftwort in Apg 2,30 redaktionell eingefügt worden ist. Dagegen spricht, dass für dessen Anführung im unmittelbaren Gedankengang kein Grund gefunden werden kann, wohl aber dessen
Auslassung in Apg 13,36 als gedankliche Straffung des Verfassers der Rede verstanden werden kann. "Für die Absicht des
Lukas würde es genügt haben, wenn V.30 lautete: προφήτης
οὖν ὑπάρχων   ".[77] Auch sprechen Art und Weise der Zitierung
nicht für lukanischen Schriftgebrauch. Der zugrundeliegende
Ps 132,11 ist "aus der wörtlichen Gottesrede in die berich-
tende Form mittels einer Infinitivkonstruktion"[78] umgesetzt.
Der seltene Dativ   ὅρκῳ[79] enthält indirekt aus Ps 132,1 die
Beteuerungsformel   ἀλήθειαν καὶ οὐ μὴ ἀθετήσει αὐτήν   und
verstärkt ὤμοσεν .[80] ὁ θεός   für κυρίου entspricht zwar
dem Sprachgebrauch der Rede, muss deswegen aber nicht erst
vom Verfasser der Apostelgeschichte stammen. Aus   κοιλίας
ist ὀσφύος geworden, aus   θήσομαι   der Aorist ἐκάθισα .
Beide Änderungen lassen den Inhalt "als Mischform" der Da-
vidsverheißung aus Ps 132,11 und 2 Chr 6,9.10 erkennen.[81]
Mischformen jedoch können·für den dritten Evangelisten nicht
nachgewiesen werden. προφήτης   ist von David nur hier ausgesagt. ὑπάρχειν "als ein im Hellenist. weit verbreiteter

Ersatz für εἶναι mit Prädikatsnomen"[82] findet sich im Neuen
Testament vor allem bei Lukas.[83] Die Voranstellung des Ausdrucks kann als lukanische Redaktion gelten, wenn man bedenkt,
welches Gewicht das Doppelwerk des Evangelisten den Propheten im Hinblick auf Christus zumißt. Dass er dabei nicht nur
an die alttestamentlichen prophetischen Bücher denkt, kann
in etwa auch aus der summarischen Bemerkung in Apg 3,18 entnommen werden. Eng mit προφήτης ὑπάρχων verbunden ist
προϊδών zu sehen (vgl. Apg 2,25; 21,29). Zählt man auch dieses Partizip zur lukanischen Redaktion, so löst sich für die
Tradition der Eindruck, dass sich "ein anderer Gedanke" da-
zwischenschiebt.[84]

Der Abschnitt kommt in dem Ausspruch Davids V.31 zum Ziel.
Aufgenommen ist Ps 16,9.10. Die Formulierung gehorcht der
christologischen Ausrichtung: οὐκ - οὐδέ ist zu οὔτε - οὔτε
geändert, die zweite Person zur dritten und das Futur zum
Aorist. τὴν ψυχήν μου ist fortgefallen. τὸν ὅσιον durch
ἡ σάρξ αὐτοῦ ersetzt. Einen wenn auch unsicheren Hinweis
für Tradition bietet εἰς ᾅδου anstelle des oben stehenden εἰς ᾅδην .[85] Die christologische Aussage macht τοῦ
Χριστοῦ als logisches Subjekt der Aussage unentbehrlich
und muss daher zur Vorlage gerechnet werden. ἀνάστασις
dagegen wird von Lukas aufgrund von V.24 und 32 stammen.[86]
Apg 1,22 spricht von der ἀνάστασις αὐτοῦ , Apg 4,33 von
τοῦ κυρίου Ἰησοῦ ἀνάστασις , also nicht in Verbindung mit
dem Christustitel.

Als Wortlaut der von Lukas benutzten Schriftauslegung kann
gelten:

> ὁ πατριάρχης Δαυὶδ ἐκοιμήθη
> καὶ προσετέθη πρὸς τοὺς πατέρας αὐτοῦ
> καὶ ἐτάφη ἐν πόλει Δαυὶδ
> καὶ εἰδὼς ὅτι ὅρκῳ ὤμοσεν αὐτῷ ὁ θεὸς
>   ἐκ καρποῦ τῆς ὀσφύος αὐτοῦ
>   καθίσαι ἐπὶ τὸν θρόνον αὐτοῦ
> ἐλάλησεν περὶ τοῦ Χριστοῦ ὅτι οὔτε
>   ἐγκατελείφθη εἰς ᾅδου οὔτε
>   ἡ σὰρξ αὐτοῦ εἶδεν διαφθοράν.

Diese so erhaltene Schriftauslegung[87] argumentiert ganz christologisch und setzt die Wirklichkeit der Auferweckung Jesu
Christi voraus. Der Text hat also durchweg als christliche
Schöpfung zu gelten,[88] wenn auch die Wurzeln dafür in den
messianischen Davidserwartungen des Judentums zu suchen
sind.[89] Die Schriftauslegung geht von dem dreifach geschilderten Faktum des Todes Davids aus. Weil David aber um den
Schwur Gottes wusste, sagte er über den Christus, dass dieser unmöglich im Tode bleiben werde. Beide Aussagen sind so
eng miteinander verbunden, dass sie sich gegenseitig inter-
pretieren.[90] Diese Interpretation aber ist nur möglich, wenn
ganz von der Auferweckung Jesu her gedacht wird.

2. Apg 2,34.35

Die an Apg 2,29-31 angefügten Verse sind als lukanische Bildung mit Hilfe verschiedener vorgegebenen Aussagen anzusehen.
Deutlich ist in der Auferweckungs- und Erhöhungsaussage das
Credo aufgenommen, verbunden mit einer Zeugenaussage und einer die Situation des Pfingstereignisses einbeziehenden Interpretation. In Apg 2,34.35 wird nochmals auf David eingegangen, um die Stellung des Erhöhten aus der Schrift zu begründen. Der Begründungscharakter der Verse wird durch das
γάρ angezeigt. Der unvermittelte und erneute Rückgriff auf
David kann als erster Hinweis gewertet werden, dass Lukas
nicht selbst formuliert. Dieser Eindruck wird zur Gewißheit
sowohl durch die Art der Schriftbenutzung als auch durch die
Wortwahl des Einleitungssatzes. Zwar ist das genau nach der
LXX wiedergegebene Schriftzitat aus Ps 110,1[91] "eines der
wesentlichen Fundamente" urchristlicher Theologie,[92] so entspricht doch dessen Anwendung in der Pfingstrede einem sonst
im Neuen Testament nicht zu findenden Schriftgebrauch. Für
den dritten Evangelisten ist die Schrift selbstverständliche
Autorität auf Christus hin und bedarf nicht mehr des Bewei-
ses, dass christologisch transparente Schriftaussagen von
Christus und nicht von einem anderen gelten. Letzteres aber
geschieht, wie schon in Apg 2,29-31 auch in Apg 2,34.35.
Hinzuweisen ist noch auf das gleiche Verfahren in Apg
8,30-35.[93] Ebenso vermag die Wortwahl des Einleitungsverses
für Tradition zu sprechen. ἀναβαῖνειν gebraucht der

Verfasser der Apostelgeschichte nie für die Erhöhung Jesu
(vgl. aber Joh 3,13; 6,62; 20,17; Eph 4,8.9.10[94]). Der Plural οὐρανοί findet sich im lukanischen Doppelwerk (wahrscheinlich vorgegeben) ausser an dieser Stelle nur noch Apg
7,56.[95] Gerade diese Einleitung dürfte ausschliessen, dass
die Apostelgeschichte lediglich Lk 20,41-44 aufnimmt. Schließlich ist noch auf den Unterschied von τῇ δεξιᾷ und ἐκ δεξιῶν hinzuweisen,[96] der sich am besten durch das Zusammentreffen ursprünglich nicht zusammengehöriger Traditionen erklärt.

III. Mit dem Kontext vorgegebene Aussagen

1. Apg 2,15

Die Anrede in Apg 2,14 nimmt Bezug auf den Kontext (Apg 2,5).
γνωστός (Apg 1,19; 4,10.16; 9,42; 13,38; 15,18; 19,17;
28,22.28) ist "offensichtlich ein Lieblingswort des Lukas,
nicht ein Aramaismus (so Bauernfeind 77), sondern übernommen aus der LXX, wo auch die Formel γνωστὸν ἔστω mehrfach
vorkommt".[97] καὶ ἐνωτίσασθε τὰ ῥήματά μου ist nach Hiob
32,11 (ἐνωτίζασθέ μου τὰ ῥήματα) formuliert.[98] V.15
knüpft direkt an den in V.13 stehenden Vorwurf an. Für dessen Zurückweisung wird eine zweifache Begründung gegeben.
Auf die Funktion des angeführten Schriftzitates in diesem Zusammenhang wurde bereits eingegangen.[99] Die Frage ist, ob die
"natürliche" Begründung ἔστιν γὰρ ὥρα τρίτη τῆς ἡμέρας
dem Verfasser der Apostelgeschichte vorgegeben war. Ohne an
dieser Stelle die sehr schwierigen Fragen nach Tradition und
Redaktion im Pfingstbericht angehen zu können,[100] kann doch
angenommen werden, dass die Übereinstimmungen und Unterschiede der V.7 und 12 auf eine beiden Sätzen gemeinsame vorgegebene Grundlage weisen und die Wiederholung nur durch den nach-
träglichen Einschub der "Völkerliste" bedingt ist.[101] Die
Völkerliste aber ist nur möglich, wenn das Pfingstereignis
in seiner Folge als Sprachwunder interpretiert wird.[102] Dazu
passt jedoch nicht die spöttische Bemerkung in V.13 und deren Zurückweisung durch Petrus. Sinnvoll sind diese Bemerkungen nur, wenn der ursprüngliche Pfingstbericht, wie es ja
noch durchschimmert, eine Schilderung "von einem Ausbruch von

Glossolalie" enthielt.[103] Dann hätte diese Tradition trotz
lukanischer Umgestaltung zu einem Sprachwunder noch soviel
Eigengewicht behalten, dass selbst die Rede des Petrus von
ihr in der Aussage bestimmt wurde: οὐ γὰρ οὗτοι μεθύουσιν,
ἔστιν γὰρ ὥρα τρίτη τῆς ἡμέρας . Wohin diese präzise Zeitangabe[104] ursprünglich gehört hat, ob zum Anfang des Pfingst-
berichtes oder zu dessen Schluss, ist nicht mehr feststellbar.

2. Apg 3,12.16

Die bisherige Untersuchung erbrachte bezüglich der Rede des
Petrus Apg 3,12-26, dass den V.13-15 vornehmlich das Credo
zugrundeliegt. Die Christusaussagen finden in V.17 eine direkte Fortsetzung, so dass V.16 wie ein Einschub zugunsten
der Redesituation erscheint. Andererseits kann V.16 als direkte Fortführung von V.12 angesehen werden, so dass V.13-15
wie ein Einschub aussieht. Darf dieses Ineinander als Hinweis
für eine ursprünglich selbständige und mit der Szene vorgegebene Antwort des Petrus gewertet werden? Auffallend ist, daß
beide Verse[105] je zwei parallele Aussagen machen, einmal das
Staunen über den Geheilten und das Anstaunen der Apostel, zum
anderen die Wunderkraft des Namens Christi und die Heilungs-
macht des Glaubens. Dies kann bewusste Redaktion des Verfassers der Apostelgeschichte sein. Rückt man nämlich beide Verse aneinander, so sieht die Selbstaussage der Apostel wie
eine Erweiterung aus. Dass Lukas formuliert, legt sich auch
durch die Wortwahl und Syntax nahe. Denn ἀτενίζειν mit Dativ der Person[106] hat noch Lk 4,20; 22,56; Apg 10,4; 14,9;
23,1 (vgl. Apg 1,10; 3,4; 6,15; 7,55; 11,6; 13,9).[107] ὡς
als Einführung einer Eigenschaft von Personen, die "nur in
der Einbildung" besteht, hat Lk 23,14; Apg 23,15.20; 27,30.[108]
Der Genitiv des Infinitivs mit Artikel "hat ein ausgedehntes
Gebiet" "namentlich bei Lukas".[109] Dass εὐσέβεια im lukanischen Doppelwerk nur hier steht, spricht nicht gegen Redaktion, sondern eher für ein differenzierendes Ausdrucksvermö-
gen des dritten Evangelisten, der dieses Wort hier wählt als
Gegensatz zu πίστις (vgl. εὐσεβεῖν in Apg 17,23 und
εὐσεβής in Apg 10,2.7). Die "syntaktische Schwerfälligkeit"[110] in V.16 weist auf ein Zusammentreffen von Redaktion

und Tradition. Letzteres wird auch angezeigt durch die Wörter
ὁλοκληρία und ἀπέναντι .[111] Versteht man τῇ πίστει
στερεοῦν nicht von Apg 3,7 her, sondern wie in Apg 16,5 als
Festmachen im Glauben, dann ist die erste Aussage von Lukas
gebildet und ergibt mit der zweiten zusammen einen klaren Gedankengang, ohne dass man fragen muss, ob nun der Name Christi
oder der Glaube an den Namen die Heilung erwirkt hat oder wieso unterschiedliche Subjekte das gleiche bewirken können,
auch wenn beide Aussagen für sich genommen sinnvoll sind. Die
erste Aussage kann auch dann als redaktionell angesehen werden, wenn man beide Aussagen als Interpretation der Heilung
versteht, so dass der erste Satz entsprechend der Doppelaus-
sage in V.12 die Heilung im Hinblick auf den Geheilten und
der zweite Satz im Hinblick auf die Apostel ausdrückt. Dies
liegt insofern näher, als dann στερεοῦν den Sinn von V.7
behält. Der nur hier als Subjekt verwendete Begriff ὄνομα
entspricht sehr genau der Wirklichkeit, dass es nicht einfach
der Glaube des Geheilten war, durch den die Heilung bewirkt
wurde, sondern der Name Jesu, jedoch nicht ohne den Glauben
des Geheilten. Dagegen kann im Hinblick auf die Apostel sehr
wohl sofort vom Glauben im Unterschied zu deren eigener Kraft
oder Frömmigkeit gesprochen werden.

Mit dem Kontext wird also vorgegeben sein: τί θαυμάζετε ἐπὶ
τούτῳ; ἡ πίστις ἡ διὰ τοῦ ὀνόματος Ἰησοῦ Χριστοῦ ἔδωκεν
αὐτῷ τὴν ὁλοκληρίαν ταύτην ἀπέναντι παντῶν ὑμῶν.   Lukas
hat diese allgemeine Erklärung des Wunders sowohl auf den Geheilten als auch auf die Apostel bezogen.

3. Apg 4,12

Darf man annehmen, dass Apg 4,2-12 und 5,17-42 ein "Traditionsstück über die Verhaftung und das Verhör der Apostel
vor dem Hohen Rat" zugrundeliegt,[112] welches ursprünglich
nicht mit der Heilung des Gelähmten verbunden war, dann
könnte mit Apg 4,8 oder 5,29 auch ein Wort der Apostel vorgegeben sein, das auf die Anklage des Hohen Rates in Apg
5,28b eingeht.[113] Vielleicht ist ein Fragment dieser Antwort
in Apg 4,12[114] enthalten. Denn Apg 4,9-11 ergibt sich aus der
Verknüpfung mit der Heilsgeschichte unter Einbeziehung des

Credo und eines Schriftzitates. Der Satz καὶ οὐκ ἔστιν
ἐν ἄλλῳ οὐδενὶ ἡ σωτηρία   in Apg 4,12 kann sehr gut zu einer ursprünglichen Gegenantwort der Apostel gehört haben, aufgrund derer die in Apg 4,13 geschilderte Reaktion des Hohen
Rates verständlich wird. Nun gehört aber σωτηρία zu den
von Lukas bevorzugten Worten,[115] in den Petrusreden steht es
jedoch nur hier. Auch der letzte Satz (Apg 4,12) entspricht
der ursprünglichen Situation vor allem durch das die Rettung
des Gelähmten überbietende σωθῆναι ἡμᾶς . Da beide Sätze
inhaltlich das gleiche besagen, wird einer von beiden aus dem
anderen von Lukas gebildet sein. Der zweite Satz weist eine
Reihe von lukanischen Spracheigentümlichkeiten auf, so ὑπὸ
τὸν οὐρανόν ,[116] das Partizip δεδομένον mit Artikel,[117]
und δεῖ .[118] Zu vermuten ist ein vorgegebener Satz mit
ἐν ἄλλῳ οὐδενί und σωθῆναι ἡμᾶς . Wenn auch eine genaue
Rekonstruktion nicht mehr möglich ist, so zeigen diese Frag-
mente einer ursprünglichen Aussage vor dem Hohen Rat sowohl
eine umfassende Begründung für die Verkündigung der Apostel
als auch die Ursache, warum der Hohe Rat über die Apostel
verwundert ist (Apg 4,13).

4. Apg 10,34-36

Es kann in diesem Zusammenhang nicht eine eigene Analyse der
gesamten Korneliusgeschichte geboten werden. Aber sollte es
zutreffen, dass es in der Korneliustradition um die "erzäh-
lerische Mitteilung" geht, wie Gottes neues Handeln an den
Menschen "den Rahmen der bisherigen heilsgeschichtlichen
Erfahrungen und Ordnungen überholt und sprengt",[119] dann
darf mit guten Gründen in Apg 10,34-36[120] die entscheidende
Zielaussage dieser Tradition gesehen werden. Unter dieser
Voraussetzung stellt sich die Frage, ob der Abschnitt redaktionelle Eingriffe erkennen lässt und wie die ursprüngliche
"Erkenntnis"[121] des Petrus gelautet hat. ἐπ'ἀληθείας
καταλαμβάνομαι   scheint von Lukas gebildet zu sein. κατα-
λαμβάνεσθαι   wird "von geistigen Vorgängen" als "feststellen" verstanden (Apg 4,13; 25,25)[122] und meint die "klare
und sichere Erkenntnis".[123] ἐπ'ἀληθείας   ist "griechische
Formel".[124] In Lk 22,59 wird mit diesem Ausdruck das ἀλητῶς
der Markusvorlage ersetzt. Wenn die Einsicht des Petrus in

Apg 10,28 als vom Verfasser der Apostelgeschichte vorgezogen
angesehen wird, kann dort μοὶ ὁ θεὸς ἔδειξεν zum ursprünglichen Petruswort gerechnet werden, zumal δεικνύναι im lukanischen Doppelwerk nur in vorgegebenen Zusammenhängen zu
finden ist. Die Fortführung mit dem Infinitivsatz in Apg
10,28 ist redaktionell aus 10,15 gebildet, während die Antwort in der Überlieferung erst nach der Kenntnisnahme der
Vision des Kornelius anzunehmen ist.[125] Die von Gott gegebene Einsicht ist in ὅτι οὐκ ἔστιν προσωπολήμπτης ὁ θεός (Apg
10,34) ausgesagt. Das Adjektiv mit dem dazugehörigen Wortfeld findet sich sonst nicht im lukanischen Doppelwerk. Es
handelt sich um "alttestamentliche Redeweise".[126] Der mit
ἀλλά eingeleitete Satz kann als lukanische Interpretation
angesehen werden, denn der eigentliche Grund ist in εὐαγγελιζόμενος εἰρήνην zu sehen. Diese Partizipialkonstruktion
schliesst sich direkt an den ὅτι-Satz an. So ist der Subjektwechsel vom ὅτι-Satz zum folgenden Satz durch das Zusammentreffen von Tradition und Redaktion bedingt. ἐν παντὶ
ἔθνει meint wie in Lk 21,24 die "Heiden".[127] Mit φοβούμενος
αὐτόν nimmt Lukas V.22 auf, mit ἐργαζόμενος δικαιοσύνην
wird auf Ps 15,2 zurückgegriffen.[128] δικαιοσύνη weist ebenfalls auf V.22. τὸν λόγον ἀπέστειλεν stammt aus Ps 107,20.[129]
Zusammen mit τοῖς υἱοῖς 'Ισραήλ macht der Satz wie in Apg
13,26 die lukanische Aussageabsicht deutlich. Hier knüpft
die Formulierung an Apg 3,36 an.

εὐαγγελιζόμενος εἰρήνην stammt aus Jes 52,7 (vgl. Nah 2,1).
Ein Vergleich mit Eph 2,17[130] legt den Schluß nahe, daß die
christologische Interpretation διὰ 'Ιησοῦ Χριστοῦ mit dem
Partizipialsatz vorgegeben sein wird. Die Wendung steht in
der Apostelgeschichte nur hier. Der Abschluss des Petruswor-
tes darf in οὗτός ἐστιν πάντων κύριος gesehen werden. Denn
das Genitivattribut zu κύριος kann aufgrund der auffälligen
Parallele in Röm 10,12[131] nicht einfach als lukanisches Interpretament zu dem von der Apostelgeschichte selbstverständlich gebrauchten Kyriostitel verstanden werden. Die ganze
Formulierung ist im "'Er'-Stil"[132] gehaltene Prädikation, als
deren "Sitz im Leben" der Gottesdienst der Kirche zu gelten
hat.

Somit kann als mit der Korneliusgeschichte vorgegebenes

Petruswort festgehalten werden: μοὶ ὁ θεὸς ἔδειξεν, ὅτι οὐκ
ἔστιν προσωπολήμπτης ὁ θεὸς εὐαγγελιζόμενος εἰρήνην διὰ
'Ιησοῦ Χριστοῦ. οὗτός ἐστιν παντῶν κύριος.

IV. Traditionelle Wendungen

1. Apg 2,36

Die Schlussaufforderung Apg 2,36 entspricht dem schon in Apg
13,38-41 festgestellten Verfahren des Verfassers der Apostelgeschichte.[133] ἀσφαλῶς und das dazugehörige Wortfeld finden
sich vornehmlich im lukanischen Doppelwerk.[134] οἶκος 'Ισραήλ
ist Variation zu dem bei Lukas sonst meist für sich stehenden Namen 'Ισραήλ . Dafür kann auch stehen υἱοὶ 'Ισραήλ(Lk
1,16; Apg 5,21; 7,23.37; 9,15; 10,36) und λαὸς 'Ισραήλ (Lk
2,32; Apg 4,10.27; 13,17.24). Die hier zu findende Bezeichnung ist aus Am 5,25 in Apg 7,42 bekannt. πᾶς gehört zu den
lukanischen Vorzugsworten.[135] Was zusammengefasst sicher
erkannt werden soll, ist in dem ὅτι-Satz ausgesagt, ganz
entsprechend dem schon besprochenen Vers Apg 13,38.[136] Betont ist das Handeln Gottes, wofür der dritte Evangelist
mit "Vorliebe" ποιεῖν gebraucht.[137] Die beiden Titel ergeben sich aus der Rede selbst. Vom κύριος [138] sprechen Apg
2,21 und 2,34, vom χριστός [139] ist in Apg 2,31 die Rede.
Es ist nicht auszuschliessen, dass an dieser bedeutsamen
Stelle an Lk 2,11 erinnert werden soll. Die Streitfrage,
warum im dritten Evangelium schon der irdische Jesus mit diesen Titeln bedacht werden kann, während in der Apostelgeschichte offensichtlich der Erhöhte gekennzeichnet wird,[140]
erübrigt sich insofern, als beide Schriften den gegenwärtigen Herrn verkünden wollen.[141] Dem entspricht nicht zuletzt
der "Sitz im Leben" urchristlicher Homologien,[142] auf die
diese Titel zurückgehen. Weder in der Homologie noch im
Evangelium und in der Apostelgeschichte könnte von Jesus als
dem Herrn und Christus gesprochen werden, wenn dahinter
nicht die Erfahrung des Erhöhten stände, dessen Gegenwart
allein in der Auferweckung von den Toten begründet ist.[143]

2. Apg 5,29

Darf man annehmen, daß der Verfasser der Apostelgeschichte

ein "Traditionsstück über die Verhaftung und das Verhör der
Apostel vor dem Hohen Rat aufgeteilt und aus den Teilen zwei
Szenen derselben Thematik komponiert" hat,[144] dann kann die
Rede Apg 5,29-33 aus einer zu dieser Tradition gehörenden
direkten Rede entstanden sein, wie sie sich in Apg 4,19.20
zeigt.[145] Die Verbindung beider Textabschnitte wird nicht
nur durch die fehlende Anrede deutlich, sondern vor allem
durch die inhaltlich gleichen Aussagen in Apg 4,19 und 5,29.
Zu fragen ist zunächst, ob beide Sätze in Apg 4,19.20 zur
ursprünglichen Rede gehören. Ist es richtig, dass doppelte
"Motivationen von Handlungen" auf lukanische "Eingriffe"
deuten[146] und dass darüber hinaus die Frage der Apostel in
4,19 nicht ohne weiteres aus dem vorher Gesagten verständlich
ist,[147] dann scheint die ursprüngliche Aussage in Apg 4,20
wenigstens zum Teil erhalten zu sein. Diese Annahme wird umso sicherer, wenn hinter Apg 4,19 und 5,29 eine auf Platon
weisende Redewendung angenommen werden kann,[148] deren Ein-
bringung in die Apostelgeschichte eher für lukanische Redaktion spricht als für Tradition. In der Apologie des Sokrates
heisst es: πείσομαι δὲ μᾶλλον τῷ θεῷ ἢ ὑμῖν   (29d).[149]
Die Übereinstimmungen sind offensichtlich, auch wenn damit
noch keineswegs entschieden ist, ob Lukas selbst die Apologie zitiert oder einer aus dieser erwachsenen Redewendung
folgt.[150] Apg 4,19 ist dann als Variation dieser Formulierung anzusehen. Auf lukanischen Sprachgebrauch weist vor
allem ἐνώπιον .[151]

ZWEITER HAUPTTEIL: Die lukanische Redaktion in den Reden der
                   Apostelgeschichte

ERSTES KAPITEL: Aufnahme und Gestaltung der Tradition

I. Die Pfingstrede des Petrus

1. Das Verhältnis von Tradition und Redaktion in Apg 2,14-36

Deutlich ist die Rede durch die Nennung der Adressaten in V.
14.22.29.36 strukturiert, verbunden mit einer Bemerkung, die
Aufmerksamkeit für das unmittelbar Folgende bewirken soll
und dessen Ziel anzeigt:

ἄνδρες Ἰουδαῖοι καὶ οἱ κατοικοῦντες Ἰερουσαλὴμ πάντες,
    τοῦτο ὑμῖν γνωστὸν ἔστω καὶ ἐνωτίσασθε τὰ ῥήματά μου (V. 14)
ἄνδρες Ἰσραηλῖται,
    ἀκούσατε τοὺς λόγους τούτους· (V. 22)
ἄνδρες ἀδελφοί,
    ἐξὸν εἰπεῖν μετὰ παρρησίας πρὸς ὑμᾶς . . . (V. 29)
ἀσφαλῶς οὖν γινωσκέτω πᾶς οἶκος Ἰσραὴλ . . . (V. 36)

Diese Einsätze lassen die beabsichtigte Gedankenbewegung der
Rede erkennen. V.14 und 36 bilden die äussere Klammer. In V.
22 wird auf das Christusgeschehen hingelenkt. V.29 ist durch
die Wortwahl eher eine Einleitung zu einem Exkurs als ein
neuer Einsatz. Bedingt ist die so sichtbare Gliederung durch
die aufgenommene Tradition. Den ersten Teil bestimmt das
Joelzitat, den zweiten die christologischen Aussagen des Credo, den dritten Teil zwei Schriftauslegungen. Schliesslich
sollen in V.36 die Adressaten aus den Worten der Rede eine
Erkenntnis, ein Wissen erhalten.

Aus dem Motiv der Verknüpfung heraus bringt Lukas zunächst
in V.15 eine wahrscheinlich aus der Pfingsttradition gebildete mehr vordergründige Zurückweisung der spöttischen Bemerkung in V.13. Zur eigentlichen "Interpretation"[1] der Pfingst-
ereignisse dient Joel 3,1-5. Dass diesem Zitat eine wesentliche Funktion zukommt, zeigt die Erweiterung desselben mit
σημεῖα , wodurch ein Bezug zu V.22 hergestellt wird. Die
Geistausgießung wird in V.33 an den Erhöhten gebunden. Als
Name des Herrn muss der Name Jesu gesehen werden, wie er
in V.36 (38) umfassend ausgesprochen wird. Die Bedeutung
dieser Aussage erstreckt sich über Apg 3,16 bis hin zur

allgemeingültigen Formulierung in Apg 4,12, wie überhaupt die
Apostelgeschichte "zahlreiche Formulierungen" aufweist, "in
denen Lukas vom ὄνομα des erhöhten Herrn spricht".[2]

Die erneute Anrede in Apg 2,22 macht nicht nur das Ende des
Zitats deutlich, sondern eröffnet auch eine neue Aussage.
Dies wird durch ἀκούσατε τοὺς λόγους τούτους angezeigt.
Betont ist Ἰησοῦν τὸν Ναζωραῖον vorangestellt und mit
τοῦτον und ὅν wieder aufgenommen worden, so dass der inhaltliche Gedankengang durch den syntaktischen Aufbau bestimmt ist. Es geht um Leben, Tod und Auferweckung Jesu im
Spannungsfeld zwischen Gott und den Angeredeten. Viermal wird
Gott als der Handelnde genannt (ἀπὸ τοῦ θεοῦ - ὁ θεός   -
τοῦ θεοῦ - ὁ θεός), viermal werden die Angeredeten einbezogen (εἰς ὑμᾶς - ἐν μέσῳ ὑμῶν - οἴδατε - ἀνείλατε).[3] Der ganze Satz zielt auf die Gegenüberstellung
ἀνείλατε - ἀνέστησεν , wobei die Weiterführung der Rede
dem ἀνέστησεν eindeutig den Schwerpunkt zuweist.

Die Christusaussagen folgen dem christologischen Teil des
Credo. ἀπὸ τοῦ θεοῦ nennt das im Credo vorherrschende Subjekt. Die Hinzufügung von τέρασι καὶ σημείοις schlägt die
Brücke zum vorhergehenden Joelzitat. Der sich anschliessende
Relativsatz und Adverbialsatz ist ganz aus der Redesituation
heraus zu verstehen. Dadurch werden nicht nur die Adressaten
in die Christusaussagen einbezogen, sondern Lukas erreicht
eine Akzentuierung der Aussageabsicht des Credo selbst, indem die Legitimation Jesu durch Gott "hinsichtlich der in ihr
zum Ausdruck kommenden messianischen Komponente" herausge-
stellt wird, und zwar dergestalt, "dass die Messianität Jesu
aufgrund seiner in Gott begründeten Werke den Miterlebenden
einsichtig sein muss".[4] Vordergründig also wird das ἀποδεδειγμένον des Credo auf die Redesituation hin entfaltet.
Bedenkt man aber die Adressaten der Apostelgeschichte, so
interpretiert Lukas selbstverständlich für diese eine Aussage des Credo über die Bedeutsamkeit der Taten Jesu. Durch diese Verfahrensweise werden verschiedene Zeitstufen miteinander
verbunden, durch die sich das Handeln Gottes in Jesus Christus
durchhält.

Die Tötungsaussage, durch τοῦτον von Lukas hervorgehoben,

lässt hinter der lukanischen Wortwahl das Credo erkennen. Die
Israeliten werden direkt als Täter angesprochen, was nicht
eine besondere Polemik beabsichtigen muss,[5] sondern den fak-
tischen Gegebenheiten aktualisierend entspricht. Die eigentlich wichtige lukanische Interpretation besteht in der Erweiterung durch τῇ ὡρισμένῃ βουλῇ καὶ προγνώσει τοῦ θεοῦ
ἔκδοτον . Daran wird deutlich, was im Evangelium vorgezeichnet ist (vgl. Lk 22,22; 24,26), dass nämlich nicht nur
Jesu Leben, sondern auch sein Sterben in Gottes Heilsplan
begründet ist.[6] Diese theologische Sicht bewahrt die Tötungsaussage vor polemischen Einseitigkeiten und entspricht damit
der theologischen Höhe des Credo, ohne die letztlich unbe-
greifliche Dialektik zwischen dem Handeln Gottes und dem Handeln des Volkes aufzulösen.[7]

Der Tat des Volkes wird in V.24 Gottes Tat überbietend gegenübergestellt. Der Verfasser der Apostelgeschichte folgt inhaltlich dem Credo, dessen Auferweckungsaussage er in der
Wortwahl variiert. Die vorgegebene Partizipialkonstruktion,
in der Gottes Handeln an Jesus als ein Lösen aus dem Sein im
Tod ausgesagt wird, gibt die Möglichkeit, im mit καθότι eingeleiteten Satz entsprechend den Interpretamenten der Tötungsaussage auch die Auferweckungsaussage des Credo als notwendi-
ges Ereignis erkennbar zu machen. Zur Begründung fügt Lukas
Ps 16,8-11 an, und zwar in dem Sinne, dass der Plan Gottes,
der aus der Schrift erfahrbar ist, offenkundig wird.

Mit dem Zitat ist die Voraussetzung gegeben, die vorgegebene
Schriftauslegung in V.29-31 einbringen zu können. Über den
Situationsbezug hinaus verstärkt die lukanische Redaktion die
Aussageabsicht der Tradition, indem David als Prophet gekenn-
zeichnet wird, der vorausschauend die Auferstehung Jesu ange-
sagt hat.

In V.32 wird nochmals die Auferweckungsaussage des Credo verwendet. Mit ihr verbunden ist die Zeugenaussage, so dass in
ihr das Gewicht dieses Verses zu sehen ist. Lukas nimmt damit den in Lk 24,48 und Apg 1,8 programmatisch formulierten
Auftrag in die Rede auf, dessen Verwirklichung mit dem Pfingstereignis beginnt.

Auch im nächsten Vers (33) dient das Credo als Grundlage für

die lukanische Aussageabsicht. Die Erhöhungsaussage wird mit
einer weiteren Aussage verbunden, die sich ebenfalls aus den
Worten Jesu an seine Jünger in Lk 24,48 und Apg 1,8 ergibt.
Beide Partizipialsätze schaffen die Voraussetzung für die
Hauptaussage dieses Satzes, in der, auf das Joelzitat zurück-
greifend, das Pfingstgeschehen interpretiert wird.

Wie sehr trotz situationsbedingter Hauptaussagen das Credo
den Fortschritt der Rede beeinflusst, zeigt die in V.34.35
aufgenommene Schriftauslegung, die die Erhöhungsaussage des
Credo begründen soll. Der Schlußsatz (V.36) gibt das Ziel
der Verkündigung an und fasst im ὅτι-Satz summarisch und
umfassend Gottes Handeln an Jesus zusammen, das durch die
angefügte Tötungsaussage eine starke Betonung erfährt.

2. Die Stellung der Rede in ihrem Kontext und im Rahmen der Apostelgeschichte

Die Rede hat im Sinne von Apg 2,4 und 2,11 als vom Geist ein-
gegebene Verkündigung der Großtaten Gottes zu gelten. Darum
ist diese Verkündigung zum geringeren Teil Interpretation des
Pfingstereignisses. Es geht vielmehr um das Handeln Gottes
an Jesus Christus, wie es im Credo dargestellt ist und auf
der Grundlage der Schrift erkannt werden kann. Die hervorragende Stellung der Rede wird durch die in Apg 2,9-11 angegebenen Hörer deutlich, in denen sich das universale Judentum
repräsentiert. Das Ziel der Verkündigung ist die Umkehr, die
Taufe zur Vergebung der Sünden und der Empfang der Gabe des
heiligen Geistes (Apg 2,38). Entsprechend dem in Lk 24,47-49
und Apg 1,8 ausgesprochenen Programm hat die Pfingstrede des
Petrus als erstes Verkündigungszeugnis in der Kraft des Heiligen Geistes zu gelten, und zwar ἐν Ἰερουσαλήμ (Apg 1,8).
Der Öffentlichkeitscharakter der Petrusworte ist also vom
Thema der Apostelgeschichte her motiviert und damit nicht Typos dafür, wie vor Juden zu predigen wäre. Eigentlich verständlich ist die Redaktion nur den Lesern, die in der Tradition des lukanischen Gedankengutes stehen. Die Bezeichnung
als Missionsrede ist als Formbestimmung nicht geeignet. Im
Rahmen der Apostelgeschichte ist das Pfingstereignis mit der
dadurch ermöglichten Verkündigung der hoffnungsvolle Beginn
des Berichtes, "wie von Jerusalem aus das Wort Gottes 'bis

an die Grenzen der Erde' geht".[8] Von dieser Rede spannt sich
der Bogen über die anderen apostolischen Reden in Jerusalem
bis hin zur Rede des Stephanus, dessen Schicksal und die damit verbundenen Ereignisse eine Wende bringen. Als bedeutsam
für die ganze Apostelgeschichte muss auch gewertet werden,
dass Petrus als Verkünder auftritt, doch wohl deswegen, weil
er von Lukas als "Repräsentant der Apostel"[9] gesehen wird.
Lukas ordnet die Gestalt des Petrus in hervorragender Weise
seinem Gesamtkonzept ein. Das wird darin begründet sein, daß
Petrus im Bewußtsein der Adressaten des lukanischen Doppelwerkes eine bedeutsame Rolle einnimmt. Von daher wird die
Rückbindung des Credo und dessen schriftgemässe Entfaltung
in der Verkündigung für die Adressaten von Belang. Sie glauben, was Petrus verkündet hat. Hier lässt sich das Bemühen
der Späteren aufspüren, sich der geschichtlichen Grundlagen
der eigenen Glaubensexistenz zu vergewissern. Ob dieses Bemühen einer Notlage entspringt, was durch die Abschiedsrede
des Paulus in Milet nahegelegt wird, oder nur einem literarischen Motiv, ist schwer zu sagen, weil Lukas Gegenwarts-
probleme mindestens in diesem Teil der Apostelgeschichte
nicht expressis verbis entfaltet. Auf jeden Fall will er seinen Adressaten mit seiner Darstellung den Lauf des Wortes
verkünden und ihnen dadurch helfen, dass sie Herkunft und Ort
ihres Glaubens erkennen.

II. Die Tempelrede des Petrus

1. Die Komposition der Tradition in Apg 3,12-26

In die aus der vorgegebenen Heilungsgeschichte gebildeten
Sätze V.12.16 stellt Lukas eine auf die Zuhörer ausgerichte-
te "Kurzfassung" des heilsgeschichtlichen Credo. So kann der
ausführliche Gottesname aufgrund von 7,32 als lukanische Zusammenfassung der göttlichen Heilsgeschichte verstanden werden, wie sie im Credo dargestellt ist. Die Anspielung auf
Jes 52,13 gibt die Erhöhungsaussage des Credo wieder und
dient darüber hinaus im jetzigen Kontext der Interpretation
des Wunders, wie umgekehrt das Wunder die Glaubensaussage begründet.

Die Wortwahl der Passionsaussagen weist auf das Lukasevange-

lium, mit dessen Hilfe die Tötungsaussage des Credo erweitert
und variiert wird. Das Gewicht lukanischer Redaktion liegt
auf τὸν δὲ ἀρχηγὸν τῆς ζωῆς ἀπεκτείνατε . Den Höhepunkt des
Ganzen aber bildet die Auferweckungsaussage. ἀρχηγὸς τῆς
ζωῆς dient als Gegensatz zu φονεύς . Die Auferweckungsformel ist unverändert aus dem heilsgeschichtlichen Credo zitiert, wodurch sich auch das Fehlen eines   erklären lässt
und man deswegen nicht von einem Zurücktreten der Auferste-
hungsaussage sprechen kann.[10] Als angehängt erscheint wieder wie schon in Apg 2,36 die Zeugenaussage, wodurch Lukas
gemäss Lk 24,48 ein wesentliches Motiv seiner Gesamtdarstel-
lung anklingen lässt. Zwar wird das Verhalten des Volkes
"pointiert beschrieben (παρεδώκατε , ἠρνήσασθε (zweimal),
ἠτήσασθε, χαρισθῆναι ὑμῖν, ἀπεκτείνατε)",[11] aber eigentlich dient doch dieses Verb dazu, um je eine noch wichtigere
Aussage über das Objekt zu machen, nämlich ἐδόξασεν τὸν
παῖδα αὐτοῦ 'Ιησοῦν (V.13); τὸν ἅγιον καὶ δίκαιον (V.14);
τὸν ἀρχηγὸν τῆς ζωῆς (V.15); ὃν ὁ θεὸς ἤγειρεν ἐκ νεκρῶν (V.
15). Das Handeln des Volkes wird überboten durch Gottes Handeln. Dahinter scheint allein der schriftstellerische Gestal-
tungswille zu stehen und nicht der Widerhall einer über-
spitzten Polemik gegen die Juden. Sicher aber ist die Dramatisierung begründet in der geschichtlichen Erfahrung der
Christen mit den Juden und darüber hinaus in dem starken
Glauben an den Erhöhten. Je stärker die Erfahrung des Erhöhten die Christusaussagen bestimmte, umso unbegreiflicher
musste auch dessen Sterben erscheinen und damit die Ablehnung
durch das jüdische Volk. Daß dieser verständliche Zug jedoch
nicht die Oberhand gewinnt, lässt diese Rede selbst am besten
in V.17.18 erkennen.

Daß in V.16 wieder auf das Wunder der Heilung eingegangen
wird, zeigt die kunstvolle Art lukanischer Komposition. Das
Wunder ist begründet in Gottes Heilshandeln, wie es das Credo
bekennt, wie umgekehrt das Bekenntnis durch das Wunder als
glaubwürdig erwiesen wird. Der Glaube an den Namen Jesu ist
der Glaube an den, der im Credo bekannt wird.

Angezeigt wird der Fortschritt der Rede durch das für Lukas
typische καὶ νῦν (V.17).[12] V.17 und 18 geben für die bisher gemachten Aussagen eine zweifache Wertung. Die erste

Wendung dürfte in Erinnerung an Lk 23,34 formuliert sein, die
zweite an Lk 24,26.27.46. Beide Aussagen bedingen sich. Jedoch kommt der zweiten als der eigentlichen theologischen
Begründung das Hauptgewicht zu.

Durch οὖν in V.19 wird wie auch in anderen Reden die Folgerung für die Zuhörer eingeleitet, näherhin die Aufforderung
zur Buße und Umkehr. Das Ziel ist einmal die Sündentilgung
und zum anderen die mit ὅπως ἄν eingeleitete Aussage. Beide finalen Sätze ergänzen sich. Der erste greift Lk 24,47
auf, der zweite will mit Hilfe der vorgegebenen Eliastradition die lukanische Eschatologie anklingen lassen, wie sie
in Lk 17,20-37 und 21,5-36 dargestellt ist. Nachdem vorher
so stark die Erniedrigung Jesu betont wurde, wird durch die
Parusieaussage der Kontrast "Erniedrigung - Erhöhung"[13] auch
in dieser Rede dargestellt. Im Ruf zur Umkehr hält Lukas
"den anfordernden Charakter der eschatologischen Predigt"[14]
durch, weil "Jesus (und er allein) der wahre Christus und
Kairosbringer ist".[15] In den lukanischen Eschatologiereden
begegnet "die Vorstellung, dass dieser Menschensohn schon
jetzt im Himmel erhöht und seine Parusie (bzw. sein 'Tag')
die allgemeine Offenbarung dessen bringen wird, was bereits
seit Ostern gilt".[16] Schliesslich wird die Geschichte "unter
dem Heilsplan Gottes"[17] gesehen, wie er sich nicht nur im
Credo zeigt, sondern auch im dritten Evangelium, "die Vorstellung" nämlich, "dass Gott selber es ist, der die Heilsgeschichte lenkt und sie auf ihr letztes Ziel hinführt".[18]
Zusammenfassend lässt sich sagen: In dem Bußruf der Rede
kommt die nachösterliche Heilsgeschichte zur Sprache, nach
der dem Volk Israel die Möglichkeit zur Umkehr noch offen
steht. Für die Adressaten der Apostelgeschichte wird so
nicht nur dargestellt, dass die Juden trotz ihrer Ablehnung
des irdischen Jesu nach Pfingsten "eine neue Möglichkeit"[19]
zur Umkehr erhalten hatten, sondern auch, dass die Christen
selbst dieser neuen Möglichkeit ihre eigene Umkehr zu verdanken haben.

Mit ὧν ἐλάλησεν ὁ θεὸς διὰ στόματος τῶν ἁγίων ἀπ᾽ αἰῶνος αὐτοῦ προφητῶν wird das ganze endzeitliche Geschehen als schrift-
gemäss ausgesagt. Mit diesem Relativsatz ist die Möglichkeit
geschaffen, die folgenden Schriftaussagen anzufügen.

V. 25 und 26 sind durch das je an den Anfang gestellte ὑμεῖς
bzw. ὑμῖν als Einheit ausgewiesen. Der erste Satz betont
die hervorragende Stellung des alten Gottesvolkes, so dass
im zweiten Satz die vorrangige Bedeutung des Christusgeschehens für die Juden ausgesprochen werden kann. Für die Adressaten der Apostelgeschichte deutet πρῶτον an, dass das Heil
nicht auf das jüdische Volk begrenzt bleibt und somit der Weg
der Heidenchristen von Anfang an mitgedacht ist. Inhaltlich
gibt dies mit anderen Worten das schon in Apg 2,39.40 Gesagte
wieder.

2. Der Sinn der Rede in ihrem Kontext und im Rahmen der Apostelgeschichte

Die Heilung eines Gelähmten und deren Interpretation in Apg
3,12.16 dienen Lukas als Ausgang zu einer Entfaltung des
Christusgeschehens auf dem Hintergrund des Credo, verbunden
mit verschiedenen Rückbezügen auf das dritte Evangelium. Im
Vergleich zur ersten Petrusrede kann hier schon festgestellt
werden, dass der Verfasser der Apostelgeschichte bestrebt
ist, inhaltlich gleiche Aussagen im Ausdruck zu variieren,
und zwar unter Ausschöpfung der Mittel, die ihm vorgegeben
sind. Gegenüber der Pfingstrede, in deren Mitte sicher die
Verkündigung der Auferstehung steht, ist hier besonders das
Fehlverhalten der Juden hervorgehoben, das aber letztlich
durch die noch betontere Aussage über den Heilsplan Gottes
weit überboten wird.[20] Diese verschiedene Akzentuierung ist
durch die andere Zuhörerschaft bedingt. Ging es in der
Pfingstrede um "die Ausweitung des Heilsangebots an die universale Judenschaft auf Grund der eigenen Pneumaerfahrung
der Apostel",[21] so richtet sich hier die Rede an den λαός
(Apg 3,9.11), und das im Tempelbereich, "der zentralen Kult-
stätte des λαός ".[22] Gerade in diesem Volk und in seiner
Stadt hat sich die Passion Jesu ereignet und kann deswegen
auch an dieser Stelle der Apostelgeschichte mit aller Deut-
lichkeit ausgesagt werden, aber nicht als das letzte Wort,
sondern als Ausgang zu neuer Erfahrung des Heilshandelns
Gottes. Auf die Adressaten der Apostelgeschichte hin gesehen
verkündet Lukas diesen in Form geschichtlicher Darstellung
ihren Glauben mit den ihnen vertrauten Begriffen und Worten

vor allem durch die Gestaltungstechnik der Komposition.

III. Die Rede des Petrus vor dem Hohen Rat

1. Die Aufnahme der Tradition in Apg 4,8-12

Die Rede des Petrus ist ganz von der Situation her geprägt
und greift schon bekannte Aussagen auf. In der Anrede wird
V.5 aufgenommen. Der erste Satz ist als Antwort auf die Frage in V.7 gedacht. Das Hauptgewicht liegt auf γνωστὸν ἔστω ,
dessen Bedingung im εἰ-Satz angegeben ist.[23] ἀνακρίνειν
steht zwar noch Apg 12,19; 17,11; 24,8; 28,18[24] und ist vordergründig zunächst Ausdruckswechsel zu V.7, doch könnte
durch Lk 23,14 eine Beziehung zwischen dem Verhör Jesu und
dem der Apostel angedeutet sein. Ebenso kann auch durch
εὐεργεσία   (im Neuen Testament nur noch 1 Tim 6,2) eine Verbindung zur Wohltätigkeit Jesu hergestellt sein, wie sie in
Apg 10,38 beschrieben wird (εὐεργετεῖν). Der Genitivus ob-
jectivus ἀνθρώπου ἀσθενοῦς ergibt sich aus Apg 3,2 und ist
darüber hinaus in Verbindung mit Lk 10,9 und Apg 5,15.16 zu
sehen. Die Wiederholung ἐν τίνι οὗτος σέσωσται übersteigt
durch Apg 2,21.40.47 die Heilung und wird zur Frage nach dem
Grund des Heils schlechthin.[25]

Durch πᾶσιν ὑμῖν bei γνωστὸν ἔστω werden die Anwesenden
einbezogen, durch παντὶ τῷ λαῷ Ἰσραήλ   ist der Rahmen
überschritten und Israel wie in Apg 2,36 in seiner Gesamt-
heit angesprochen. ἐν τῷ ὀνόματι   geht über Apg 4,7 und
3,16 auf 3,6 zurück. Ἰησοῦ Χριστοῦ   ergibt sich ebenfalls
von Apg 3,6 her, του Ναζωραίου   aus dem vorgegebenen Zusammenhang der beiden Relativsätze im heilsgeschichtlichen Credo.
ἐν τούτῳ οὗτος παρέστηκεν ἐνώπιον ὑμῶν ὑγιής   variiert Apg
3,16.

Wie schon in der vorhergehenden Rede werden auch hier die
Credoaussagen über Tod und Auferstehung mit den Aussagen über
die Heilung verbunden, so dass sich beides durch die lukanische Komposition gegenseitig interpretiert und begründet.

In V.11 formuliert der Verfasser der Apostelgeschichte mit
Hilfe von Ps 118,22 einen "bekennenden Lobpreis",[26] in dem
nochmals die Bedeutung Jesu im Gegensatz zu dessen Abweisung
durch die Angeredeten zum Ausdruck gebracht wird.

Der letzte Vers der Rede, ursprünglich wahrscheinlich eine
Entgegnung auf die Worte des Hohen Rates in Apg 5,28, wird
durch οὐκ ... οὐδενί "zum Aufweis des einzigmöglichen
Weges zum Heil".[27] Damit überbietet Lukas den konkreten Anlass der Rede und macht die Wundergeschichte transparent für
das Heil aller. Zur Verhandlung steht mehr als das Wunder der
Apostel, nämlich die grundsätzliche und alleinige Heilsbedeutung Jesu Christi.

2. Die Bedeutung der Rede in ihrem Kontext und im Rahmen der Apostelgeschichte

Darf man annehmen, dass Apg 4,1-22 und 5,17-42 ein "Traditionsstück über die Verhaftung und das Verhör der Apostel vor
dem Hohen Rat" zugrundeliegt, dann hat Lukas diese Einheit
"aufgeteilt und aus den Teilen zwei Szenen derselben Thematik komponiert".[28] Beide Teile sind wiederum fest mit der
Heilungsgeschichte verbunden. Die dadurch entstandene Komposition wird so zu einem dramatischen Ablauf der Geschehnisse.
Die Heilung führt in der vorhergehenden Rede zur Verkündigung
des umfassenden Heilsplanes. Vor dem Hohen Rat lösen Anlass
und Verkündigung die erste grosse Auseinandersetzung mit der
jüdischen Obrigkeit aus. Den Aposteln widerfährt das Schicksal Jesu.[29] Es erfüllt sich das Wort in Lk 12,11.12 und darum wird Petrus in Apg 4,8 als πλησθεὶς πνεύματος ἁγίου
bezeichnet.[30] Das Credo bildet die Grundlage dessen, was der
Geist zu reden eingibt.

Die Darstellung der Apostelgeschichte erreicht einen ersten
Höhepunkt jenes Prozesses, der zur Lösung vom Judentum
führt.[31] Für die Leser der lukanischen Schriften wird nicht
nur dargestellt, welchen Weg das Bekenntnis zu ihnen zurück-
gelegt hat, sondern auch, dass die Verkündigung des Heilsge-
schehens Schicksalsgemeinschaft mit Jesus bedeutet.

IV. Die Rede der Apostel vor dem Hohen Rat

1. Die Umsetzung der Tradition in Apg 5,29-32

Die Antwort in V.29 ist wie die inhaltlich gleiche Aussage in
Apg 4,19 vom Verfasser der Apostelgeschichte mit einer auf

Platon zurückgehenden Wendung als Interpretation für die apostolische Verkündigung gebildet, so dass die doppelte Anführung desselben Gedankens einen starken Akzent setzt. Die Annahme wird noch unterstrichen durch die Schlußworte der Rede
τοῖς πειθαρχοῦσιν αὐτῷ   (Apg 5,32). Gemeint ist nach Apg
4,19 der Gehorsam gegenüber dem offenkundigen Heilshandeln
Gottes. Dieses kommt vornehmlich im Credo zur Sprache, so daß
Lukas im folgenden eine Kurzfassung desselben formuliert.
Durch ὁ θεὸς τῶν πατέρων ἡμῶν wird das Handeln Gottes an den
Vätern angedeutet. Betont wird die Auferweckungsaussage an
den Anfang gestellt, denn es geht um das Bekenntnis des Handelns Gottes an Jesus Christus und erst in zweiter Linie um
die auf die Zuhörer hin formulierte Tötungsaussage. In die
Erhöhungsaussage wird betont die Christusprädikation ἀρχηγὸς
τῆς σωτηρίας eingebracht. Der Genitiv wird nunmehr auf
dem Hintergrund des Credo ebenfalls zur Prädikation. Die
Würdestellung Jesu ist in der Erhöhung begründet. Dies darf
nicht als Gegensatz etwa zu Lk 2,11 oder dem Credo gesehen
werden. Hier gilt vielmehr, was schon zu Apg 2,36 gesagt wurde: Auferweckung und Erhöhung Jesu sind der Grund nicht nur
für alle christologischen Titel, sondern auch für eine angemessene Sicht des gesamten Christusgeschehens, also auch des
irdischen Lebens Jesu.[32] Die Bestimmung Jesu zum Führer und
Retter ist vor allem soteriologisch zu verstehen. Wie Lukas
dies sieht, bringt der angefügte substantivierte Infinitiv
zum Ausdruck. Die in den Christusprädikationen enthaltene Bedeutung besteht in der Gabe der Umkehr und in der Sündenvergebung für das Volk Israel. Gottes Heilshandeln an Jesus
Christus ist Heilshandeln an Israel. Die Zeugenformel ist
entsprechend der Situation, die nach einer Angabe des Grun-
des für das Wirken der Apostel verlangt, an den Schluß gestellt. Die mit dem Einleitungssatz und der Zeugenaussage
eingeschlossenen Sätze über das Handeln Gottes werden zur
Bestimmung des Gottes, dem Gehorsam geschuldet wird, und
zum Inhalt dessen, was zu bezeugen ist (τῶν ῥημάτων τούτων).
Gleichzeitig wird an den Auftrag Jesu in Lk 24,48 erinnert.
Darin ist auch die Wendung über den Heiligen Geist begründet.
So entsteht der Eindruck, daß der Verfasser der Apostelgeschichte diese Rede nach Lk 24,46-49 strukturiert: Tod,

Auferstehung, Bekehrung, Sündenvergebung, Zeugenschaft, Gabe
des Geistes. Daß dabei der Heilige Geist als Zeuge neben den
Aposteln genannt wird, ist singulär. Inhaltlich jedoch entspricht καὶ τὸ πνεῦμα τὸ ἅγιον in diesem Zusammenhang prägnant der Bedeutung des Heiligen Geistes, der nach lukanischer
Darstellung entscheidend den Lauf des Wortes in der Geschichte bestimmt.[33] Es ist jedoch auch möglich, den gleichen Hintergrund wie in Apg 4,8 (πλησθεὶς πνεύματος ἁγίου) anzunehmen, nämlich Lk 12,11.12.[34] Durch τοῖς πειθαρχοῦσιν wird
das erste Wort der Rede aufgenommen und somit die ganze Entgegnung als Gehorsam gegenüber dem zu verkündenden Gott charakterisiert.

2. Die Aufgabe der Rede in ihrem Kontext und im Rahmen der Apostelgeschichte

Das erneute Verhör der Apostel ist von Lukas zur Steigerung
der Auseinandersetzungen komponiert.[35] Gegenüber der vorhergehenden Gerichtsverhandlung wird die Rede nicht durch eine
Frage des Hohen Rates eingeleitet, sondern durch eine schar-
fe Anklage (V.28). Entsprechend ist die Antwort auf die entscheidenden Aussagen christlicher Verkündigung konzentriert.[36]
Die Reaktion des Hohen Rates ist Grimm und der Wunsch, die
Apostel zu töten (V.33), was die "Intervention des Pharisä-
ers Gamaliel"[37] zu verhindern vermag. Der Verfasser der Apostelgeschichte will seinen Lesern deutlich machen, dass die
apostolische Verkündigung des Glaubens und damit ihr eigener Glaube aus Gott (V.39) ist und selbst Verfolgungen das
Bekenntnis nicht aufzuhalten vermögen. Darüber hinaus bedeutet die Szene die letzte Stufe vor der Stephanusgeschichte,
durch die die Abwendung von Jerusalem eingeleitet wird.

V. Die Stephanusrede

1. Die Gestaltung der Tradition in Apg 7,2-53

Lukas ersetzt die Aussagen des Credo über Gott als Schöpfer
durch τῆς δόξης aus Ps 29,3. Der Ausdruck gewinnt seire Bedeutung durch V.55: Der Gott, der dem Abraham erschienen ist,
ist der gleiche, der seine Herrlichkeit den Stephanus sehen
lässt. Die redaktionellen Erweiterungen des Abrahamteiles
sind inhaltlich nicht gewichtig und zeigen eher eine gewisse

Neigung zur Auffüllung aufgrund eigener Bibelkenntnisse. Die
Redesituation wird durch εἰς ἣν ὑμεῖς νῦν κατοικεῖτε   und
ἐν τῷ τόπῳ τούτῳ   ausgedrückt. Eine inhaltliche Absicht
lassen diese Gegenwartsbezüge nicht erkennen. In der Vermeidung der Parataxe ist die bessere Syntax feststellbar.

Abgesehen von der durch Lukas vorgenommenen Auffüllung der
Josephgeschichte, wodurch nicht nur der Abschnitt gedehnt
wird, sondern auch der Gestalt des Joseph mehr Gewicht zukommt, verdienen zwei Erweiterungen besonders bedacht zu
werden. Einmal erfahren die Patriarchen durch ζηλώσαντες
eine negative Wertung, die ganz in der lukanischen Tendenz
der Rede zu sehen ist, wie es V.51-53 am deutlichsten zu erkennen gibt. Dort lässt Lukas sich ebenfalls durch die Tradition, und zwar der über Stephanus, leiten, so dass er die
vorgegebene negative Wertung der Väter auf den Text zurück-
wirken lässt. Zum anderen wird in V.10 χάριν durch σοφίαν
ergänzt. Beide Begriffe dienen in Lk 2,40.52 zur summarischen
Zwischenbemerkung über das Kind Jesus (vgl. Lk 7,35; 11,31.
49); Stephanus selbst wird als Mann voll Weisheit dargestellt (Apg 6,3), dessen Weisheit keiner zu widerstehen vermochte (Apg 6,10; vgl. Lk 21,15).[38] Joseph wird damit transparent für Jesus und Stephanus und das Verhalten der Patriarchen für die ablehnende Haltung der Juden in der Gegenwart.

In 7,17 hat Lukas entscheidend eingegriffen, indem er ganz
betont die Mosezeit als Zeit der Verheißung charakterisiert.
Das Gewicht der gewählten Ausdrücke wurde bereits in der
Analyse des Verses deutlich. Gegenüber der Vorlage, die vielmehr das Heilshandeln Gottes betont, wird im ganzen Moseab-
schnitt die Person des Mose von Lukas hervorgehoben und im
Gegensatz zu ihm das Fehlverhalten der Väter. Der Verfasser
der Apostelgeschichte folgt hier der Argumentationsweise, wie
sie in späteren Geschichtsdarstellungen häufig bis ausschließlich zu finden ist. Die Geschichte wird nach Analogien und
Exempla abgesucht und ausgewertet. Der neue "Sitz im Leben"
als Rede verändert das Credo, ohne seine ursprüngliche Bedeutsamkeit aufzugeben. Von Belang sind wieder nicht die einfachen Auffüllungen mit Hilfe der LXX. Wichtig ist die betonte Herausstellung des Mose als den, der im rechten Augen-

blick geboren wurde (V.20), der gewaltig in Worten und Taten
war (V.22), durch dessen Hand Gott die Erlösung geben will
(V.25), der Unrecht verhindern möchte (V.26), den Gott als
Führer und Retter gesandt hat (V.35), der herausführte, indem er Wunder und Zeichen tat (V.36), der zum Vorbild des
kommenden Propheten wird (V.37), der als Vermittler zwischen
dem Engel und den Vätern stand (V.38). Betont ist das Verhalten der Väter, die nicht begriffen, dass Gott ihnen durch
Mose Rettung bringen wollte (V.25), die Mose verstießen, als
dieser Frieden stiften wollte (V.26.27), und verleugneten
(V.35) und die ihm nicht gehorsam sein wollten, ihn abwiesen
und ihr Herz nach Ägypten zurückwandten (V.39), die von Aaron
selbstgemachte Götter verlangten (V.40), solche herstellten
und sich über das Werk ihrer Hände freuten (V.41). Die Ver-
geltung Gottes konnte nicht ausbleiben, die Heilsgeschichte
schlägt zur Unheilsgeschichte um, so wie es im Buch Amos ge-
schrieben steht (V.42.43). Mose wird zum Typos auf den Retter Jesus, aber auch auf Stephanus hin; dagegen wird das Verhalten der Väter als typisch gesehen für das Verhalten des
Volkes Israel an Jesus und an dessen Verkündern. Dass diese
Dienstbarmachung des Credo aus der Redesituation erwächst,
macht Apg 6,11.13 deutlich. Die Situation wirkt in der Einbeziehung der Hörer und des Sprechenden in V.38 ein. Das ist
an dieser Stelle nicht von ungefähr, wenn man es im Zusammenhang mit Apg 6,11.13 und 7,53 sieht.

V.44-50 bringt nur auf dem Hintergrund des Credo einen Fort-
lauf der Geschichte; inhaltlich ist von Lukas ein eigenstän-
diges Thema angesprochen. Dass David Gnade vor Gott fand,
gibt dessen Wertschätzung im Credo wieder. Dass dennoch der
Tempel abgelehnt wird, darf nicht als Widerspruch dazu gesehen werden, sondern ist die Folge des Zusammenkommens von
Tradition und lukanischer Aussage. Das Thema "Tempel" geht
auf die Anklage in Apg 6,13 ein, hebt diese nicht auf, sondern stellt sie theologisch richtig. Was in der vorgegebenen
Schriftauslegung wahrscheinlich generell zum Ausdruck kam,
dass nämlich der Höchste nicht in dem wohnt, was Menschen-
hände gemacht haben (vgl. Apg 17,24), wird hier durch die
Anklage herausgefordert zur Aussage gegen den Tempel in Jerusalem. Eine grundsätzliche Polemik gegen den Jerusalemer

Tempel ist der Apostelgeschichte nicht anzumerken und ist
deswegen auch hier nicht beabsichtigt, wie überhaupt die Redaktion des Lukas viel zu subtil ist, als dass hinter allem
Grundsatzaussagen gesehen werden müssen. In einer Zeit, als
es den Jerusalemer Tempel nicht mehr gab, ist eine derartige grundsätzliche Polemik gegen diesen auch gar nicht zu erwarten, wohl aber eine Aussage gegen den heidnischen Tempel.

Die Scheltrede in V.51-53 wurde in ihrem Kern zur Stephanustradition gerechnet. Dass Lukas diese heftigen Worte an den
Schluss der Rede stellt, entspricht seiner Gepflogenheit.
Direkt werden die Zuhörer angesprochen und beschuldigt. Durch
die Einbeziehung des Jesusgeschehens wirkt nicht nur Apg 6,14,
sondern auch das Credo nach. Das unerbittliche Herausstellen
des Verrates und Mordes an Jesus gehört zu den eindringlich-
sten Aussagen aller bisher ausgeführten Reden. V.53 wendet
den Vorwurf der Kläger zur Anklage gegen diese.[39]

2. Die Funktion der Rede in ihrem Kontext und die Bedeutung des Ganzen für das Verständnis der Apostelgeschichte

In Apg 6,8 - 7,1.54. - 8,3 verarbeitet Lukas einen "Lynchbe-
richt über Stephanus".[40] Diesen Bericht hat der Verfasser der
Apostelgeschichte so ausgestaltet, dass die Adressaten "beispielhaft Jesu Wirken in den Verkündigern der frühen Kirche"
erkennen können.[41] So erfüllt sich an Stephanus, was in der
zweiten Eschatologierede des dritten Evangeliums über das
"Verfolgungsschicksal der Gemeinde" gesagt wird (Lk
21,12-19).[42] Das von Lukas dargestellte Martyrium des Stephanus trägt nicht nur im Ablauf der Vorgänge "Züge der Verhandlung Jesu vor dem Hohen Rat (vgl. Mk 14,53-65) und seines
Todes (vgl. Lk 23,34.46), sondern ist durch die Transponierung aus Mk 14,57-58 geradezu selbst diese Verhandlung geworden". Lukas will dadurch aussagen, "dass sich im Leiden
des Stephanus im letzten Jesu Passion ereignet. Stephanus
steht dabei als Beispiel für einen christlichen Verkündiger".[43] Auf diesem Hintergrund ist die Stephanusrede nur vordergründig eine "Verteidigungsrede".[44] Sie ist im Sinne des
dritten Evangelisten die Erfüllung dessen, was in Lk 12,11.12
(vgl. 21,12-15) verheißen ist. Das, was der Heilige Geist zu
sagen eingibt, ist letztlich nichts anderes als das Glaubens-

bekenntnis der Kirche. Dieses Credo wird durchsichtig für das
Schicksal Jesu und seiner Verkündiger und für das Fehlverhalten des Volkes Israel. Durch die redaktionelle Umwandlung
soll den Lesern der Apostelgeschichte erkenntlich bleiben,
dass die Auseinandersetzungen mit dem Judentum in Grunde genommen nichts anderes sind als Auseinandersetzungen um das
Credo und damit um das Heilshandeln Gottes in der Geschichte. Inhaltlich geht es in der Form geschichtlicher Darstellung darum, wie das Handeln Gottes an den Vätern in Jesus
Christus bekannt oder abgelehnt wird.

Was so zur Darstellung gelangt, ist für Lukas nicht ein Gestaltungsmoment unter vielen, sondern wird von ihm an "bedeutender Stelle"[45] seiner Apostelgeschichte eingeordnet.
Vorbereitet ist die Stephanusgeschichte durch die zweimalige
Verhaftung der Apostel und deren Verhör vor dem Hohen Rat
(Apg 4,1-22; 5,17-42), wodurch bereits der Bruch mit den
Führern des jüdischen Volkes eingeleitet wird. In der Stephanusgeschichte werden nicht nur die Apostel verfolgt, sondern auch andere Verkünder. Nicht nur die jüdische Obrigkeit
verhält sich gegen sie, sondern unterschiedliche Gruppen ver-
bünden sich und hetzen das Volk auf. Nicht mehr wird das tatsächliche Verhalten der Angeklagten zum Gegenstand der Verhandlung, sondern falsche Zeugenaussagen. Mit der Steinigung
des Stephanus schliesslich bricht eine schwere Verfolgung
über die Kirche von Jerusalem an (Apg 8,1) und mit der Zer-
streuung beginnt "die im Auftrage Jesu 1,8 genannte zweite
Phase" der Christusverkündigung.[46] Darüber hinaus deutet die
Verknüpfung der Stephanusgeschichte mit der Gestalt des Paulus (Apg 8,1)[47] den weiteren Verlauf der Verkündigung bis an
die Grenzen der Erde (Apg 1,8) an.

Der so herausgestellte Wendepunkt[48] im Verhältnis der Urkirche zum Judentum muss als besonders geeignet erscheinen, in
diesem Zusammenhang vor allem die Aussagen des Credo über
Gottes Handeln an den Vätern zu verwenden und diese dahingehend auszuformen, dass das Fehlverhalten des jüdischen Volkes
bereits in seiner vergangenen Geschichte vorgezeichnet ist.

VI. Die Rede des Petrus im Hause des Kornelius

1. Die Wiedergabe der Tradition in Apg 10,34-43

Die aus der Korneliustradition gebildete Erkenntnis des Petrus in V.34-36 wird mit Hilfe von Ps 1o7,20 durch τὸν λόγον
ἀπέστειλεν τοῖς υἱοῖς Ἰσραήλ   von Lukas ergänzt. Er knüpft
damit an Apg 3,26 an und bringt schliesslich den gleichen Gedanken in Apg 13,26 zum Ausdruck. Der Sinn dieser Verknüpfung ist nicht nur literarischer Art, sondern es soll den Lesern immer wieder der Ursprung des Glaubens deutlich werden,
damit diese ihren Glauben in der Geschichte begründet sehen
und sich selbst als das neue Volk Gottes verstehen, das seine
Wurzeln im Handeln Gottes an den Söhnen Israels hat.

In V.37-39 geht es wie in Apg 2,22 um die Auslegung der Credo-
worte Ἰησοῦν τὸν Ναζωραῖον δυνάμεσι ἀποδεδειγμένον.
Die Ähnlichkeit beider Redeteile ist auch angezeigt durch
καθὼς αὐτοὶ οἴδατε   und   ὑμεῖς οἴδατε . Für das Verständnis dieser Bemerkungen ist es wichtig zu sehen, dass
die Leser der Apostelgeschichte angesprochen sind, welchen
τὸ γενόμενον ῥῆμα aus dem dritten Evangelium bekannt ist.
Das Geschehen wird daher καθ' ὅλης τῆς Ἰουδαίας   lokalisiert. Gemeint ist, "wie unter Hellenisten üblich"[49], ganz
Palästina.   ἀρξάμενος [50] ἀπὸ τῆς Γαλιλαίας μετὰ τὸ βάπτισμα
ὃ ἐκήρυξεν Ἰωάννης   entspricht genau dem vom dritten Evangelisten stark akzentuierten "'Anfang' Jesu in Gali-
läa"[51] (vgl. Lk 4,14; 23,5) und drückt zugleich die im Evangelium herausgestellte Vorläuferfunktion des Täufers aus.
Dann erst wird betont der Name Jesu genannt. Der Titel des
Credo wird hier zur Herkunftsbezeichnung. Mehrere Aussagen
werden gemacht. Hinter ὡς ἔχρισεν αὐτὸν ὁ θεὸς πνεύματι
ἁγίῳ steht offensichtlich Lk 4,18 (= Jes 61,1), während
δυνάμει auf das Credo verweist. Der folgende Relativsatz
entfaltet die zugrundeliegende Credoaussage über den durch
Wundermacht von Gott Beglaubigten. Fast überflüssig wird
nochmals ein Grund angegeben: ὅτι ὁ θεὸς ἦν μετ' αὐτοῦ.
Die Wendung verweist nicht nur auf Apg 7,9, sondern wird auch
sonst von Lukas gern gebraucht (Lk 1,28.66; Apg 11,21; 18,10).
V.39a "knüpft deutlich an die Vorstellung von Jesu Wirksamkeit an (πάντων ὧν ἐποίησεν   ), auf die sich die Zeugen-

schaft der ἡμεῖς bezieht".[52] Dem geographischen Aufriß seines Evangeliums folgend, führt der Verfasser der Apostelgeschichte neben dem Wirken im Land der Juden das in Jerusalem auf. Der Bezug der Zeugenschaft auf das Wirken Jesu ergibt sich aus der Akzentuierung dieses Gedankens im Credo.

Der relativische Anschluss der abgewandelten Tötungsaussage
in V.39 entspricht syntaktisch der Credoaussage. Dem καί
kommt dabei der Sinn zu, dass es eine Handlung als "uner-
wartet" hervorhebt.[53] Der unbegreiflichen Tötung Jesu wird
dann auf dem Hintergrund des Credo betont (τοῦτον) das
Handeln Gottes gegenübergestellt. In V.41 erweitert Lukas
interpretierend die Erscheinungsaussage des Credo. In V.42
drückt sich dann das urchristliche Verständnis der Erscheinungen des Auferstandenen aus. Die Erscheinung geschieht
"um der Sendung willen".[54] Der Sendungsauftrag ist in den
Verben κηρύξαι und διαμαρτύρασθαι ausgesagt, deren Inhalt mit ὅτι οὗτός ἐστιν κτλ. angegeben ist. Inhaltlich
wird die letzte Aussage des Credo wiedergegeben. Dass auf
sie in der ersten Predigt vor Nichtjuden zurückgegriffen
wird, dürfte in der Bedeutung dieses Gedankens der spätjü-
disch-hellenistischen Mission begründet sein.[55] Der Sendungsauftrag wird zunächst auf Israel begrenzt (τῷ λαῷ), wenn
auch in πάντα τὸν πιστεύοντα diese Begrenzung überschritten wird. Aus kompositionellen Gründen bleibt die Erkenntnis des Petrus in der Schwebe, damit die von Gott den Heiden geschenkte Umkehr (Apg 11,18) ganz durch die unerwartete
Geistsendung (Apg 10,44-48) legitimiert wird, jedoch über den
Weg der Verkündigung (τοὺς ἀκούοντας τὸν λόγον V.44).
Der letzte Vers hat als selbständig zu gelten. Dies wird
durch das betont vorangestellte τούτῳ , entsprechend dem
τοῦτον in V.40, syntaktisch deutlich angezeigt. Darum kann
das Zeugnis aller Propheten nicht in Konkurrenz zum Zeugnis
der Apostel gesehen werden, sondern ist auf die Redesituation und den Fortgang der Geschichte des Wortes Gottes hin
zu verstehen. Der Akzent im letzten Satz der Rede liegt auf
dem Inhalt dessen, was bezeugt wird. Die Wahl des Infinitivs
mit Akkusativ ist gut klassisch und entspricht lukanischem
Stil.[56] Apg 26,18 spricht ebenfalls von λαβεῖν ἄφεσιν
ἁμαρτιῶν (vgl. Lk 24,47; Apg 2,38; 5,31; 13,38). Die Rede

kann nicht, wie es bisher geschah, mit der Aufforderung zur
Umkehr schliessen, um dem Gang der Ereignisse nicht vorzu-
greifen. Eine Generation, deren Credo so stark im Judentum
verankert ist, selbst sich aber nicht von diesem Judentum her-
leitet, kann nicht den geschichtlichen Werdegang ihres Glaubens ignorieren, bedarf aber andererseits der theologischen
Begründung der eigenen Glaubensexistenz. Die Vergebung der
Sünden aller, die glauben, ist als Heilsplan Gottes durch die
Schrift erkennbar und geschieht durch den Namen Jesu. Die
Aussage von der Sündenvergebung und von der Bedeutung des Namens Jesu ist dem Leser längst vertraut. Vom Zeugnis der Propheten für Jesus Christus spricht Lk 24,25-27.44-47 (vgl. Apg
3,18.21). Durch Lk 24,25 wird auch τὸν πιστεύοντα εἰς
αὐτόν bewirkt sein (vgl. Apg 2,44; 4,4; 5,14). So ist der
letzte Satz aus verschiedenen Motiven gebildet und dient einem summarischen Abschluss der Rede.

2. Die Bestimmung der Rede in ihrem Kontext und im Rahmen der Apostelgeschichte

Der Höhepunkt der Korneliusgeschichte ist in Apg 10,44-48 ausgesagt. Die Verkündigung des Petrus wird durch die Herabkunft
des Heiligen Geistes auf alle Hörer des Wortes überboten und
in ihrer ganzen Tragweite offenbar. Die Geistsendung ist eng
mit dem Sprechen der ῥήματα ταῦτα und dem Hören des λόγος
verbunden, so dass die Verkündigung und das Hören geradezu
die Disposition für das unerwartete Geschehen abgibt. "Die
Geistausgießung stellt insofern den Höhepunkt der Korneliusgeschichte dar, als mit ihr der kritische und entscheidende
Augenblick für die Judenchristen eintritt, wie aus ihrer Reaktion zu entnehmen ist (ἐξίστασθαι)."[57] Von diesem Ziel
her ist der ganze Aufbau der Korneliusgeschichte zu verstehen. Zwei Visionen bereiten die Begegnung des Petrus und des
Kornelius vor und der Sinn dieser Begegnung wird in den Worten des Kornelius Apg 10,33 ausgesagt: νῦν οὖν πάντες ἡμεῖς
ἐνώπιον τοῦ θεοῦ πάρεσμεν ἀκοῦσαι πάντα τὰ προστεταγμένα σοι
ὑπὸ τοῦ κυρίου.

Dieser Satz macht deutlich, worum es geht, nämlich um das Hören all dessen, was dem Petrus vom Herrn aufgetragen ist.

Für das Verständnis ist schliesslich noch auf Apg 11,14 hinzuweisen. Dort ist die Bedeutung der ῥήματα des Petrus umfassend mit ἐν οἷς σωθήσῃ σὺ καὶ πᾶς ὁ οἶκός σου ausgedrückt. So ist es nur konsequent, wenn in der Rede der auf
Christus hinlaufende Heilsplan Gottes ausgesprochen wird,
dessen Gegenwartsbedeutung und vor allem die wichtigsten Christusaussagen des Credo entfaltet werden unter besonderer Akzentuierung der Zeugenschaft und dem damit gegebenen Sendungsauftrag.

Im Rahmen der Apostelgeschichte ist die Rede das erste Zeugnis vor Nichtjuden, wenn es sich auch bei Kornelius nicht
"um einen 'Heiden' im üblichen Sinn" handelt.[58] Das Wort Gottes nimmt also seinen weiteren Gang. Sein Inhalt bleibt kon-
stant trotz der sich grundsätzlich unterscheidenden Situatio-
nen und der sich daraus ergebenden Bezüge der Verkündigung,
trotz der unterschiedlichen Akzente und Formulierungen. Alle
Verkündigung ist gebunden an das Credo der Kirche, in dem
Gottes Heilshandeln bekannt wird, wie umgekehrt das Credo der
Adressaten verankert ist in der Geschichte der Kirche von Anfang an.

VII. Die Paulusrede im pisidischen Antiochien

1. Die Redaktion der Tradition in Apg 13,16-41

Die Rede gliedert sich in vier Teile. Der erste Teil V.16-25
umfasst das Handeln Gottes an "unseren Vätern" und führt dieses bis zum Jesusgeschehen, wobei Johannes der Täufer den
Terminus ad quem dieser Heilsgeschichte markiert. Der zweite
Teil stellt in V.26-31 das Handeln Gottes an Jesus Christus
dar. Darin erweisen sich die Aussagen durch die Gegenüberstellung des Handelns der am Tod Jesu Verantwortlichen und
des Handelns Gottes in der Auferweckung Jesu als zusammenge-
hörig. V.32-37 bilden ein selbständiges Gefüge um der aufgeführten Schriftworte zur Auferweckung Jesu willen. V.38-41
beinhalten als Schluss die Folgerung aus dem bisher Gesagten.

V.17-22 bieten, wie die Analyse zeigte, nur wenige redaktionelle Eingriffe des Lukas. Dem ersten Glied der Rede entsprechend, wird, ähnlich wie in 7,2, das die Aussage beherrschende

Subjekt ὁ θεός mit dem Attribut τοῦ λαοῦ τούτου 'Ισραήλ
bedacht. Inhaltlich ist dieser Genitiv durch das Credo 13,23
ermöglicht. V.17a fasst summarisch die Erwählung der Väter
durch Gott, wie sie im Credo ausgesprochen ist, zusammen.
Das Verb, das dem Sprachgebrauch des Lukas entgegenkommt,
wird aus entsprechenden Zusammenhängen der LXX entlehnt sein;
hinzuweisen ist vor allem auf Dtn 4,37 (7,6 und 10,15). Auf
diese Stelle könnte Lukas durch das ἐξήγαγεν aus dem Credo
gestoßen sein. μετὰ βραχίονος ὑψηλοῦ mag dann seinerseits
zur Auswahl des Satzes mit ὕψωσεν geführt haben. Das Motiv
der Zusammenstellung ist Straffung, ohne die inhaltsschweren
Aussagen des Credo zu verflüchtigen. Die Zusammenfassung der
Credoaussage in V.18 ist von dem Bestreben geleitet, das Wü-
stengeschehen dem vorangestellten Subjekt zu unterstellen.
Mit der Partizipialkonstruktion in V.19 wird die Parataxe
vermieden. Im übrigen folgt Lukas fast wörtlich dem Credo.
Die Ausführungen über David werden durch μεταστήσας und
μαρτυρήσας verstärkt. Der Übergang von David zu Jesus Christus ist gegenüber dem Credo direkter (τούτου) und in der
Formulierung gestrafft (κατ' ἐπαγγελίαν). Die Aussagen
über Johannes den Täufer heben die unvergleichbare Stellung
Jesu im Ablauf der Geschichte hervor.

Deutlich ist in V.26 das eigentliche Jesusgeschehen zum Vorhergehenden durch die erneute Anrede abgehoben. Dies entspricht dem heilsgeschichtlichen Konzept des dritten Evangelisten und ist insofern im Credo begründet, als dort das Handeln Gottes an Jesus Christus als Erfüllung der Verheißung
und damit als Höhepunkt der Geschichte Gottes mit den Menschen verstanden wird. υἱοὶ γένους 'Αβραάμ ist lukanische
Variation zu 'Ισραηλῖται in Apg 13,16. Indirekt wird damit
auf den Anfang des heilsgeschichtlichen Credo zurückgegriffen.
Ähnlich wie in Apg 3,26 will Lukas die Verkündigung im alten
Gottesvolk fest verankert wissen. Der Vers hat eine Parallele
in Apg 10,36. Beide Aussagen gehen auf Ps 107,20 zurück. Weil
Jesus der von Gott bestimmte σωτήρ ist (V.23), wird aus dem
λόγος παρακλήσεως (V.15) der λόγος τῆς σωτηρίας , "die
christliche Heilsbotschaft"[59], deren Darstellung (γάρ) im
folgenden beginnt. Zunächst wird das Verhalten der Bewohner
von Jerusalem und deren Führer entfaltet. Das Ganze in

V.27-29 ist redaktionelle Interpretation der Credoaussage
über die Tötung Jesu unter Heranziehung der Passionsgeschichte des dritten Evangeliums. Ist von Lukas auch eine krasse
Gegenüberstellung des Verhaltens der Jerusalemer einerseits
und Gottes andererseits intendiert, so liegt doch der Akzent
dieses Redeabschnitts eindeutig darauf, daß dieses Geschehen
trotz allem der Schrift gemäß ist und damit dem Plan Gottes
entspricht. Die Betonung, dass sich in der Tötung Jesu die
Schrift erfülle, entspricht dem Verständnis der Rede als
λόγος παρακλήσεως (Apg 13,15), d.h. als "Schriftauslegung".[60] Es geht also nicht um eine Polemik gegen das Handeln des jüdischen Volkes. Dafür bestand zur Zeit des Lukas
auch kein Anlaß mehr. Wohl aber mag sich in der Interpretation der Tötungsaussage das für die Christen von Anfang an
bedrückende Problem verbergen, wie der, "den sie als Messias
und Erlöser verehrten, eines so schmählichen Todes sterben
konnte".[61]

In V.30 ist die Auferweckungsaussage des Credo wiedergegeben.
Die betonte Voranstellung von ὁ δὲ θεός im Gegensatz zu den
Jerusalemern führt zu einer syntaktischen Abwandlung des Cre-
dosatzes. Die Erscheinungsaussage des Credo ist erweitert.
ἐπὶ ἡμέρας πλείους weist auf Apg 1,3. ἀπὸ τῆς Γαλιλαίας εἰς
Ἰερουσαλήμ umfasst den im dritten Evangelium zurückgeleg-
ten Weg Jesu und seiner Apostel (vgl. Apg 10,39).

Mit V.32 erfolgt ein Neueinsatz. Zunächst wird die Bestimmung des Paulus und des Barnabas zum Verkünden gegenüber den
hier Angesprochenen ausgesagt. εὐαγγελίζειν wird vornehmlich von Lukas gebraucht.[62] Der Inhalt der Botschaft ist mit
Hilfe des Credo τὴν πρὸς τοὺς πατέρας ἐπαγγελίαν γενομένην
umschrieben.

Es geht im ersten ὅτι-Satz um die von Gott erfüllte Verheißung, die mit Hilfe der Schrift über David erwiesen wird.
ἀναστήσας Ἰησοῦν ist als lukanische Variation des ἤγαγεν
σωτῆρα Ἰησοῦν anzusehen. Gemeint ist entsprechend dem
Credo das umfassende Handeln Gottes an Jesus Christus. Das
Psalmzitat umschreibt, welche schriftgemässe Stellung Jesus
zukommt.[63] Diesem Verständnis muss nicht widersprechen, wenn
man aufgrund der Verbwahl und des Kontextes das umfassende

Handeln Gottes an Jesus Christus und dessen daraus sich ergebende Stellung vor allem in der Auferweckung begründet
sieht.[64] Die verbleibende Unsicherheit erklärt sich dann dadurch, dass Tradition und Redaktion zusammentreffen, ohne daß
eines das andere negiert.

V.34a ist von Lukas aus bekannten Elementen gebildet. Neben
der Auferweckungsformel ist mit διαφθορά auf die in Apg
2,29-31 umfänglicher erhaltene Schriftauslegung zurückgegriffen, die dann auch in V.36.37 zitiert wird.

Das zweite Schriftzitat wird nicht durch eine eigentliche Zitationsformel eingeleitet, sondern als direkte Gotteslehre
hingestellt. Der Grund dafür ist in der Übernahme aus dem
Credo zu sehen. Ein Motiv für die Anführung dieses Wortes an
dieser Stelle kann in einer beabsichtigten Straffung des ersten Redeteils gesehen werden, wie es durch den Anschluss mit
τούτου in V.23 angezeigt wird. Damit aber kann das Problem
keineswegs als gelöst angesehen werden, weil der jetzige Zusammenhang des Schriftwortes schwerlösbare Verständnisschwie-
rigkeiten mit sich bringt.[65] Im Credo dient das Gotteswort
zur Überleitung zum Christusgeschehen. Wie kommt Lukas dazu,
gerade dieses Wort, das ursprünglich auf das ganze Handeln
Gottes an Jesus ausgerichtet war, hier nur auf die Auferwek-
kung zu beziehen? Der Verfasser der Apostelgeschichte wird
das Wort durch ὑμῖν als direktes Gotteswort an die Hörer
der Rede verstanden haben wollen. Dann ist die Auferweckung
Jesu nicht nur Handeln Gottes an Jesus, sondern Handeln Gottes auf die jetzige Generation hin, der in der Auferweckung
Jesu die Gnadengaben Davids zukommen sollen. Dem entspricht
auch die Möglichkeit, V.33 nicht nur als Aussage über das
umfassende Handeln Gottes an Jesus zu verstehen, wie es im
Credo geschieht, sondern als Auferweckungsaussage, so dass
die Erfüllung der Verheißung grundlegend in der Auferweckung
gesehen werden soll.

Das dritte Zitat entstammt der vorgegebenen Schriftauslegung.
διότι (Lk 1,13; 2,7; 21,28; Apg 18,10 (2x); 20,26; 22,18)
weist es als Begründung aus. ἐν ἑτέρῳ zeigt die Verbindung
zum vorhergehenden Zitat.

Grundlage des Abschnittes ist die Zielaussage des heilsge-

schichtlichen Credo. Die Erfüllung der Verheißung wird in der
Auferweckung gesehen.[66]

In V.38-41 hat Lukas das "Ergebnis" der Rede besonders ausgestaltet mit Hilfe des Begriffes ἄφεσις ἁμαρτιῶν , eines
wahrscheinlich mit der Paulustradition vorgegebenen Satzes
über die Rechtfertigung und des LXX-Zitates Hab 1,5. "Mit
einem atl.Wort, das wie eine Drohung, wie ein unterirdisches
Grollen klingt und den Juden ihre Verantwortung einschärft,
endet die Rede: wird die Botschaft abgewiesen, dann hat Gott
ein unerwartetes, überraschendes Werk bereit. Was es ist,
wird nicht gesagt. Aber der Leser weiss: es ist die Heiden-
mission".[67]

2. Die Stellung der Rede in ihrem Kontext und im Rahmen der Apostelgeschichte

Nach Apg 13,14.15 lässt Lukas die Rede des Paulus innerhalb
eines Synagogengottesdienstes an einem Sabbat im pisidischen
Antiochien gehalten sein. Wenn auch jeder "Versuch, die wesentlichen Elemente synagogaler Liturgie des Frühjudentums
aufzuzeigen", "mit mehreren Unbekannten belastet"[68] ist, so
war doch "ohne Zweifel von Anfang an" die "Verlesung der
Thora (mit anschliessender Auslegung des Gelesenen)" "Bestandteil des Synagogengottesdienstes (wenn nicht überhaupt
der Kern, um den sich später die Gebete gruppierten)".[69]
Ebenso steht "der vorchristliche Ursprung der Prophetenle-
sung ausser Frage".[70] Was in Apg 13,15 als λόγος παρακλήσεως bezeichnet ist, wird man als terminus technicus für die
sich der Schriftlesung anschliessende "Schriftauslegung"
verstehen müssen.[71] Der Vortrag sollte "die betreffende
Schriftlektion erläutern und 'praktisch nutzbar' machen, indem er sie 'den Hörern ans Herz legte' "[72]. Wie sehr Lukas
den λόγος παρακλήσεως als Schriftauslegung ganz vom Christusgeschehen her versteht, wird durch die Rede eindringlich
dargelegt. "Das lässt schon der heilsgeschichtliche Abriß
erkennen, der von den Vätern bis zu Jesus hinführt und damit
den λόγος παρακλήσεως zum λόγος σωτηρίας (13,26) werden
lässt (13,17-25)."[73] Keineswegs bietet Lukas "den Anfang
einer Synagogenpredigt".[74] Und nur vordergründig kann gesagt

werden: "im Anschluss an die Lesung 'aus Gesetz und Propheten' gibt der Apostel einen knappen Gesamtüberblick über die
'in Gesetz und Propheten' bezeugte Heilsgeschichte, womit er
zugleich von der gottesdienstlichen Situation her einen unmittelbaren Zugang zum Jesuskerygma erhält, dessen heilsgeschichtlicher Charakter hier durchgehend hervorgehoben
wird."[75] Und schon gar nicht kann Apg 13 auch in der redi-
gierten Form der Vorlage als Beispiel für die Übernahme hel-
lenistisch-jüdischer Predigttypen aufgeführt werden.[76] Für
das Gesamtverständnis der Apostelgeschichte kommt der Rede
eine ähnliche Bedeutung zu wie der des Stephanus. Sie ist
"die einzige Darstellung einer christlichen Predigt in einer
Synagoge der Diaspora (übrigens die einzige einer Synagogenpredigt überhaupt); sie wird passenderweise Paulus in den
Mund gelegt."[77] Doch ist die Predigt des Paulus wohl"kaum
einfach als Exempel einer Synagogenpredigt gedacht, sei es
als historisches Beispiel, sei es als Muster für die Zeit
des Lukas."[78] Es geht vielmehr in der Form geschichtlicher
Darstellung um das Herausstellen der Bedeutsamkeit des Handelns Gottes, wie der Glaube es bekennt.

Das Hauptgewicht liegt eindeutig auf der Verkündigung von
Tod und Auferstehung als Erfüllung der in der Schrift fest-
gelegten Verheißung Gottes. Dadurch ist die alte Heilsgeschichte und auch deren Gottesdienst durch das Heil in Jesus
Christus überboten.

Trotz des in Apg 13,43 ausgedrückten Erfolges führt der näch-
ste Synagogengottesdienst zur Konfrontation mit den Juden
(Apg 13,45). In diesem Zusammenhang bezeichnet Lukas die ge-
schehene Verkündigung als λόγος τοῦ θεοῦ   , der zuerst
zu den Juden gesprochen werden muss, um nach Gottes Plan den
Heiden zugewendet zu werden. Schliesslich ist zu betonen, daß
Paulus grundsätzlich nichts anderes verkündet als vor ihm
Petrus, dessen Verkündigung ebenfalls von den Juden zu den
Heiden hingelenkt wird. Zwar werden Themen und Akzente unterschiedlich gesetzt, ein Gefälle aber ist nicht erkennbar.
Paulus steht mit den anderen im Dienst des Gotteswortes, dessen Siegeszug von Jerusalem bis an die Enden der Erde das
eigentliche Thema der Apostelgeschichte ist. Das Wort Gottes

erwächst wesentlich aus dem auf Christus ausgerichteten Credo und dem durch dieses ermöglichte Schriftverständnis, wie umgekehrt der Leser das Credo als in der Geschichte des Gotteswortes begründet erkennen soll.

VIII. Die Rede des Paulus und Barnabas in Lystra

1. Die Umsetzung der Tradition in Apg 14,15-17

Nach der situationsbedingten Einleitung wird die Bestimmung des Paulus und Barnabas mit Hilfe der vorgegebenen Wendung über die Hinwendung von den nichtigen Götzen zum lebendigen Gott ausgesagt.[79] Dies gibt Lukas die Möglichkeit, wichtige Aussagen über den zu verkündenden Gott anzufügen.

Der lebendige Gott wird des näheren mit der Schöpfungsaussage des Credo gekennzeichnet. Der erste Relativsatz ist wörtliche Übernahme; ποιήσας ist in ἐποίησεν abgewandelt. Der nächste Relativsatz soll wie in 17,30 eine die Heiden "entschuldigende Erklärung" sein.[80] Die Rede dokumentiert die verständige und offene Haltung der Kirche gegenüber dem Heidentum, indem die Zeit vor der Christusverkündigung theologisch gewertet wird. "Und doch" bezeugte sich Gott als der, der Gutes tut. Worin dieses Gutestun besteht, lässt Lukas mit dem Partizip διδούς wieder aus dem Credo anklingen, vielleicht hier im Sinne eines seiner Zeit geläufigen Gottesbeweises mit Anspielungen auf die Jahreszeiten verbunden. Die abschliessende Partizipialkonstruktion ist als Erweiterung zu διδούς anzusehen, und zwar in der Sprache der LXX. "Der eine Gott wird nicht philosophisch-argumentierend demonstriert, sondern mit biblischen Wendungen verkündigt." [81] Ausgang dafür ist das Credo, verbunden mit der Möglichkeit, über die Natur einen Zugang zum Gott der Christen zu erhalten. Die Rede geht auf die Situation ein und nimmt diese zum Anlass, nicht nur das Ansinnen der Menge abzuweisen, sondern die eigentliche Existenz des Paulus und des Barnabas als εὐαγγελιζόμενοι zu umschreiben. Das Ziel ihrer Verkündigung wird programmatisch umschrieben als Bekehrung von den heidnischen Göttern zum Gott Israels und damit zum Gott der Christen, wie er im Credo bekannt wird. Die Wortwahl dieser so kurzen Aussagen ist theologisch und soteriologisch gefüllt,

so dass für die Adressaten des Lukas deren ganze Glaubens-
möglichkeit angesprochen ist. Dass die Rede relativ kurz
ausfällt, und nicht einmal das Christusgeschehen direkt
nennt, wird vor allem darin begründet sein, dass Lukas sehr
bewusst seine Aussagen in der Apostelgeschichte verteilt.
Das Christusgeschehen kam ausführlich in der Synagoge des
pisidischen Antiochien zur Sprache. Die hier fehlenden oder
nur angedeuteten Aussagen sind umfänglicher "für die grosse
Szene auf dem Areopag vorbehalten".[82]

2. Die Aufgabe der Rede im Kontext

In Apg 14,7 wird summarisch mitgeteilt $\varkappa\grave{\alpha}\varkappa\epsilon\tilde{\iota}$ $\epsilon\dot{\upsilon}\alpha\gamma\gamma\epsilon\lambda\iota\zeta\acute{o}\mu\epsilon\nu o\iota$
$\tilde{\eta}\sigma\alpha\nu$. Die Aussage ist so allgemein, dass weder Inhalt
noch Adressat näher bezeichnet werden. Die Bemerkung wird
also umfassend zu verstehen sein. Die schwierige Frage nach
der in Apg 14,8-18 zugrundeliegenden Tradition kann hier
nicht beantwortet werden. Jedenfalls macht die merkwürdige
Szene eine interpretierende Erweiterung durch die Rede möglich und nötig. Lässt der Wunderbericht die überwältigende
Grösse der christlichen Verkünder erkennen, die "den Ver-
gleich mit den $\vartheta\epsilon\tilde{\iota}o\iota$ $\mathring{\alpha}\nu\vartheta\rho\omega\pi o\iota$ des Heidentums nicht zu
scheuen brauchten,"[83] so setzt die Rede den Akzent richtig,
dass es nämlich um die Bekehrung der Heiden von den nichtigen Göttern zum lebendigen Gott geht. Lukas erreicht mit der
Rede ein Mehrfaches: einmal die Interpretation des Wunderge-
schehens, zum anderen eine programmatische Aussage über das
Ziel der Verkündigung, die vor den Heiden an die Schöpfungstheologie anzuknüpfen hat, wie diese im Bekenntnis der Kirche grundgelegt ist. Wurde die Rede des Petrus im Haus des
Kornelius zur ersten Verkündigung vor Nichtjuden, so ist die
Rede in Lystra als erste Verkündigung des Paulus vor Heiden
dargestellt. Das Gefälle inhaltlicher Art und die Erweiterung der Adressaten sind offensichtlich.

IX. Die Areopagrede

1. Die Aussageabsicht der Redaktion in Apg 17,22-31

Der Text gliedert sich in drei Teile. Wie in der Rede zu
Lystra wird in V.22.23 an die Situation angeknüpft und die
Aufgabe des Paulus ausgesagt. Als Einheit ergibt sich V.24-29

zu erkennen. Den Höhepunkt der Rede bilden die mit μὲν οὖν
eingeleiteten Aussagen in V.30.31.

Lukas beginnt in V.22 nach der situationsgemässen Anrede mit
einer positiven Wertung dessen, was Paulus gesehen hat. Ent-
gegenkommend werden die Athener als δεισιδαιμονέστεροι
bezeichnet. Diese sonst unbiblische Bezeichnung wird dennoch
eine gewisse Distanz ausdrücken sollen.[84] Als Begründung seines Urteils folgt der Hinweis auf den Altar mit der genannten
Inschrift, die der Verfasser der Apostelgeschichte für diesen
Zusammenhang formuliert. Somit ist ein Anknüpfungspunkt geschaffen, der dem Folgenden als Grundlage dient. Es geht um
die Verkündigung des Gottes, den die Athener nicht kennen.

Die erste"Hauptmotivgruppe"(V.24.25) ist durch οὐ κατοικεῖ
und οὐδὲ θεραπεύεται bestimmt. Die Aussagen gründen in den
beigefügten Attributen Gottes. In der Rede wird somit auf die
Schöpfungsaussage des Credo zurückgegriffen, die trotz der
Abwandlungen für die Adressaten erkenntlich bleibt. Denn
Grundlage aller Verkündigung ist das Glaubensbekenntnis der
Kirche. Es dürfte dieser Abschnitt der Rede deutlich machen,
was in der Zeit des Lukas zu den grundsätzlichen Unterschei-
dungsmerkmalen des Christentums gegenüber der heidnischen
Umwelt gehörte. Das andere Gottesbild und die andere Praxis
der Gottesverehrung fordern als Stein des Anstoßes eine theologische Begründung. Die Redaktion geht mit allem Geschick
vor, wenn die Schöpfungsaussage das Credo benutzt, die in Apg
7,48.49 vorgegebene Tradition verallgemeinert und darüber hinaus sich "modernisierter hellenistischer Sprache" bedient
wird.[85]

Die zweite "Hauptmotivgruppe" (V.26.27) erweitert die Schöpfungsaussagen, um in den finalen Infinitiven die Bestimmung
des Menschen zu kennzeichnen. Auch hier formuliert Lukas mit
traditionellen Elementen unterschiedlichster Herkunft, wobei
die hellenisierende Ausrichtung unverkennbar ist. Das Gewicht dieses Redeteils liegt in ζητεῖν τὸν θεόν.

Die dritte "Hauptmotivgruppe" (V.28.29) handelt von der Gottesverwandtschaft des Menschen. Herangezogen wird stoisch-
hellenistisches Gedankengut, einschliesslich der "Ablehnung
des Bilderdienstes", wenn auch letzteres ganz auf dem Boden

des Alten Testamentes steht. Die ganze Darstellung lässt
"deutlich eine Steigerung erkennen. Erst hieß es mit rheto-
rischer Verkleinerung - Gott ist nicht fern von uns. Dann...:
Wir haben in ihm unsere Existenz - das ist der Ausdruck des
Kohärenzgedankens -, und nun ...: 'wir sind seines Ge-
schlechts'."[86] Aus der Gottesverwandtschaft des Menschen, die
im Sinne des Lukas in dessen Geschöpflichkeit zu sehen ist,[87]
folgt nochmals die Negierung des heidnischen Götzendienstes.

Als eigentliches Ziel der Rede haben V.30 und 31 zu gelten.
μὲν οὖν hat "fortleitende" Funktion und entspricht lukanischer Sprachgepflogenheit.[88] τοὺς χρόνους τῆς ἀγνοίας
greift direkt auf V.23 (ἀγνοοῦντες)zurück. Schon daraus
wird deutlich, dass hier die besondere Aussageabsicht der Rede zu sehen ist. ὑπεριδεῖν findet sich sonst im Neuen Testament nicht und meint dasselbe wie Apg 14,16, dass Gott in
den vergangenen Zeiten alle Völker ihre Wege gehen liess.
ἀπαγγέλειν , ein von Lukas bevorzugtes Wort, fasst in Verbindung mit μετανοεῖν die Bedeutsamkeit des ganzen Christusgeschehens universal und summarisch zusammen (vgl. Apg 26,20),
was durch die Paronomasie πάντες πανταχοῦ rhetorisch unterstrichen wird.[89] καθότι kommt im Neuen Testament ausschliesslich im lukanischen Doppelwerk vor (Lk 1,7; 19,9;
Apg 2,24.45; 4,35) und bedeutet "in Anbetracht der Tatsache,
dass; deshalb, weil".[90] Damit wird das Folgende als das eigentlich Grundlegende ausgewiesen. Die Dringlichkeit der Umkehr wird in der Aussage des göttlichen Gerichtstages offenbar. Dieses Gericht ist umfassend und steht unter dem von
Gott bestimmten ἀνήρ . Lukas formuliert mit Hilfe von Ps
96,13 und der Richteraussage des Credo. Die inhaltliche Sei-
te der Aussagen ist dem Leser bereits in den beiden Eschatologiereden des dritten Evangeliums erschlossen (Lk 17,20-37;
Lk 21,5-36).[91] Der zum Richter bestimmte ἀνήρ wird näherhin
durch die Auferweckungsaussage ἀναστήσας αὐτὸν ἐκ νεκρῶν
gekennzeichnet, die ebenfalls auf das Credo zurückgeht. Der
von Gott bestimmte Richter ist der Auferweckte. Schwierig ist
die damit verbundene Wendung πίστιν παρασχών. Wird πίστις
im Gegensatz zum Sprachgebrauch des Neuen Testaments als
"Beweis, Beglaubigung" verstanden,[92] so dient die Wendung
zur Begründung von ὥρισεν . In der Auferweckung hat Gott

den Beweis für Jesu Bestimmung zum Richter erbracht. Eine andere Möglichkeit ist gegeben, wenn der Partizipialsatz als
Auslegung des μετανοεῖν verstanden wird. Dann ist die Umkehr als "Gewährung von Glauben" interpretiert.[93] Diese Zu-
sammenordnung hätte eine Parallele in Apg 20,21. Dass die
Wendung nicht an den Schluss der Rede zu stehen kommt, könnte
kompositionelle Gründe haben, um direkt die folgende Reaktion
der Zuhörer an die Auferweckungsaussage anzuschliessen. Doch
verdient die erste Erklärung aus syntaktischen Gründen den
Vorzug, zumal in der Auferweckung grundsätzlich der Erweis
allen Redens von Gottes Handeln in Jesus Christus gegeben
ist.[94] Ziel der Rede ist die Verkündigung der Umkehr. Gegenüber den Zeiten der Unwissenheit qualifiziert das νῦν [95]
die Gegenwart der Heilszeit, und zwar im Hinblick auf das
von Gott festgesetzte Gericht. Die syntaktische Struktur ist
so angelegt, dass das Ganze auf das Christusgeschehen zielt
(ἐν ἀνδρί). Kein Name wird genannt. Jesus Christus wird
kund allein durch Gottes Handeln an ihm, ihn hat Gott zum
Richter bestimmt und es allen dadurch bewiesen, dass er ihn
von den Toten auferweckte.

Lukas gestaltet also die Areopagrede wesentlich mit Hilfe
der ersten und letzten Aussage des heilsgeschichtlichen Credo. Schöpfungstheologie und Eschatologie erschliessen den
Gott, den die Heiden nicht kennen und begründen für diese den
Ruf zur Umkehr. Ist die Schöpfungsaussage besonders geeignet,
unterschiedliche theologische und hellenistische Motive ein-
zubringen, um ein richtiges Gottesbild vermitteln zu können,
so dient die Richteraussage dazu, die Verkündigung der Umkehr
in ihrer ganzen Eindringlichkeit zu Gehör zu bringen. Der
Grund dafür, so sprechen zu können, liegt entscheidend in der
Auferweckungsaussage, die nicht nur betont an den Schluss der
Rede gestellt ist, sondern darüber hinaus einzig und allein
Zustimmung oder Ablehnung bewirkt.

2. Die Bedeutung der Rede in ihrem Kontext und für das Gesamtverständnis der Apostelgeschichte

Ohne hier die Frage klären zu können, wie das Verhältnis von
Tradition und Redaktion in Apg 17,16-22 zu bestimmen ist,
kann doch soviel gesagt werden, dass die Rede ihre Bedeutung

gerade durch die Situation erhält. Der ganze Abschnitt Apg
17,19-34 "bezeichnet und will bezeichnen einen Höhepunkt des
Buches".[96] Bei "keiner Missionsstation des Paulus hat der
Verfasser ein so farbenreiches Bild der zu Missionierenden
gegeben. Agora und Areopag, Epikuräer und Stoiker werden erwähnt".[97] Dabei ist es nicht entscheidend, ob hier Paulus
vor dem "Rat vom Areopag" erscheint oder die Hörerschaft den
Apostel nur zum Aresfelsen gebracht hat, "um ihm in ungestör-
ter Stille zu lauschen".[98] Auf jeden Fall bietet die Schilderung Athens einen großartigen Rahmen, der die Rede des Paulus umso bedeutender erscheinen lässt. Die Rede selbst ist
vorbereitet durch Apg 14,15-17 und muss hier als die eigentliche, ja "die einzige Heidenpredigt des Heidenapostels"[99]
angesehen werden. Als solche ist die Rede weit mehr als ein
"individuelles Ereignis",[100] sondern vielmehr ein "Programm"[101] für die Adressaten, wie die Verkündigung vor den
Heiden und die Auseinandersetzung mit ihnen aussehen kann
und soll. "Sachlich bedeutet dies ein Novum in der Reflexion
über den Menschen im Lichte des Credo."[102]

Der auf die Auferweckung Jesu hin komponierte Schluss der Rede führt in V.32-34 zum Unverständnis, mit dem das Kernstück
des christlichen Glaubens gerade auch im Griechentum zu rechnen hat, so dass Paulus aus der Mitte seiner Zuhörer fort-
geht. "Lukas hat die Lehre vom Auferstandenen als den Stein
des Anstoßes stehen lassen."[103] Dennoch fügt er "eine kurze
Nachricht über den Erfolg der Rede" an.[104] Wie weit hier
Tradition und Redaktion aufeinandertreffen, mag mit dem Hinweis auf sich beruhen bleiben, dass V.34 sich in der Tradition an V.17 angeschlossen haben kann.[105] Dann wäre die ganze Areopagszene von Lukas gestaltet. Die Verkündigung hat
hier den höchsten Grad der Öffentlichkeit erreicht. Für die
Adressaten der Apostelgeschichte sollen so Möglichkeiten und
Grenzen der an das Credo gebundenen, "unter relativer Anerkennung des griechischen Monotheismus, mit Berufung auf die
von griechischen Dichtern ausgesprochene Weisheit"[106] ausge-
stalteten Verkündigung sichtbar werden.

ZWEITES KAPITEL: Das heilsgeschichtliche Credo in den
                 Reden der Apostelgeschichte

I. Die Erkenntnis des Credo als Schlüssel zum Verständnis
   der Reden

Als wichtigstes Ergebnis erbrachte die Untersuchung die Annahme eines heilsgeschichtlichen Credo als Grundlage von Reden der Apostelgeschichte. Der rekonstruierte Text knüpft an
die Tradition vergleichbarer Entwürfe im Judentum an. Der
Grund für die Darstellung göttlichen Handelns ist jedoch das
Christusgeschehen. In ihm wird Gottes Handeln in der Geschichte so eindringlich erfahren, dass der Glaube zu einem
umfassenden Bekenntnis des Handelns Gottes geführt wird.
Gottes Geschichte verläuft bruchlos als Geschichte des Heils.
Der Höhepunkt dieser Geschichte ist das Christusgeschehen,
in dem Gott die an die Väter ergangene Verheißung erfüllt.
Wie der Text über das Handeln Gottes an den Vätern kein No-
vum darstellt, so steht auch der christologische Teil des
Credo nicht einmalig da. Neu und einzigartig ist jedoch die
Zusammenschau.

Als weiteres wesentliches Gestaltungsmoment der Reden dient
die Schrift. Die Verwendung des Alten Testamentes reicht von
einfachen Anklängen über ausdrückliche Zitate bis hin zu vorgegebenen Schriftauslegungen. Wenn auch die damit zusammenhängenden Probleme selbst nicht zum Thema dieser Untersuchung
gemacht werden konnten, wurde dennoch "der differenzierte
Rückgriff auf die Schrift durch Lukas" deutlich. Für den Verfasser der Apostelgeschichte ist "die Schrift eine wesentliche Verstehenshilfe für Gottes Handeln in Vergangenheit, Gegenwart und Zukunft".[1] Dieses Handeln Gottes aber kommt im
heilsgeschichtlichen Credo zur Sprache, dessen Aussagen in
den Reden der Apostelgeschichte durch die Schrift erweitert,
interpretiert und begründet werden.

Darüber hinaus weisen die Reden noch eine Reihe von Aussagen,
Formulierungen und Wörtern auf, die teils auf das dritte
Evangelium und teils auf ebenfalls vorgegebene, oft nicht
mehr genau bestimmbare Zusammenhänge zurückgehen, ohne dass
der Rahmen der durch das Credo bestimmten Thematik überschritten wird. Selbst die situationsbezogenen Aussagen ergeben sich entweder aus dem Credo selbst oder sind auf dieses

ausgerichtet bzw. rahmen oder ergänzen es.

Es dürfte daher aufgrund dieses Ergebnisses einsichtig sein,
daß die in dieser Untersuchung behandelten Reden der Apostelgeschichte nicht ohne das Wissen um die aufgenommene Tradition zu begreifen sind, und dass die Kenntnis des heilsgeschichtlichen Credo geradezu den Schlüssel für das Verständnis der Reden bildet. Wenn das Credo der Adressaten, für die
Lukas die Apostelgeschichte schreibt, die bestimmende Grundlage der Reden darstellt, dann kann vorausgesetzt werden, daß
dem damaligen Leser dieser Zusammenhang einsichtig war. Dadurch kommt sowohl die Absicht des Verfassers in den Blick,
"den Sinn" der geschilderten Ereignisse durch das zu Reden
umgestaltete Bekenntnis "aufzuhellen",[2] als auch die Verkündigungsabsicht der Apostelgeschichte, das Credo in der Geschichte des Wortes zu begründen.

II. Die Bedeutung der Aufnahme des Credo für die lukanische
     Komposition

In der Redaktion der Tradition erweist sich Lukas vor allem
als Meister der Komposition. Das Mittel der Komposition erhält einerseits die Treue gegenüber der Tradition und ermöglicht andererseits die Verwirklichung des schriftstellerischen Konzepts, unterschiedliche Akzentuierungen, Kontext-
verbundenheit und Gegenwartsbezug. Den Stil versteht Lukas
zu variieren. Seine Aussagen behalten die Konzentration ihrer Vorlagen. Oft wird programmatisch mehr angedeutet als
entfaltet. Die zu verarbeitenden Inhalte werden unterschiedlich, aber nicht wahllos verteilt. Die Reden bilden ein aus-
gewogenes Geflecht, ergänzen sich, laufen parallel, unterscheiden sich und enthalten dennoch je das Ganze.

Da der Aufbau und die Szenenfolge durch die zur Verfügung
stehende Tradition mitbestimmt sind, können damit auch die
Situationsbezüge in den Reden nicht beliebig sein. Dass die
Reden aber so komponiert sind und nicht anders, macht das
lukanische Konzept deutlich. Die Apostelgeschichte will die
Geschichte des Wortes darstellen, die wesentlich in dessen
Verkündigung und in der Wirkung dieser Verkündigung zu fin-
den ist. Der Verkündigung vor der jüdischen Ökumene am

Pfingsttag folgt die Verkündigung vor dem Volk in Jerusalem.
Beide Reden werden durch ein aussergewöhnliches Geschehen
verursacht, gehen aber darüber weit hinaus. Der Erfolg bleibt
nicht aus (vgl. Apg 2,41; 4,4). Die beiden nächsten Reden ge-
hören zu den Verhaftungsszenen, die aus einem Traditions-
stück (Apg 4,1-22 und 5,17-42) gebildet sind. "Durch die
Aufteilung des einen Traditionsstückes in zwei Perikopen,
zwischen die anderes Traditionsgut eingeschaltet ist, stellt
Lk einen geschichtlichen Werdegang her, an dessen Ende die
Loslösung des Christentums vom offiziellen Judentum steht."[3]
Als Wendepunkt in diesem geschichtlichen Werdegang steht die
Stephanusgeschichte. Ihre Bedeutung ist vor allem durch die
Ausgestaltung mit Elementen der Passionsgeschichte Jesu angezeigt. Die Rede des Stephanus ist zu einer grossen Ankla-
ge gegen das jüdische Volk ausgestaltet. Ganz dem heilsgeschichtlichen Plan entsprechend führt die Korneliusgeschich-
te zur ersten Verkündigung vor Nichtjuden durch Petrus.

Paulus, erstmalig in Apg 7,58 genannt, beginnt seine Verkündigung allenthalben in der Synagoge. Die Ablehnung des Gotteswortes durch die Juden und die Hinwendung der Verkündigung
zu den Heiden verläuft nach heilsgeschichtlicher Gesetzmäs-
sigkeit. Beispielhaft dafür hat die Synagogenansprache mit
ihren Folgen im pisidischen Antiochien zu gelten. Die kleine
Ansprache in Lystra bewahrt das geschehene Wunder vor Miß-
deutung. Dieses soll im Dienst des Wortes der Gnade gesehen
und die Wundertäter sollen als nichts anderes denn als Verkünder der Frohen Botschaft verstanden werden. Sorgfältig
ist von Lukas der Bericht über den Athenaufenthalt des Paulus ausgestaltet. Das weist der Areopagrede eine besondere
Bedeutung zu. Das Wort ist hier am weitesten in die vom Judentum entfernte Öffentlichkeit vorgestoßen.

Die Verteilung der Credoaussagen und deren unterschiedliche
Akzentuierung ist bei dieser Verteilung der Reden nicht zufällig. So bietet sich der alttestamentliche Teil über Gottes
Handeln an den Vätern geradezu an, die Anklage gegen Stephanus zur Anklage gegen die Juden werden zu lassen. Es muss
als gelungene Verknüpfung angesehen werden, wenn Lukas den
in Apg 7,58 erstmals genannten Paulus in dessen erster Rede

gerade an diesen Teil des Credo anknüpfen und diesen weiter-
führen lässt bis hin zum Handeln Gottes an Jesus Christus.
Diese Paulusrede ist darüber hinaus in einer Linie mit den
Petrusreden zu sehen. So zeigen sich zum Beispiel besondere
Berührungspunkte mit der Pfingstrede durch die auch hier aufgenommene Schriftauslegung, weiterhin mit der Tempelrede des
Petrus durch die umfänglicheren Passionsaussagen und mit der
Petrusrede im Haus des Kornelius in den Täuferaussagen. Ebenso ist es nicht zufällig, dass sowohl die Rede des Petrus vor
Nichtjuden als auch die des Paulus die Richteraussage enthalten (Apg 10,42; 17,31). Ähnliches ist zu sagen über die erste
und letzte Rede des Petrus, die beide vor allem die Credoaussage über Jesu Wirksamkeit besonders ausgestalten. Schliesslich sei noch auf die Rede in Lystra hingewiesen, die inhaltlich die Aussagen der Areopagrede vorbereiten soll. Diese
unterschiedliche Verteilung der Aussagen und deren Querver-
bindungen ermöglichen es, jeder Rede ein eigenes Profil zu
geben und dennoch erkennen zu lassen, dass es immer um das
Handeln Gottes geht, wie es im Credo bekannt wird, ohne in
jeder Rede das Ganze immer in gleicher Form schreiben zu
müssen. So entsteht der Eindruck, dass alle Reden als genuin
lukanisch angesehen werden können, obwohl kaum ein Satz vom
Verfasser der Apostelgeschichte ohne einen traditionellen
Hintergrund gebildet worden ist. Sowohl der Ablauf der Ereignisse als auch die Reden selbst tragen unverkennbar die
Handschrift des Lukas, und dennoch ist die Darstellung von
einer grossen Treue gegenüber der Tradition bestimmt, weil
das Mittel der lukanischen Interpretation vor allem die Komposition ist.

III. Die Bedeutung der Aufnahme des Credo für die Verkündi-
     gungsabsicht der Apostelgeschichte

Die Bedeutung der Reden wird durch verschiedene Begriffe und
Wendungen der Apostelgeschichte angezeigt. In ihnen sollen
τὰ μεγαλεῖα τοῦ θεοῦ (Apg 2,11) verkündet werden. Sie sind
umfassend als λόγος zu sehen (Apg 2,41; 4,4; 10,44; 11,19;
14,25) bzw. als λόγος τοῦ θεοῦ (Apg 4,(29.)31; 6,2; 8,14;
11,1; 13,5.7; 13,44) oder als λόγος παρακλήσεως (Apg
13,15) und λόγος τῆς σωτηρίας (Apg 13,26), διδαχή (Apg 2,42;

5,28; 13,12; 17,19) und πάντα τὰ προστεταγμένα ὑπὸ τοῦ κυρίου (Apg 10,33). Ferner ist auf die Bezeichnung τὰ ῥήματα
(Apg 2,14; 5,20.32; 10,22.44; 11,14; 13,42) hinzuweisen. Alle
diese Bezeichnungen sind inhaltlich so gefüllt, dass sie die
Tragweite der Reden erkennen lassen und es auf diesem Hintergrund als umso bedeutender erscheinen muss, wenn der Inhalt
des Zeugnisses vor allem durch das heilsgeschichtliche Credo
bestimmt ist.

Die Aufnahme des Bekenntnisses lässt deutlich die Verkündigungsabsicht der lukanischen Redaktion erkennen. Die Adressaten der Apostelgeschichte sollen erfahren, daß ihr Glaubensbekenntnis in dem Zeugnis derer begründet ist, die zur Zeit
des Lukas längst zu kirchengründenden Autoritäten der Vergangenheit geworden sind. An deren Wirken und Schicksal wird
programmatisch sichtbar gemacht, "wie von Jerusalem aus das
Wort Gottes 'bis an die Grenzen der Erde'geht (vgl. Apg
1,8)."[4] Die Rückbindung des Credo in die Anfänge der christlichen Heilsgeschichte macht den Lesern Herkunft und Fundament ihres eigenen Glaubens deutlich. Einer Generation, die
sich weitgehend nicht mehr aus dem Judentum herzuleiten vermag und mit diesem auch innerlich nicht mehr verbunden füh-
len kann, deren Credo aber so sehr in der Geschichte Israels
verwurzelt ist, soll die Stellung und der Standort im Heilsplan Gottes dargelegt werden.

Die Erkenntnis des Credo als Grundlage von Reden in der Apostelgeschichte macht deutlich, daß Lukas nicht einfach Beispiele bietet, wie gepredigt wurde oder wie zu predigen sei.
Doch ist die Stellung der Reden nicht zu begreifen ohne die
grundlegende Bedeutung der Verkündigung im Leben der Kirche.
Auf ihrem Hintergrund ist es bedeutsam, dass Lukas seine Aussageabsicht durch Reden urchristlicher Autoritäten zur Sprache bringt, wenn auch literaturgeschichtlich dieses Verfahren
sowohl durch das Alte Testament[5] als auch durch die hellenistische Histographie[6] vorgezeichnet ist. So zeigt die lukanische Redaktion, was Inhalt der Verkündigung war, ist und
zu sein hat, nämlich Wort Gottes aufgrund des Credo und als
solches die Kundgabe des Handelns Gottes in der Geschichte.

Wenn das heilsgeschichtliche Credo vor allem in jenen Reden

aufgenommen ist, die in der ersten Phase der Verkündigung
gehalten werden, dann entspricht dies dem lukanischen Gestal-
tungswillen, die Geschichte des Wortes zu schreiben. Wenn
nämlich das Credo, wie gezeigt werden konnte, so stark auf
jüdische bzw. judenchristliche Vorstellungen zurückgeht, dann
musste die Verkündigung vor den Juden als besonders geeignet
erscheinen, die Credoaussagen zur Sprache zu bringen. Daraus
darf nicht geschlossen werden, dass das Credo für die Heidenchristen an Bedeutung verloren habe. Dem widerspricht nicht
nur die Petrusrede im Haus des Kornelius, sondern auch die
Paulusrede in Athen, wenn auch letztere sehr gut erkennen
lässt, dass die Verkündigung vor den Heiden beim Gottesbild
anzuknüpfen hat und darum jene Credoaussagen zunächst in den
Hintergrund treten müssen, die ohne das alttestamentliche
Fundament keine direkte Anknüpfungsmöglichkeit bieten.

Dieses Ergebnis über die Bedeutung der Aufnahme des Credo für
die Verkündigungsabsicht der lukanischen Redaktion kann auch
als bestätigt angesehen werden durch den weiteren Verlauf der
Apostelgeschichte. Zwar wird nach der Areopagrede in keiner
weiteren Rede so offensichtlich auf das heilsgeschichtliche
Credo zurückgegriffen, jedoch zeigt die weitere Darstellung
sehr gut, wie der Verfasser der Apostelgeschichte bemüht ist,
die Kontinuität der heidenchristlichen Kirche mit der alten
Heilsgeschichte aufzuweisen, obwohl der faktische Verlauf der
Geschichte des Gotteswortes von Diskontinuität gezeichnet
ist.[7] Apg 26,6.7 lässt nochmals das Credo anklingen, indem
von der an die Väter ergangenen Verheißung gesprochen wird.
Schliesslich kann auch die programmatische Aussage in Apg
28,28 in Fortführung von Apg 10,36 und 13,26 dahingehend verstanden werden, dass die Heiden das Heil Gottes so annehmen,
wie es im Credo grundlegend ausgesagt wird.

SCHLUSS

Die Untersuchung ging von der Voraussetzung aus, dass Lukas
bei aller schriftstellerischen Eigenständigkeit sich auch in
der Apostelgeschichte an festformulierte vorgegebene Texte
hält, und es deswegen nur als Verlegenheit zu bezeichnen ist,
wenn man in den Reden zwar traditionelle Elemente anerkennt,
ihren Wortlaut aber "insgesamt als genuine Zeugnisse lukanischer Theologie"[1] versteht.

Als wichtigstes Ergebnis erbrachte die Analyse die Annahme
eines heilsgeschichtlichen Credo als der entscheidenden Grundlage von Reden der Apostelgeschichte. Darüber hinaus liessen
sich ein differenzierter Schriftgebrauch und die Verwendung
einer Reihe anderer Traditionen feststellen.

Das Ziel der lukanischen Redaktion ist die geschichtliche
Darstellung, wie das Wort seinen Weg von den Juden zu den
Heiden genommen hat. Inhalt dieses Wortes ist vornehmlich
das von der Kirche geglaubte und bekannte Handeln Gottes in
der Geschichte des alten Gottesvolkes und an Jesus Christus.
Für die Adressaten der Apostelgeschichte bedeutet dies, daß
ihr Credo, in den Anfängen der Kirche begründet und durch
die Autoritäten der Ursprungszeit garantiert, nach Gottes
Plan zu ihnen gelangt ist. Darin ist enthalten, dass das zu
Reden umgestaltete Credo in hervorragender Weise dazu dient,
die geschilderten Ereignisse zu erhellen und zu interpretie-
ren.

Es konnte gezeigt werden, dass Lukas seine Aussageabsicht
und damit die vorliegende Gestalt der Reden durch das Mittel der Komposition erreicht. Es ist also richtig, wenn die
neuere Forschung die Reden der Apostelgeschichte "als literarische Kompositionen ihres Verfassers"[2] begreift. Die Erkenntnis des heilsgeschichtlichen Credo als Schlüssel für
das Verständnis der Reden[3] macht jedoch deutlich, dass es
nicht ausreicht, einzelne traditionelle Wendungen festzustellen, sondern dass Lukas in weit grösserem Umfang, als
es durchgehend angenommen wird, formal und inhaltlich von
vorgegebenen Traditionen abhängig ist. Eine isolierte Sicht
der sogenannten Missionsreden muss als unzureichend gelten,
weil die Traditionslage ein Ausklammern der Reden des

Stephanus und des Paulus in Lystra und Athen und darüber
hinaus die unverwechselbare Stellung jeder einzelnen Rede in
ihrem Kontext eine derartige Auswahl nicht zulassen. Die Form
geschichtlicher Darstellung weist die Reden zwar als literarische Gebilde aus. Doch kann deren Einfügung nicht als Anlehnung "an den allgemeinen Brauch der antiken Geschichtsschreibung" gesehen werden,[4] sondern hat ihren Grund vielmehr darin, dass das im Bekenntnis ausgesprochene Handeln
Gottes die Geschichte des Wortes bestimmt und das Bekenntnis der Heilstaten Gottes vornehmlich Gegenstand und Mitte
aller christlichen Unterweisung war und zu sein hat.

Einer Generation, die sich nicht mehr mit dem Judentum verbunden sieht, deren Credo aber so sehr Gottes Handeln an den
Vätern und an Jesus Christus beinhaltet, wird der geschichtliche Standort ihres Glaubens verkündet. Die Apostelgeschichte will zeigen, dass das Christentum sich auf seine geschichtlichen Ursprünge zu besinnen hat, um nicht in sich wandeln-
den Zeiten ortlos und damit unbegreiflich zu werden. Darüber
hinaus sollen die in den Reden vermittelten Inhalte unüber-
holbar zum Ausdruck bringen, wie Gottes Handeln in der Geschichte zu bekennen ist und als Bekenntnis zur gegenwärtigen Verkündigung drängt, damit das Wort Gottes seinen Lauf
bis an die Grenzen der Erde bruchlos und unvermindert zu
nehmen vermag.

ANMERKUNGEN

EINLEITUNG

1   H. Zimmermann, Jesus Christus - Geschichte und Verkün-
     digung, Stuttgart 1973, 142.

2   E. Kränkl, Jesus der Knecht Gottes. Die heilsgeschicht-
     liche Stellung Jesu in den Reden der Apostelgeschichte
     (BU 8), Regensburg 1972, XI.

3   AaO.: "Die vorliegende Arbeit wurde zunächst begonnen
     mit dem Hauptziel, einen zwar nicht lückenlosen, aber
     doch möglichst detaillierten Einblick in die wechsel-
     volle Geschichte der Auslegung dieser Reden zu geben.
     Aus diesem Grund geht der die Studie einleitende For-
     schungsüberblick über den Rahmen einer nur zur Ein-
     führung und Problemorientierung dienenden Übersicht
     hinaus."

4   AaO.

5   AaO. 3-15.

6   AaO. 16.

7   AaO. 15.

8   AaO. 16-30.

9   AaO. 75.

10   AaO. 31-45.

11   AaO. 76.

12   AaO. 46-65.

13   AaO. 76.

14   AaO. 66-74.

15   AaO. 77.

16   AaO.

17   AaO.

18   AaO. 78-81.

19   AaO. 77. Vgl. U. Wilckens, Die Missionsreden der Apostel-
     geschichte. Form- und traditionsgeschichtliche Untersu-
     chungen (WMANT 5), Neukirchen-Vluyn [3]1975, im Vorwort
     zur neusten Auflage: "Hat Lukas wirklich das Schema der
     an Juden gerichteten Predigten original geschaffen und
     nur traditionelles Einzelgut verarbeitet? Die Analyse
     zeigt in der Tat durchgehend die gestaltende Hand des
     Lukas. Aber ist deswegen die Möglichkeit ausgeschlossen,
     daß er darin einer ihm vorgegebenen Tradition verpflich-
     tet war?" Die Ausführungen Wilckens zu diesem Problem

im neuen dritten Abschnitt der jüngsten Auflage konnten nicht umfassend gewürdigt werden, weil das Manu-
skript der vorliegenden Untersuchung bei Erscheinen des
Werkes von Wilckens bereits abgeschlossen war.

20   AaO. 83-214.

21   AaO. XII.

22   AaO. 81.

23   AaO. 206.

24   AaO. 81.

25   AaO.

26   Zur Begründung dieser Aussage sei auf H. Zimmermann,
      Neutestamentliche Methodenlehre. Darstellung der histo-
      risch-kritischen Methode, Stuttgart [4]1974, hingewiesen,
      ferner auf W. Wiater, Komposition als Mittel der Inter-
      pretation im lukanischen Doppelwerk, Diss.theol. Bonn
      1973; K. Löning, Die Saulustradition in der Apostelge-
      schichte (NTA NF 9), Münster 1973. Danach kann die Be-
      hauptung von E. Haenchen, Die Apostelgeschichte
      (Meyer K III), Göttingen [15]1968, 73 nicht aufrechter-
      halten werden: "Lukas hat seine Quellen stilistisch
      derart bearbeitet, dass wir sie aus seinem Text allein
      nicht rekonstruieren können."

27   H. Zimmermann, Jesus Christus - Geschichte und Verkün-
      digung, 142. Die Notwendigkeit einer Einbeziehung der
      Stephanusrede in die Behandlung der sogenannten Mis-
      sionsreden hat neuestens auch U. Wilckens, Die Missions-
      reden der Apostelgeschichte, 208, erkannt.

28   Vgl. A. J. Mattill, M. B. Mattill, A Classified Biblio-
      graphy of Literature on the Acts of the Apostles
      (NTTS 7), Leiden 1966; ferner U. Wilckens, aaO., 250
      bis 257.

ERSTER HAUPTTEIL: Die in den Reden der Apostelgeschichte
aufgenommene Tradition

ERSTES KAPITEL: Die Überlieferung über das Handeln Gottes
in der Geschichte des alten Gottesvolkes

1   A. v. Harnack, Lukas der Arzt. Der Verfasser des dritten
    Evangeliums und der Apostelgeschichte. Eine Untersuchung
    zur Geschichte der Fixierung der urchristlichen Überlie-
    ferung (Beiträge zur Einleitung in das NT, 1.Heft),
    Leipzig 1906, 75.

2   R. Schumacher, Der Diakon Stephanus (NTA 3.Band, 4.Heft),
    Münster 1910.

3   AaO. 8.

4   AaO. 101.

5   M. H. Scharlemann, Stephen: A Singular Saint (AnBibl
    34), Rom 1968.

6   Vgl. B. Gerhardsson, Memory and Manuscript. Oral Tradi-
    tion and Written Transmission in Rabbinic Judaism and
    Early Christianity (ASNU XXII), Kopenhagen [2]1964.

7   M. H. Scharlemann, aaO. 31. In seiner Rezension der Ar-
    beit von M. H. Scharlemann stellt J. Bihler mit Recht
    beim Verfasser "eine radikale Skepsis an den Methoden
    und Ergebnissen der Form- und Redaktionsgeschichte"
    fest. "Deshalb darf es auch nicht verwundern, dass in
    der vorliegenden Untersuchung von Sch. form- und redak-
    tionsgeschichtliche Fragen fast völlig ausgeklammert
    werden. Auch die Frage nach den Quellen, die Lukas für
    die Stephanusgeschichte verwendet haben könnte, wird
    damit überflüssig: Lukas benutzte mündliche Überliefe-
    rung." (s. J. Bihler, Martin H. Scharlemann, Stephen:
    A Singular Saint: Bibl 51 (1970), 151).

8   R. Schumacher, Der Diakon Stephanus, 94.

9   A. Jülicher, Einleitung in das Neue Testament, Tübingen
    [7]1931, 437-439.

10 AaO. 437.

11 AaO. 438

12 M. Dibelius, Die Reden der Apostelgeschichte und die an-
    tike Geschichtsschreibung: Aufsätze zur Apostelgeschich-
    te (FRLANT NF 42), Göttingen [5]1968, 125.

13 AaO.

14   W. Soltau, Die Herkunft der Reden in der Apostelge-
      schichte: ZNW 4 (1903), 128-154, hier 146.
15   AaO. 149f.
16   Vgl. aaO. 150f. Die Aussagen von Soltau erhalten durch
      die hier vorgelegte Untersuchung erneute Aktualität.
      Auch U. Wilckens, Die Missionsreden der Apostelgeschich-
      te, 219f, bemerkt: "Es gibt Grund genug, um die von
      Soltau rein literarkritisch begründete Hypothese, die
      Rede sei für Lukas das literarische Muster für die Ge-
      staltung der übrigen Reden gewesen, unter traditions-
      geschichtlichem Aspekt wieder aufzunehmen."
17   Aufsätze zur Apostelgeschichte, 120-162.
18   AaO. 143-146.
19   AaO. 144; vgl. dazu H. J. Holtzmann, Die Apostelge-
      schichte (HNT I. 1),Tübingen [3]1901, 55.
20   AaO. 145.
21   AaO.
22   AaO.
23   AaO.: "Hier kann ein Christ im Stil der Synagoge, Stoff
      reproduzierend, reden". Vgl. ders., AaO. 143 zu Apg
      13,16-22.
24   Die Stephanusgeschichte im Zusammenhang der Apostel-
      geschichte (MthST (H) 16), München 1963.
25   AaO. 36: "Die formgeschichtliche Betrachtungsweise hat
      gezeigt, daß diese Reden nicht als wortgetreue Nach-
      schriften oder Stenogramme der tatsächlich gehaltenen
      aufgefaßt werden dürfen. Sie sagen wenig über die per-
      sönliche Eigenart des Redners aus, sondern geben viel-
      mehr eine allgemeine Form der Verkündigung wieder: So
      wurde damals gepredigt. Aber reicht das schon hin, um
      die Stephanusrede zu erklären? Unterscheidet sie sich
      nicht doch wieder erheblich von den Missionsreden des
      ersten Teiles der Apostelgeschichte? Dann wird sich der
      Sinn unserer Rede nur aus der Komposition der Apostel-
      geschichte erschliessen lassen, m.a.W. damit ist die
      Notwendigkeit redaktionsgeschichtlicher Betrachtungs-
      weise erwiesen."
26   aaO. 81.
27   aaO. 83.

28   AaO.

29   AaO. 86.

30   AaO.

31   T. Holtz, Untersuchungen über die alttestamentlichen
      Zitate bei Lukas (TU 104), Berlin 1968, 85-127.

32   AaO. 85.

33   AaO.

34   AaO.

35   AaO.; vgl. 109-114 zum "Schluß der Rede Act 7,51-53".
      S. 110f ist zu lesen: "Diese Schlußverse sind der
      kunstvolle Höhepunkt und Abschluß der langen Verteidi-
      gungs- und Anklagerede des Stephanus 'von der Hand des
      rhetorisch wirklich nicht unerfahrenen Lukas', auch
      wenn sie inhaltlich in starkem Maße von jüdischen Vor-
      stellungen bestimmt sind, die polemisch gegen das jü-
      dische Volk ausgewertet werden."

36   AaO. 86.

37   AaO.

38   AaO. 87.

39   AaO.

40   AaO.

41   AaO. 95f.

42   AaO. 98-100.

43   AaO. 109.

44   AaO. 114-127.

45   AaO. 114.

46   AaO. 125.

47   So muss es auch fraglich bleiben, ob die von T. Holtz
      gemachte Aussage aufrechterhalten werden kann, dass
      Lukas keine "durch eigenen Umgang" "erworbene Kennt-
      nisse" vom Pentateuch verrate (aaO. 169f).

48   Die Apostelgeschichte, 238-241.

49   AaO. 240.

50   AaO.

51   AaO. 241.

52   Die Apostelgeschichte (ENT 7) Tübingen ²1972, 57f.

53   AaO. 57.

54   AaO.

55   AaO.

56   AaO.

57   AaO.

58   AaO. 145.

59   AaO. 240.

60   AaO. 57.

61   Diss.Theol. Göttingen 1967

62   AaO. 2.

63   AaO. 5-10.

64   AaO. 6.

65   AaO. 8-10.

66   AaO. 8ff.

67   AaO. 3f.

68   AaO. 113.

69   AaO. 114.

70   AaO. 4.

71   AaO. 126.

72   AaO. 127.

73   AaO. 129f.

74   AaO. 136.

75   Nachzutragen sind noch die Erkenntnisse von U. Wilckens,
     Die Missionsreden der Apostelgeschichte, 208-224. Aus-
     gehend von O. H. Steck, Israel und das gewaltsame Ge-
     schick der Propheten. Untersuchungen zur Überlieferung
     des deuteronomistischen Geschichtsbildes im Alten Te-
     stament, Spätjudentum und Urchristentum (WMANT 23),
     Neukirchen-Vluyn 1967, 264-269, der sich in der Analyse
     von Apg 7 wesentlich an F. Hahn, Christologische Ho-
     heitstitel. Ihre Geschichte im frühen Christentum
     (FRLANT 83), Göttingen [3]1966, 382ff, hält, ordnet
     Wilckens die Stephanusrede traditionsgeschichtlich "in
     den lebendigen Überlieferungszusammenhang des deutero-
     nomistischen Geschichtsbildes, der nach Stecks Nach-
     weis bis in die urchristliche Zeit hineinreicht" (216).
     Der Verfasser der Apostelgeschichte habe "das Ganze
     übernommen und nur an einer Stelle (7,37) durch einen
     eigenen Zusatz ergänzt. Sprachlich hat er seine Vorlage
     freilich mehr oder weniger stark überarbeitet" (216).

76 Vgl. R. Storch, Die Stephanusrede in Ag 7,2-53, 124:
    "Sieht man aber, daß die die Schilderung einer Gerichts-
    verhandlung tragenden Elemente in Ag 6,11ff aus Mk
    14,57-59 übernommen wurden, so kommt der oft geäusser-
    ten Annahme, dass der ursprüngliche Bericht keine Ge-
    richtsverhandlung bot, erhöhte Bedeutung zu." S. vor
    allem W. Wiater, Komposition als Mittel der Interpre-
    tation im lukanischen Doppelwerk, 209-222. Er kommt
    ebenfalls zu dem Ergebnis, "dass Lk eine Erzählung über
    eine Auseinandersetzung zwischen Stephanus und helleni-
    stischen Juden, bei der Stephanus ausserhalb der Stadt
    gesteinigt wurde, zu einer Szene mit einer Synedriums-
    verhandlung ausgebaut und mit zahlreichen Einschüben
    interpretiert hat." (S.212). Vgl. ferner U. Borse, Der
    Rahmentext im Umkreis der Stephanusgeschichte (Apg
    6,1-11,26): BiLe 14 (1973), 187-204, hier 199: "Außer
    dem Redetext gehören auch die Einleitung (7,2a) und die
    Ausleitung dem Einschub an (7,54; vgl. 5,33). Dibelius
    möchte auch die Frage des Hohenpriesters hinzunehmen
    (7,1). Sie passt aber zur systematischen Orientierung
    des Martyriums an der Leidensgeschichte Jesu. Ausser-
    dem gibt sie dem Stephanus die Möglichkeit, vor dem Ho-
    hen Rat das Wort zu ergreifen und die Jesuvision mitzu-
    teilen (7,55f.)." Vgl. U. Wilckens, Die Missionsreden
    der Apostelgeschichte, 208f.

77 Vgl. M. Dibelius, Die Reden der Apostelgeschichte und
    die antike Geschichtsschreibung, 143: "Hier ist die
    Beziehungslosigkeit des allergrößten Teils der Rede von
    jeher das eigentliche exegetische Problem gewesen."

78 S. dazu T. Holtz, Untersuchungen über die alttestament-
    lichen Zitate bei Lukas, 86 über Am 5,25-27 und Jes
    66,1.2 im Vergleich zum Kontext: "Die Zitatbehandlung
    der beiden letzten Fälle entspricht genau dem sonst bei
    Lukas, vor allem in Act, festzustellenden Brauch. Ganz
    anders aber ist die Schriftverwendung in den übrigen
    Fällen Act 7."

79 Nach T. Holtz, aaO. 169, benutzt Lukas "erkennbar selb-
    ständig" "nur die drei Bücher Kleine Propheten, Jesaja
    und Psalmen. Keine durch eigenen Umgang mit ihnen

erworbenen Kenntnisse verrät Lukas von dem gesamten
Pentateuch, mit Sicherheit hat er sie nicht von seinen
gesetzlichen Partien." Nun muss aber der Nichtgebrauch
bestimmter alttestamentlicher Bücher noch längst nicht
Unkenntnis derselben bedeuten. Darüber hinaus ist gegen
T. Holtz zu bemerken, dass seine Untersuchungen zu Apg
7 nicht alle Verse behandeln und seine Schlüsse deswegen auf unvollständigen Beobachtungen beruhen.

80   Vgl. R. Storch, Die Stephanusrede Ag 7,2-53, 94: "Mit
v 44 beginnt ein neuer Abschnitt. Das zeigt rein stilistisch schon das harte Asyndeton. Im Mittelpunkt
steht nicht mehr Mose oder der Ungehorsam des Volks,
sondern zunächst das 'Zelt des Zeugnisses'."

81   Vgl. M. Dibelius, aaO. 144: "Und dieser Übergang aus
dem Bericht zum Zeugnis ist von 7,35 an ganz deutlich
gemacht (zweimal τοῦτον , dreimal οὖτος)."

82   Vgl. T. Holtz, aaO. 110f.; s. o. Anm. 35.

83   Vgl. z.B. Lk 5,16 in Abhängigkeit von Mk 1,45 (H. Zimmermann, Neutestamentliche Methodenlehre, 241f); ferner
Apg 2,44b und 4,32c (ders., aaO. 254).

84   So auch R. Storch, Die Stephanusrede Ag 7,2-53, 11.

85   Vgl. H. von Soden, Art. ἀδελφός :ThWNT I, 145.

86   Vgl. H. Thyen, Der Stil der jüdisch-hellenistischen
Homilie (FRLANT NF 47), Göttingen 1955, 89; Billerbeck
II, 765.

87   Vgl. H. Thyen, aaO.

88   E. Haenchen, Die Apostelgeschichte, 124.

89   Vgl. G. Schrenk, Art. πατήρ : ThWNT V, 977.

90   Vgl. Billerbeck I, 919.

91   So nimmt z.B. U. Borse, Der Rahmentext im Umkreis der
Stephanusgeschichte (Apg 6,1-11,26), 201, an, dass unter anderem auch die gleiche Anrede in Apg 7,2 und
22,1 auf eine Motivation der Stephanusrede "durch einen
Text aus der Apologie Pauli auf dem Tempelplatz" hinweise. Vgl. dazu schon W. Soltau, Die Herkunft der Reden in der Apostelgeschichte, 139.

92   Vgl. G. Stählin, Die Apostelgeschichte (NTD 5),
Göttingen [12]1968, 22.

93   Vgl. G. Kittel, Art. ἀκούω   : ThWNT I 220f.

94   Vgl. R. Storch, Die Stephanusrede Ag 7,2-53, 33: "Das
     häufig auftretende adversative καί lässt sich am be-
     sten als Übersetzung eines ו verstehen."

95   Zwar lesen die meisten Textzeugen das ἐκ , was wohl
     K. Aland, M. Black, C. M. Martini, B. M. Metzger,
     A. Wikgren, The Greek New Testament, Stuttgart [2]1968,
     für diese Lesart hat entscheiden lassen, doch ist die
     Zeugenschaft von B D sa nicht gering zu schätzen, zu-
     mal bei εκ eine nachträgliche Angleichung an die LXX
     angenommen werden muss. Das Auslassen des Artikels bei
     γῆν kann wegen der Bezeugung nur durch die Hss. der
     Koine nicht als ursprünglich gelten.

96   J. Bihler, Die Stephanusgeschichte, 41.

97   R. Storch, aaO. 20.

98   R. Storch, aaO. 14 mit Anm. 2 und 3.

99   R. Storch, aaO. Anm. 7, stellt fest, "mit der Bestim-
     mung ὅντι ἐν τῇ Μεσοποταμίᾳ allein könnte eher Char-
     ran als Chaldäa gemeint sein. Gerade derjenige, der mit
     der Gn vertraut war (vgl. Gn 28f), musste wissen, daß
     Charran in Mesopotamien liegt. Dagegen kann man Chaldäa
     nur zu Mesopotamien gehörig betrachten, wenn letzteres
     in weiterem Sinne gebraucht ist, wie es offensichtlich
     bei der Stephanusrede der Fall ist." Ob die Interpre-
     tation dieses Sachverhaltes bei R. Storch aaO. 18, als
     sei Charran "auch und zunächst" das Land der Verheis-
     sung, jedoch sachgerecht ist, muss bezweifelt werden,
     da die Grundbedeutung dieses wichtigen Gotteswortes
     wohl kaum eine solche wenn auch vorläufige Eingrenzung
     zulässt.

100 Billerbeck II, 666.

1o1 Philo, De Abrahamo 62-67; JosAnt I, 154. Vgl. Biller-
     beck aaO.

102 Von einer "Schultradition" braucht deswegen noch nicht
     die Rede zu sein, wie es H. H. Wendt, Die Apostelge-
     schichte (Meyer K 3.Abt.) Göttingen [9]1913, 139f, an-
     nimmt. E. Haenchen, Die Apostelgeschichte, 229 Anm.1,
     hat mit Recht den zu differenzierenden Sachverhalt bei
     Philo und Josephus gegen eine solche Annahme hervor-

gehoben, ohne jedoch eine eigene Erklärung zu bringen.
R. Storch, aaO. 14-18, geht dem Problem sehr genau
nach mit dem Ergebnis: "Jedenfalls steht die Stephanusrede nicht allein da, wenn sie schon den ersten
Auszug Abrahams mit dem Gottesbefehl Gn 12,1 motiviert.
Ihre Übereinstimmung mit Philo und Josephus sowie
letztlich auch mit Pseudo-Philo weist vielmehr darauf
hin, dass solche Auffassung im ersten christlichen
Jahrhundert verbreitet war, und zwar sehr wahrscheinlich sowohl im palästinensischen als auch im hellenistischen Judentum." (S. 17f.)

103   Während der partizipiale Gebrauch von εἶναι bei Lukas
      sehr häufig ist, kommt πρὶν ἤ   höchstens in Apg
      25,60 als redaktionell in Betracht.

104   Als Vater wird Abraham bei Lukas traditionell bezeich-
      net in Lk 1,73; 3,8; 16,24.30. Ein Interesse des Ver-
      fassers an dieser Bezeichnung ist nicht feststellbar.

105   R. Storch, aaO. 12.

106   R. Storch, aaO. 11-13, sieht in der Formulierung mit
      dem Genitiv eines Abstraktums einen Hinweis auf semiti-
      schen Sprachgebrauch und spricht sich damit gegen eine
      mögliche Zitierung des Psalmes durch den Verfasser der
      Apostelgeschichte aus.

107   Bl-Debr § 459,2.

108   H. Zimmermann, Neutestamentliche Methodenlehre 224f:
      "Wenn z.B. Lukas fast durchgehend in eine Form der Ver-
      gangenheit abwandelt und vielfach die parataktische
      Darstellungsweise des gleichen Evangelisten entweder
      durch eine hypotaktische oder eine partizipiale Kon-
      struktion verändert, so handelt es sich um stilisti-
      sche Verbesserungen."

109   Bl-Debr § 205: "Von der Ersetzung von ἐν durch εἰς
      in örtlichem Sinn hält sich außer Mt kein Erzähler des
      NT frei, nicht einmal Lk in den Acta, wo vielmehr die
      meisten Beispiele stehen".

110   Gegenüber Mt (4mal) und Mk (3mal) hat Lukas in seinem
      Evangelium 14mal νῦν . In der Apostelgeschichte steht
      es 25mal. Siehe jedoch zum unterschiedlichen Sprachge-
      brauch G. Stählin, Art. νῦν: ThWNT IV, 1099-1117;

vgl. J. Zmijewski, Die Eschatologiereden des Lukas-
Evangeliums. Eine traditions- und redaktionsgeschicht-
liche Untersuchung zu Lk 21,5-36 und Lk 17,20-37
(BBB 40), Bonn 1972, 245.
Zur Textkritik dieses Satzes sei auf B. M. Metzger,
A Textual Commentary on the Greek New Testament.
A Companion Volume to the United Bible Societies'
Greek New Testament (third edition), London 1971, 343,
verwiesen. Es handelt sich durchweg um unbedeutende
Sonderlesarten von Hss. des westlichen Textes, die
allein schon aufgrund der äusseren Begrenzung nicht
als ursprünglich gelten können.

111   Apg 1,3; 10,41; 15,13; 19,21; 20,1.

112   S. R. Storch, aaO. 23 Anm. 2.

113   Vgl. R. Schumacher, aaO. 47f; E. Haenchen, aaO. 230
       Anm. 1; B. M. Metzger, aaO. 343 Anm. 2.

114   Billerbeck II, 667.

115   De migr. Abr. 177. Vgl. R. Schumacher, aaO. 48;
       R. Storch, aaO. 22.

116   Vgl. W. Foerster, Art. κλῆρος : ThWNT III, 758-760.

117   κληρονομία   : Lk 12,13; 20,14; Apg 20,32;
       κλῆρος   : Lk 23,34; Apg 1,17.26; 8,21; 26,18.

118   Vgl. T. Holtz, aaO. 114. Die sicher nicht schlecht be-
       zeugte Lesart αὐτὴν εἰς κατάσχεσιν αὐτῷ muss als
       Angleichungsversuch an die LXX gewertet werden, wo
       beide Dativobjekte nebeneinanderstehen.

119   Vgl. R. Storch, aaO. 25. Dass das lukanische Doppel-
       werk keinen eigenen Gebrauch von ἐπαγγέλλεσθαι auf-
       weist, ist insofern verwunderlich, als sich das Sub-
       stantiv ἐπαγγελία besonders in der Apostelgeschichte
       finden lässt, wird aber damit zusammenhängen, dass es
       nicht "eine alttestamentliche Vorgeschichte" des Wor-
       tes gibt. So J. Schniewind, G. Friedrich, Art. ἐπαγ-
       γέλλω : ThWNT II, 575.

120   Vgl. Gen 15,2.

121   S. Bl-Debr § 430,2.

122   Vgl. R. Storch, aaO. 26 Anm. 9.

123   Vgl. Gen 15,13: ὅτι πάροικον ἔσται τὸ σπέρμα σου ἐν γῇ
       οὐκ ἰδίᾳ.

124   Die Wortumstellung erklärt sich am besten als betonte
       Anknüpfung und braucht deswegen nicht, wie T. Holtz,
       aaO. 116, meint, stilistische Gründe zugunsten einer
       besseren Wortstellung zu haben. Auch ist keineswegs
       "die Veränderung der 2. Person der LXX in die 3." so
       unklar, wie T. Holtz, aaO. 117, meint.

125   Vgl. T. Holtz, aaO. 117 Anm. 1.

126   AaO.

127   αὐτούς für αὐτό in D lat sa ist sicher als Anglei-
       chung an die LXX zu werten; vgl. T. Holtz, aaO. 115
       Anm. 4.

128   AaO. 117; vgl. R. Storch, aaO. 28.

129   Vgl. T. Holtz, aaO. 115. Anders R. Storch, aaO. 28:
       "Die Umstellung der Kardinalia in Act lässt sich Lukas
       zuschreiben, da er ihre Nachstellung liebt."

130   Ob dieser Unterschied auf die Kenntnis des hebräischen
       Textes hinweist, wie es R. Storch, aaO. 28f, annimmt,
       ist aufgrund der vorher gemachten Beobachtungen kaum
       fraglich, auch wenn es LXX-Handschriften mit καὶ τό
       gibt. (Vgl. T. Holtz, aaO. 116).
       δουλεύσουσιν lesen p[74] A C D pc εa; δουλώσουσιν
       B א E H P   al pler d e vg. Die erste Lesart wird von
       R. Storch, aaO. 28 Anm. 7, der Konjunktivform vorgezo-
       gen, "da diese Angleichung an den Modus der vorherge-
       henden Verben als auch an LXX sein kann." Von der äus-
       serer Bezeugung her ist nur schwer eine Entscheidung
       möglich, so dass die Argumentation von R. Storch gegen
       T. Holtz, aaO. 115, als gerechtfertigt erscheint.

131   Vgl. T. Holtz, aaO. 116 Anm. 3; R. Storch, aaO. 29.

132   T. Holtz, aaO. 99f, sieht den Bezug auf den Tempelkult
       als vorgegeben an. Seine These hängt ganz an der Vermu-
       tung, daß der Tempelbau des Salomo Abschluß des Ge-
       schichtsabrisses und Erfüllung dieser Geschichte ist.
       Die Analyse der V.44 bis 50 wird aber das Thema "Tempel"
       als redaktionell erweisen können.

133   Lk 1,74 bringt in einem dem Evangelisten vorgegebenen
       Zusammenhang eine Aussage über Befreiung und Gottes-
       dienst ohne Ortsangabe. Vgl. H. Schürmann, Das Lukas-
       evangelium. Erster Teil. Kommentar zu Kap. 1,1-9,50

(HThK III), Freiburg i.Br. 1969, 88.

134   αὐτῷ statt οὕτως wird nur von p^{74}ℵ bezeugt und
ist schon deswegen für sekundär zu halten, ebenso der
Zusatz πρὸς αὐτόν (D Ir ^{lat}). Zur Einleitung des Zitats vgl. R. Storch, aaO. 27.

135   λαλεῖν Lk 31mal gegenüber Mt 26mal, Mk 21mal (Apg
6Omal). οὕτως Mt 32mal, Mk 1Omal, Lk 21mal, Apg
27mal. δέ Mt 491mal, Mk 16Omal, Lk 548mal, Apg
558mal.

136   Die andere Wortstellung bei ℜ D pl Ir^{lat} ist wegen
der geringen Bezeugung sekundär.

137   Vgl. Billerbeck II, 671.

138   Ob man mit R. Storch, aaO. 32, darin mehr als nur eine
Überleitung sehen kann, dergestalt, dass Abraham "von
Gott nicht das Land Kanaan", sondern "den Bund der
Beschneidung" erhielt, ist bedenkenswert. Vgl. W.
Mundle, Die Stephanusrede Apg 7: eine Märtyrerapolo-
gie: ZNW 2O (1921), 142; W. Foerster, Stephanus und
die Urgemeinde. Dienst unter dem Wort (Festschr. für
H. Schreiner), Gütersloh 1953, 16.

139   S. Anm. 42.

140   Vgl. V.7.

141   Vgl. K. Lake and H. J. Cadbury, English Translation
and Commentary: The Beginnings of Christianity I.4,
London 1933, 72.

142   Gen 37,11: ἐζήλωσαν δὲ αὐτὸν οἱ ἀδελφοὶ αὐτοῦ;
vgl. R. Storch, Die Stephanusrede Ag 7,2-53, 37.43.

143   R. Storch, aaO. 37.

144   Lk 1,28.66; Apg 1O,38; 11,21; 18,1O;
mit Genitiv Lk 5,29.34; 11,7.23; 15,31; 22,53.59;
23,43; Apg 9,28.39; 2O,34; 24,1.

145   Zu denken ist auch an 1 Sam 26,24: καὶ ἐξελεῖταί με
ἐκ πάσης θλίψεως   . Der wortstatistische Befund kann
kaum überzeugend für lukanische Redaktion ausgewertet
werden; gegen R. Storch, aaO. 37.

146   Die textkritischen Varianten sind aufgrund der äusseren Bezeugung eindeutig beurteilbar.

147   R. Storch, aaO. 38.

148   Das an sich gut bezeugte ἐφ' vor ὅλον kann sowohl
      Angleichung an Gen 41,43, als auch Angleichung an den
      nächsten Vers sein und verdient daher nicht, in den
      Text aufgenommen zu werden.

149   Für ὅλην τὴν Αἴγυπτον in p⁴⁵˙⁷⁴ 𝔥 pc schreiben 𝔐
      E pl ὅλην τὴν γῆν Αἰγύπτου und D ὅλης τῆς Αἰγύπ-
      του. Die von den Zeugen des neutralen Textes überlie-
      ferte Lesart verdient wegen der besseren Bezeugung den
      Vorzug, zumal der in den anderen Lesarten zu findende
      Genitiv Αἰγύπτου sich als Angleichung an die LXX in
      Gen 41,54 erklären lässt. σῖτα aufgrund von Gen 42,2
      ist als Ersatz des ungebräuchlichen σῖτια (nur Spr
      30,22) anzusehen. Vgl. dazu B. M. Metzger, A Textual
      Commentary on the Greek New Testament, 343f. Damit
      hängt auch die Angleichung von εἰς Αἴγυπτον   an
      ἐν Αἰγύπτῳ   in Gen 42,2 zusammen.
      ἐπὶ τῷ δευτέρῳ   kommt wegen der schlechten Bezeugung
      (nur D) nicht als ursprünglich in Frage.
      ἀνεγνωρίσθη (p⁷⁴ א C D E H P   und die meisten Mi-
      nuskeln) ist besser bezeugt als ἐγνωρίσθη (A B vet-
      lat^p vg). Jedoch könnte die Mehrheit der Zeugen auch
      an Gen 45,1 angeglichen haben. Näher liegt die Annah-
      me, dass dem nur in Gen 45,1 zu findenden Kompositum
      das gebräuchlichere Simplex vorgezogen wurde; vgl.
      B. M. Metzger, aaO. 344.
      Der in p⁷⁴ א pc ausgelassene Artikel vor Φαραώ ist
      Angleichung an die LXX, die Φαραώ ohne Artikel ge-
      braucht.
      γένος Ἰωσήφ   lesen B C 88 90 915 al; τοῦ Ἰωσήφ
      p⁴⁵ 𝔓 D pl; αὐτοῦ p⁷⁴ א A E 181 1895 vg arm. Die erste
      und zweite Lesart sind gegenüber der dritten zusammen-
      zurechnen, wobei der Artikel sehr schlecht bezeugt ist.
      Die Entscheidung ist also zwischen Ἰωσήφ und αὐτοῦ
      zu fällen. Von der Bezeugung her kann Ἰωσήφ als die
      ursprünglichere Lesart gelten, zumal sich αὐτοῦ als
      stilistische Verbesserung verstehen lässt. Vgl. B. M.
      Metzger, aaO. 344.

150   Gen 41,54: καὶ ἤρξαντο τὰ ἑπτὰ ἔτη τοῦ λιμοῦ ἔρχεσθαι.

       Gen 42,5 : ἦλθον δὲ οἱ υἱοὶ ᾿Ισραὴλ ἀγοράζειν μετὰ τῶν
                 ἐρχομένων· ἦν γὰρ ὁ λιμὸς ἐν γῇ Χαναάν.

151   R. Storch, aaO. 38, hält aus wortstatistischen Gründen
       θλῖψις μεγάλη   für redaktionell und verkennt damit den
       LXX-Hintergrund der Aussage.

152   R. Storch, aaO. 42, hält den ganzen Josephteil für luka-
       nisch.

153   R. Storch, aaO. 39.

154   σῖτος   steht dagegen noch Lk 3,17; 12,18; 16,7;
       22,31; Apg 27,38.

155   Vgl. R. Storch, aaO. 39: "temporales ἐν- 'bei',
       'während' - lässt sich häufiger bei Lukas nachweisen."

156   Vgl. R. Storch, aaO.

157   Vgl. Bl-Debr § 442,4.

158   Vgl. R. Schumacher, Der Diakon Stephanus, 51.

159   R. Storch, aaO. 39.

160   B 𝔐 pm vermeiden ein καί (D lässt es ersatzlos aus)
       und lesen κατέβη δέ . Schon die Bezeugung ist unzu-
       reichend. Das gleiche gilt für das Auslassen von εἰς
       Αἴγυπτον   in B; vgl. T. Holtz, Untersuchungen über
       die alttestamentlichen Zitate bei Lukas, 29.Anm.1.
       μετήχθησαν für μετετέθησαν   bezeugt nur D.
       Schwierig erscheint die Entscheidung unter folgenden
       Lesarten:
       1. εν Συχέμ ℵ* B C 88 181 630 945 1739 1877 2495
          sa bo faij arm georg;
       2. τοῦ Συχέμ p[74] D (P τοῦ Χέμ) Ψ 049 056 0142 104
          326 33o 436 451 614 1241 15o5 2127 2412 2492
          Byz vet-lat [ar.p] vg ath Chr;
       3. τοῦ ἐν Συχέμ   ℵ[c] A E (629 τοῦ υἱοῦ ἐν Συχέμ)
          (vet-lat [e]).
       Die dritte Lesart ist eine Kombination der ersten und
       zweiten. Der Genitiv versteht Συχέμ als Eigennamen.
       Die so entstandene Lesart muss als ein mißglückter Ver-
       such angesehen werden, die Aussage Gen 33,19 anzuglei-
       chen; vgl. B. M. Metzger, A Textual Commentary on
       the Greek New Testament, 344f.

161   R. Storch, Die Stephanusrede Ag 7,2-53, 45.

162   AaO. 44.

163   Vgl. E. Haenchen, Die Apostelgeschichte, 231 Anm. 3.

164   Vgl. R. Storch, aaO. 47.

165   Zur Auseinandersetzung mit diesem Problem vgl. R. Schu-
       macher, Der Diakon Stephanus, 51ff; E. Haenchen, Die
       Apostelgeschichte, 231; H. Conzelmann, Die Apostelge-
       schichte, 53. Interessant ist in diesem Zusammenhang
       J. Jeremias, Heiligengräber in Jesu Umwelt (Mt 23,29;
       Lk 11,47). Eine Untersuchung zur Volksreligion der
       Zeit Jesu, Göttingen 1958, 37f, der eine sichemitische
       Lokaltradition annimmt. Gegen die Annahme von R.
       Storch, aaO. 45-47, die Verse 15 und 16 an Vers 8 an-
       schliessen zu können, spricht ja gerade der Genitivus
       pretii und die Ortsangabe Συχέμ , d.h. die Einbe-
       ziehung der Josephgeschichte, was nicht durch Lukas
       verständlich gemacht werden kann.

166   Das bisweilen zu findende Verständnis von καθώς als
       temporaler Konjunktion ist nicht notwendig, da das im
       folgenden ausgesagte Geschehen in der Gottesverheißung
       begründet gesehen werden kann. Vgl. Bauer, 773.

167   J. Zmijewski, Die Eschatologiereden des Lukas-Evange-
       liums, 101.

168   AaO.

169   AaO. 101 Anm. 22.

170   J. Schniewind - G. Friedrich, Art. ἐπαγγέλλω   :
       ThWNT II, 578.

171   Für ὡμολόγησεν (p[74] ℵ A B C vet-lat[ar] vg sy [p.hmg]
       sa aeth) steht ὤμοσεν in P Ψ , vielen Minuskeln, Byz
       vet-lat [gig] sy[h] bo faij Chr und ἐπηγείλατο in p[45]
       D E vet-lat[d.e.p.]arm georg. ὡμολόγησεν ist wegen der
       guten Bezeugung als ursprünglich anzusehen. Die beiden
       anderen Varianten lassen sich als Versuch kennzeichnen,
       das Verb ὁμολογεῖν als ein Tun nur des Menschen im
       Sinne eines Bekenntnisses zu umgehen. S. B. M. Metzger,
       aaO. 345; vgl. E. Haenchen, aaO. 231 Anm. 4

172   Vgl. O. Michel, Art. ὁμολογέω   : ThWNT V, 206.

173   S. S.41.

174 Die Auslassung von ἐπ' Αἴγυπτον   in p[45 vid] D E P Ψ
     049 056 0142 81 326 330 436 451 614 629 1241 2127 2412
     2492 2495 Byz vet-lat [d.e.gig] sy[h] Chr könnte insofern
     ursprünglich sein, als sich ἐπ' Αἴγυπτον als Anglei-
     chung an Ex 1,8 verstehen ließe. Jedoch spricht die
     bessere Bezeugung für ἐπ' Αἴγυπτον , so dass die Aus-
     lassung als nachträgliche Vereinfachung anzusehen ist
     aufgrund des unmittelbar vorher genannten ἐν Αἰγύπτῳ .
     Vgl. B. M. Metzger, aaO. 345f.
     Für ἤδει τόν lesen D E vet-lat [gig.p] Chr ἐμνήσθη
     τοῦ. Die Bezeugung ist zu schwach, um eine Ursprüng-
     lichkeit der Lesart annehmen zu können. Vgl. B. M.
     Metzger, aaO..346.

175 Vgl. J. Zmijewski, aaO. 189.

176 Nur D beginnt den Vers mit einem καί . τοὺς πατέρας
     lesen p[74] ℵ D t vg, τοὺς πατέρας ἡμῶν A C ℜ E pl it.
     Ersteres dürfte aufgrund der Bezeugung ursprünglich
     sein. Die Hinzufügung von ἡμῶν ist Angleichung an den
     Sprachgebrauch der Rede und an τὸ γένος ἡμῶν . Vgl.
     B. M. Metzger, aaO. 346.
     ἔκθετα τὰ βρέφη lesen p[45] ℜ D pl, was als stilisti-
     sche Verbesserung angesehen werden muss. Am Ende des
     Verses ergänzen E gig τὰ ἄρρενα . Die Lesart ist als
     sprachlich mißglückter Angleichungsversuch an Ex 1,22
     zu werten, wonach nur die Knaben auszurotten sind.

177 Bl-Debr § 400.

178 Im Neuen Testament nur noch 2 Tim 3,15 und 1 Petr 2,2.

179 Vgl. Bl-Debr § 402,2.

180 Vgl. H. Schürmann, Das Lukasevangelium, 285.

181 Vgl. zu den lukanischen Spracheigentümlichkeiten in
     V.17-19 R. Storch, aaO. 48ff.

182 S. Bauer, 233. Nach R. Storch, Die Stephanusrede Ag
     7,2-53, 50, stellt τῷ θεῷ "einen Hebraismus" dar, der
     "lediglich der Steigerung dient". Doch wird man in der
     ganzen Formulierung eine inhaltliche Parallele zu V.9b
     sehen müssen.

183 Bl-Debr § 294,5.

184 AaO.

185 Vgl. J. Zmijewski, Die Eschatologiereden des Lukas-

Evangeliums, 116

186 B. Bertram, Art. παιδεύω : ThWNT V, 617.

187 R. Storch, aaO. 73, bleibt unsicher, ob Lukas das Schema von hier auf Apg 22,3 überträgt oder ob er es an beiden Stellen eingetragen hat. U. Borse, Der Rahmentext im Umkreis der Stephanusgeschichte (Apg 6,1 bis 11,26), 201, sieht die Stephanusrede gerade auch in diesem biographischen Schema "durch einen Text aus der Apologie Pauli auf dem Tempelplatz" motiviert. Es liegt jedoch näher, dass in beiden Reden die Übereinstimmungen redaktionell sind.

188 Der westliche Text ergänzt vor ἀνείλατο nach Ex 2,5 εἰς (παρὰ D) τὸν ποταμόν (D E sy^h). Vgl. B. M. Metzger, A Textual Commentary on the Greek New Testament, 346f.

189 Vgl. R. Stroch, aaO. 72, der auf den Gebrauch von ἐκτίθημαι in Weish 18,5 und Philo, Vit Mos I 10.11. 12.14 hinweist und deswegen mit traditionellem Vokabular rechnet, sich aber nicht zu entscheiden vermag.

190 πάσῃ σοφίᾳ haben B 𝔎 pl; ἐν πάσῃ σοφίᾳ $p^{74\ vid}$ א A C E; πάσαν τὴν σοφίαν D*. Die letzte Lesart kommt wegen der einmaligen Bezeugung nicht als ursprünglich in Frage. ἐν ist als sprachlicher Verbesserungsversuch zu werten und damit als sekundär.

191 R. Storch, aaO. 74f, geht den ausserbiblischen Aussagen über Erziehung und Weisheit des Mose nach und kommt zu dem Schluß: "Mit v 22a übernimmt also die Stephanusrede ein Charakteristikum des hellenistischen Mosebildes".

192 Zwar hat nach E. Haenchen, Die Apostelgeschichte, 232, "die spätere Legende" Mose "zum großen Redner gemacht", doch ist der Anklang an Lk 24,19 so stark, daß man nur mit lukanischer Redaktion rechnen kann. Zumindest kann eine vielleicht vorgegebene entsprechende Formulierung nicht mehr rekonstruiert werden. Da außerbiblische Tradition sich bisher gerade nicht als lukanisch zu erkennen gab, darf eine traditionelle Aussage über die Rednergabe des Mose nicht ausgeschlossen werden, auch wenn diese nicht mehr rekonstruierbar ist.

Vgl. R. Storch, aaO. 75ff.

193 S. Billerbeck II, 679. Vgl. H. Balz, Art. τεσσεράκοντα κτλ. : ThWNT VIII, 137.

194 Vgl. Bl-Debr § 455,2; R. Storch, Die Stephanusrede Ag
7,2-53, 77 Anm. 4.

195 Mt 3mal, Mk 2mal, Lk 7mal, Apg 17mal. Vgl. G. Delling,
Art. χρόνος : ThWNT IX, 587: "doch sind bei der Bewertung statistischer Befunde uU die verschiedenen
Bdtg zu beachten. Die Verwendung von χρόνος in Ag
zeigt jedenfalls des öfteren, dass der Verf in den
gegebenen Grenzen den Gesichtspunkt einer zusammenhängenden Berichterstattung nicht ausser acht lässt."

196 R. Storch, aaO. 77: "πληρόω gebraucht er im Evangelium zwar nicht so häufig wie Matthäus, setzt es aber
zweimal in den Markus-Stoff ein, zudem steht es verhältnismässig oft in Acta."

197 Die Zusammenziehung ergibt sich wie in Apg 13,18 aus
der lukanischen Verbindung mit χρόνος .

198 R. Storch, aaO. 77.

199 J. Schneider, Art. ἀναβαίνω : ThWNT I, 519: "Eine
Besonderheit bietet der dem hebr עָלָה עַל־לֵב nachgebil-
dete Ausdruck ἀνέβη ἐπὶ τὴν καρδίαν αὐτοῦ Ag 7,23.
Ähnlich heisst es Lk 24,38: διὰ τί διαλογισμοὶ
ἀναβαίνουσιν ἐν τῇ καρδίᾳ ὑμῶν ". R. Storch, aaO.
51, kann sich nicht entscheiden, ob der Ausdruck von
einem vorlukanischen Verfasser stammt oder"ein lk
Septuagentismus" ist.

200 Lk 1,68.78; 7,16; Apg 6,3; 7,23; 15,14.36. Vgl. E.
Haenchen, Die Apostelgeschichte, 232.

201 Vgl. H. Zimmermann, Neutestamentliche Methodenlehre,
241, zu Lk 5,12 im Vergleich zu Mk 1,40: "ἰδὼν δέ
o.ä. wird von Lukas auch sonst eingesetzt, wo es
in der Markusvorlage fehlt ..."

202 Der Cantabrigiensis erweitert mit καὶ ἔκρυφεν
αὐτόν ἐν τῇ ἄμμῳ(Ex 2,12).

203 Die Hinzufügung von ἐκ τοῦ γένους αὐτοῦ in (D) E
vet-lat[gig] sy kann aufgrund der Bezeugung als sekundäre Verdeutlichung angesehen werden.

204   Jos 10,13; Esr 6,13; 8,13; Ps 118,10.11.12; Weish 11,3;
        Jes 59,16; 2 Makk 6,20. S. aber Philo Vit Mos I,40.
        Vgl. R. Storch, aa0.78.

205   J. Jeremias, Die Gleichnisse Jesu, Göttingen [8]1970,
        154f.

206   S. J. Zmijewski, Die Eschatologiereden des Lukas-Evan-
        geliums, 184: "Die Wendung ἡμέρα ἐκδικήσεως gehört
        zum Vokabular der prophetischen Unheilsweissagungen
        und ist aus dem AT bekannt..."

207   ἀδελφοὺς αὐτοῦ   lesen A 𝔐 D pl. Es wird sich um eine
        Angleichung an V.23 handeln.

208   Vgl. H. Conzelmann, Die Apostelgeschichte, 53: "die
        Mosetypologie kündigt sich an." R. Schumacher, Der
        Diakon Stephanus, 57, weist auf Philo Vit Mos I, 8.9
        hin.

209   σωτηρία   wird in den synoptischen Evangelien nur von
        Lukas verwendet (Lk 1,69.71.77; 19,9). In der Apostel-
        geschichte steht das Wort noch 4,12; 13,26.47 (= Jes
        49,6); 16,17; 27,34.

210   U. Wilckens, Die Missionsreden der Apostelgeschichte,
        125 Anm. 3, schreibt: "Es handelt sich um eine in der
        LXX häufig vorkommende Wendung zur Übersetzung des
        hebräischen   בְּיָד   , die sich jedoch mit Ausnahme von
        Mk 6,2 einzig bei Lukas findet: Act 2,23; 5,12; 7,25;
        11,30; 14,3; 15,23; 19,11".

211   Der Cantabrigiensis setzt τότε   an den Anfang und
        läßt τε aus, fügt nach μαχομένοις den Satz καὶ
        εἶδεν αὐτοὺς ἀδικοῦντας ein. Diese Abweichungen von
        allen übrigen Hss. sind eine nachträgliche Angleichung
        an V.24. Vgl. B. M. Metzger, A Textual Commentary on
        the Greek New Testament, 347.
        συνήλασεν   in A 𝔐 R pm dürfte ein Schreibfehler sein.

212   Für ἄνδρες, ἀδελφοί ἐστε   liest D τί ποιεῖτε ,
        ἄνδρες ἀδελφοί . D ahmt damit die in der Apostelge-
        schichte gebrauchte Anrede nach (vgl. Apg 7,2).

213   T. Holtz, Untersuchungen über die alttestamentlichen
        Zitate bei Lukas, 118.

214 Nach J. Bihler, Die Stephanusgeschichte, 55, hat der
     Redner den Bruch zwischen V.26d und 27a übersehen.
     T. Holtz, aaO. 118, hält die in den Worten des Mose
     gebrauchte Anrede im Unterschied zu der bei Lukas üb-
     lichen Form für einen Hinweis auf Tradition, zumal
     "kein typologischer Bezug auf die Christusgeschichte
     in diesen Worten" enthalten sei.

215 T. Holtz, aaO. 118.

216 Zur Untersuchung des zitierten LXX-Textes s. T. Holtz,
     aaO. 118f.

217 Für ἔφυγεν δὲ Μωϋσῆς hat D οὕτως καὶ ἐφυγάδευσεν
     Μωϋσῆς und E ἐφυγάδευσεν δὲ Μωϋσῆν . Obwohl es
     sehr gut möglich ist, dass φεύγειν als das häufiger
     gebrauchte Verb das seltenere φυγαδεύειν ersetzt hat,
     muss die westliche Lesart dennoch aufgrund der äusse-
     ren Bezeugung als sekundär angesehen werden. Vgl. B. M.
     Metzger, aaO. 347.

218 In Lk 3,7; 8,34; 21,21 ist das Verb aus dem Markusevan-
     gelium übernommen. In Apg 27,30 scheint es ebenfalls
     vorgegeben zu sein.

219 Zum vielfältigen Gebrauch des Wortes λόγος vgl. G.
     Kittel, Art. λέγω κτλ. : ThWNT IV, 101: "Eine Anspra-
     che (Ag 2,41; 20,7), ein Bericht (Ag 11,22), ein berich-
     tendes Gerücht (Lk 5,15; 7,17) heissen λόγος , ebenso
     aber auch der zum Buch verfasste Teilbericht (Ag 1,1)."
     Zu ἐν zur Bezeichnung des Grundes vgl. A. Oepke, Art.
     ἐν : ThWNT II, 535.

220 Vgl. R. Storch, Die Stephanusrede Ag 7,2-53, 55f.

221 Vgl. R. Storch, aaO. 56 Anm. 1: "Lukas ersetzt häufiger
     εἶναι durch γίνεσθαι ".

222 Nach R. Storch, aaO. 56, ist das sich "anschließende
     οὗ ein ausgesprochenes Vorzugswort des Lukas".

223 In V.32 haben καὶ Ἰσαὰκ καὶ Ἰακώβ p[74] א A B C Ψ 81
     181 614 1877 2412 sy[p.h] sa arm; καὶ ὁ θεὸς Ἰσαὰκ καὶ
     ὁ θεὸς Ἰακώβ   E P 049 056 0142 33 88 104 326 330
     436 451 629 630 945 1241 15o5 1739 2127 2492 2495
     Byz 1439m. 1141m[Chr]; καὶ θεὸς Ἰσαὰκ καὶ θεὸς Ἰα-
     κώβ D. Die erste Lesart ist die bestbezeugte und muß
     damit als ursprünglich angesehen werden. Vgl. T. Holtz,

Untersuchungen über die alttestamentlichen Zitate bei
Lukas, 119ff; R. Storch, aaO. 59; B. M. Metzger, The
Textual Commentary on the Greek New Testament, 348f.
In V.34 ist in B D 321 18 38 sy^p αὐτοῦ zu lesen und
in p^74 ℵ A C E H P pl αὐτῶν. Letztere Lesart dürfte
aufgrund der besseren Bezeugung ursprünglich sein, während αὐτοῦ als nachträglicher Anknüpfungsversuch an
τοῦ λαοῦ zu erklären ist. αὐτῶν kann darüber hinaus
kaum als Angleichung an Ex 3,7 angesehen werden, da sowohl das vorhergehende als auch das nachfolgende Wort
gerade nicht nach der LXX überliefert wird. So T. Holtz,
aaO. 123f. Vgl. B. M. Metzger, aaO. 349.
ἀκήκοα für ἤκουσα haben D pc als Angleichung an
die LXX. Das ist umso bemerkenswerter, als D στεναγμοῦ αὐτοῦ gerade nicht der LXX angleicht. ἀποστέλω
in 𝕽 pm ist gegenüber ἀποστελλων im neutralen und
westlichen Text als sekundär anzusehen.

224   Vgl. T. Holtz, aaO. 119-123; R. Storch, aaO. 59f.

225   T. Holtz, aaO. 121.

226   AaO. 122.

227   S. S.128f.

228   Vgl. T. Holtz, aaO. 125

229   R. Storch, aaO. 61, sieht in λῦσον grössere Nähe zum
      hebräischen Text. T. Holtz, aaO. 124, bemerkt mit Recht:
      "Daß dieses Wort aber überhaupt in Übereinstimmung mit
      der LXX zur Wiedergabe von נשׁל gebraucht ist,
      spricht deutlich für Abhängigkeit des Zitats von der
      LXX."

230   Vgl. T. Holtz, aaO. 125: "Der 'Zitator' von Act 7 hat
      offenbar die Schwierigkeit der Übersetzung begriffen
      und sucht sie dadurch zu mildern, dass er das ἐκ der LXX
      auslässt."

231   Vgl. E. Kränkl, Jesus der Knecht Gottes, 207.

232   D liest καὶ ἐγένετο φωνὴ πρὸς αὐτόν. Die Lesart
      ist im Zusammenhang mit dem ebenfalls nur von D über-
      lieferten ὁ κύριος εἶπεν αὐτῷ λέγων in V.31 zu se-
      hen. Beides ist aufgrund der Bezeugung sekundär und
      als Angleichung an die LXX zu verstehen.

233 Vgl. H. Zimmermann, Neutestamentliche Methodenlehre, 253.

234 D formuliert μετὰ ταῦτα πλησθέντων αὐτῷ ἔτη τεσσεράκοντα und schafft damit einen besseren Anschluß.

235 Nach ἄγγελος fügen D H P S 614 sy[p.h] arm Aug κυρίου
ein, nach B. M. Metzger, aaO. 447f, "a natural addi-
tion, especially in the light of Ex 3,2."

236 R. Storch, aaO. 57f.

237 ἐθαύμαζεν überliefern p[74] ℵ ℛ D pm; ἐθαύμασεν
𝔄 al. Letztere Lesart ist Tempusangleichung an den
Kontext und damit eine nachträgliche Verbesserung.

238 Der Ausdruck scheint also vorgegeben zu sein. Vgl. Apg
9,10.12; 10,3.17.19; 11,5; 12,9; 16,9.10; 18,9; sonst
noch einmal Mt 17,9.

239 Lk 6,41 (Mt 7,3); 12,24.27; 20,3; Apg 7,32; 11,6;
27,39; ausser den hier genannten Stellen sonst noch
5mal im Neuen Testament.

240 S. R. Storch, aaO. 64; s. Lk 1,44; 3,22; 9,35.36;
Apg 2,6; 19,34; 10,13.

241 E. Haenchen, Die Apostelgeschichte, 233.

242 S. aaO. Anm. 4.

243 T. Holtz, Untersuchungen über die alttestamentlichen
Zitate bei Lukas, 95.

244 Zu δικαστήν fügen ℵ C D al ἐφ' ἡμῶν und E O
142 33 61 al ἐφ' ἡμᾶς . Beides sind Erweiterungen
aufgrund von Apg 7,27 (=Ex 2,14). Vgl. B. M. Metzger,
A Textual Commentary on the Greek New Testament, 349.

245 Vgl. Lk 8,45, wo das Verb ebenfalls redaktionell ist.

246 καί vor ἄρχοντα überliefern nicht p[45.74] ℵ*
A C al. Diese Lesart dürfte als gut bezeugt und als
die kürzere ursprünglich sein. Die Hinzufügung von
καί kann als Betonung verstanden werden. Vgl. B. M.
Metzger, aaO. 349, der mitteilt, aus welchen Gründen
die Herausgeber der internationalen Ausgabe sich nicht
zu einigen vermochten.

247 Vgl. das zu διὰ χειρός Gesagte (V.25).

248 T. Holtz, aaO. 97, betont, "die Verbindung zwischen
klassischen und semitischen Elementen" entspräche
"vorzüglich" lukanischer Eigenart.

249 Vgl. T. Holtz, aaO. 96.

250   Die Lesart γῇ Αἰγύπτου (p⁷⁴ D 1611 1739 vg sy^{p.h} al)
      ist Korrektur von γῇ Αἰγύπτῳ (ℵ A E N P 81 al).
      τῇ Αἰγύπτῳ (B C al) ist Lesefehler. Vgl. B. M. Metzger,
      aaO. 350.
251   S. S.41/42.
252   S. S.17.
253   Der Zusatz ἐν ἐρυθρᾷ θαλάσσῃ entspricht allgemeinem
      Sprachgebrauch der LXX (vgl. vor allem Ps 106,7.9;
      136,13.15).
254   Den Artikel zu Mose lassen p⁷⁴ D 1 614 1175 al aus.
      Die Bezeugung ist zu schwach, als daß Ursprünglichkeit
      angenommen werden kann.
      Der von C (D) E 33 pm latsy überlieferte Zusatz αὐτοῦ
      ἀκούσεσθε am Versende ist als nachträgliche Anglei-
      chung an Apg 3,22 bzw. Dtn 18,15 anzusehen. Vgl. B. M.
      Metzger, aaO. 350.
255   S. S. 129f.
256   T. Holtz, aaO. 97f.
257   AaO. 72.
258   In V.38 überliefern ἡμῖν A C D E P Ψ 049 056 0142 33
      81 88 104 181 326 330 436 451 614 629 630 945 1241 1505
      1739 1877 2127 2412 Byz vet-lat^{ar. d. e. gig} vg sy ^{p.h}
      arm, ὑμῖν p⁷⁴ ℵ B 2492 2495 ℓ ^{1439m} vet-lat^{p} sa bo
      georg Ir. ὑμῖν dürfte aufgrund der äusseren Bezeugung
      als ursprünglich zu gelten haben. ἡμῖν paßt sich dem
      Kontext an. Darüber hinaus ist anzunehmen, dass ὑμῖν
      mit der Aussage in V.53 korrespondieren soll.
      Zu Beginn des V.39 steht in D ein ὅτι für ᾧ. Es han-
      delt sich offensichtlich um einen nachträglichen Ver-
      besserungsversuch. Ferner haben D 69 vg ἀπεστράφησαν.
      Diese Lesart ist wegen der schwachen Bezeugung eben-
      falls sekundär und als Angleichung an Num 14,3.4 anzu-
      sehen.
      Vor ταῖς καρδίαις fehlt in p⁷⁴ ℘ D pm ein ἐν. Es dürf-
      te sich um einen Lesefehler handeln. Nach καρδίαις las-
      sen D Or das αὐτῶν aus. Die Auslassung ist zu schwach
      bezeugt.

In V.40 haben 𝔐 D pm γέγονεν . Es handelt sich um
eine Angleichung an die LXX; vgl. T. Holtz, aaO. 126.

259 Bauer, 1006.

260 E. Haenchen, Die Apostelgeschichte, 234.

261 Es handelt sich also um die summarische Wiedergabe des
Sinaiberichtes.

262 G. Kittel, Art. λόγιον : ThWNT IV, 141.

263 Vgl. T. Holtz, aaO. 111f. Vgl. dagegen R. Storch,
aaO. 79.

264 Vgl. R. Storch, aaO. 66.

265 G. Schrenk, Art. θέλω : ThWNT III, 52.

266 Vgl. Lk 13,34; 19,14.

267 T. Holtz, aaO. 126.

268 Vgl. aaO.

269 Vgl. R. Storch, aaO. 67f.

270 Lk 2,1; 4,2; 5,35; 9,36; Apg 9,37.

271 J. Bihler, Die Stephanusgeschichte, 69.

272 Das Verb εὐφραίνειν ist in der LXX durchgängig gebraucht, kommt aber besonders häufig in den Psalmen
vor. Unter den Synoptikern gebraucht es nur das Lukasevangelium, allerdings nur in vorgegebenen Zusammenhängen (s. noch Apg 2,26 = Ps 16,9). Vgl. R. Storch,
aaO. 91 Anm. 9.

273 Vgl. Bauer, 1527.

274 Vgl. R. Bultmann, Art. στρέφω : ThWNT VII, 715;
T. Holtz, aaO. 88; R. Storch, aaO. 92.

275 Vgl. R. Storch, aaO.

276 Vgl. T. Holtz, aaO. 88f.

277 τοῦ θεοῦ ὑμῶν wird von der Mehrheit der Textzeugen
gelesen, während ὑμῶν bei B D 15 18 36 sy [p] sa arm
Ir Or fehlt. Die erstgenannte Lesart könnte als Angleichung an die LXX verstanden werden; doch fehlen
an schwerwiegenden Abweichungen dieses Zitates von
der LXX entsprechende Verbesserungsversuche, so daß
man kaum von einer bewussten Arbeit am Text sprechen
kann, wohl aber lässt sich die zweite Lesart als inhaltliche Verbesserung erklären. Vgl. T. Holtz, aaO.
14.

Aufgrund der äusseren Bezeugung ist kaum eine Entscheidung möglich, ob ʿΡομφά oderʿΡαιφάν gelesen werden
muß. Da die erste Lesart sich sonst nirgends finden
läßt, die zweite aber der am besten bezeugten LXX-Les-
art entspricht, wird man ʿΡομφά als die schwierigere
Lesart für ursprünglich halten müssen. Alle anderen
Varianten ergeben sich aus diesen beiden Lesarten.
ἐπὶ τὰ μέρη in D* d e sa gegenüber ἐπέκεινα ist
nach T. Holtz, aaO. 15, "offenbarer Versuch, den Text
im Sinne der Geschichte Israels zu berichtigen".
Zur Textkritik des Zitats und zum Vergleich desselben
mit der LXX s. T. Holtz, aaO. 14-19.

278   Für eine lukanische Erweiterung ergeben sich keinerlei
       Anhaltspunkte, zumal in V.42 gerade nicht προσκυνεῖν ,
       sondern λατρεύειν steht. T. Holtz, aaO. 18, findet
       diesen Zusatz "gemessen an der sonst von Lukas geübten
       Zitierungsweise einigermassen auffällig".

279   T. Holtz, aaO. 18, hält diese Änderung - wie überhaupt
       das ganze Zitat - allein durch Lukas belegt, obwohl er
       sie als "ein kühnes Verfahren gegenüber dem heiligen
       Text" bezeichnet. Demgegenüber ist zu sagen, dass eben
       nicht nur in der Alternative Vorlage oder lukanischer
       Schriftgebrauch gedacht werden kann, sondern auch mit
       einem vorgegebenen andersartigen Zusammenhang des Zi-
       tats gerechnet werden muss.

280   Billerbeck II, 682.

281   S. J. Bihler, Die Stephanusgeschichte im Zusammenhang
       der Apostelgeschichte, 69ff; T. Holtz, aaO. 88ff;
       R. Storch, aaO. 92f.

282   Vgl. G. von Rad, Weisheit in Israel, Neukirchen-Vluyn
       1970, 228-239; C. Bussmann, Themen der paulinischen
       Missionspredigt auf dem Hintergrund der spätjüdisch-
       hellenistischen Missionsliteratur (Europäische Hoch-
       schulschriften Reihe XXIII, Bd.3), Frankfurt a.M. 1971,
       143-153.

283   Vgl. W. Bousset, Die Religion des Judentums im spät-
       hellenistischen Zeitalter (HNT 21), Tübingen [4]1966,
       304-307.

284   Vgl. R. Bultmann, Theologie des Neuen Testaments (Neue
      Theologische Grundrisse), Tübingen [5]1965, 70-73;
      C. Bussmann, aaO. 191f.

285   S. S. 42ff.
      Dass es sich um einen Abschnitt anderer Art handelt,
      wird auch stilistisch, wie R. Storch, Die Stephanus-
      rede Ag 7,2-53, 94, bemerkt, durch "das harte Asynde-
      ton" angezeigt.

286   ἡμῶν wird von p[74] 69 pc ausgelassen. Aufgrund der
      Bezeugung ist die Lesart sekundär.

287   Vgl. Ex 27,21 und vor allem das 29. und 30. Kapitel
      des Exodusbuches.

288   Vgl. Lk 3,13; 8,55; 17,9.10; Apg 18,2; 20,13; 23,31;
      24,23.

289   Lk 2,27; 14,21; 22,54; Apg 9,8; 21,28.29.37; 22,24.

290   Einige Textzeugen (ℵ* E 33 al) lesen ἐξέωσεν an-
      stelle ἐξῶσεν . Es wird sich um eine sekundäre An-
      gleichung an die gebräuchliche Aoristform von ὠθέω
      handeln.

291   ἐξωθεῖν steht im Neuen Testament nur noch Apg 27,39
      und dort als seemännischer terminus technicus. Vgl.
      Bauer, 554. καθαιρεῖν Lk 1,52; 12,18; 23,53; Apg
      13,29; 19,27. Vgl. R. Storch, aaO. 98, der darauf
      verweist, dass die Vertreibung der Völker in der LXX
      nie mit ἐξωθεῖν wiedergegeben wird.

292   Zu ἡμέρα τινός vgl. G. Delling, Art. ἡμέρα :
      ThWNT II, 953 mit Anm. 42.

293   χάριν εὑρίσκω ist in der LXX durch das Hebräische
      bestimmte Ausdrucksweise. S. T. Holtz, aaO. 90f Anm.6;
      H. Conzelmann, Art. χάρις κτλ. : ThWNT IX, 379.

294   S. S. 43f.

295   Vgl. H. Conzelmann, aaO. 382: "Im synoptischen Schrift-
      tum ist der Gebrauch der Wortgruppe auf Lukas begrenzt.
      Ob er durch seine Sondertradition auf sie gestoßen wur-
      de, ist eine offene Frage."

296   Vgl. R. Storch, aaO. 99 mit Anm. 10.

297   Zum durchaus lukanischen Gebrauch des Verbs s. R.
      Storch, aaO. 99 Anm. 11.

298 τῷ οἴκῳ 'Ιακώβ   lesen p[74] ℵ* B D 049 vet-lat[d],

τῷ θεῷ   ℵ[c] A C E P   056 0142 33 81 88 104 181 326

330 436 451 614 629 630 945 1241 1505 1739 1877 2127

2412 2495 Byz vet-lat [ar.e.gig.h]vg sy[p.h] sa bo arm

aeth georg Chr. Ist auch die erste Lesart die besser

bezeugte, so verdient dennoch die zweite den Vorzug,

da sie besser mit dem folgenden Satz übereinstimmt.

Vgl. T. Holtz, aaO. 91 Anm. 1; B. M. Metzger, A Textual

Commentary on the Greek New Testament, 351ff. B. M.

Metzger gibt einen guten Überblick über die unterschied-

lichen textkritischen Lösungsversuche und sieht οἴκῳ

durch Qumran unterstützt. Zwar ist θεῷ sehr gut als se-

kundäre Angleichung an die LXX begreifbar, doch kann

οἴκῳ als Erleichterung inhaltlicher Art insofern an-

gesehen werden, als die im folgenden ausgesagte These,

dass der Höchste nicht in von Menschen gemachten Werken

wohne, durch οἴκῳ anstelle θεῷ noch umfassender zur

Geltung kommt.

299 Der Psalm ist für Lukas nur eine Formulierungshilfe. In-

haltlich hält er sich im Gesamtzusammenhang mehr an

2 Sam 7. Vgl. J. Bihler, Die Stephanusgeschichte, 72-74.

300 T. Holtz, aaO. 91.

301 ὁ δὲ ὕψιστος οὐ κατοικεῖ ἐν χειροποιήτοις   in D

(vet-lat) ist aufgrund der Bezeugung sekundär, ebenfalls

ὡς nach οὐχ in p[74].

In Jes 66,1-2 haben ein μου anstelle eines μοι der

p[74] und D. Die Bezeugung ist unzureichend.

Statt ἡ δὲ γῆ liest B καὶ ἡ γῆ . Wahrscheinlich

liegt eine Angleichung an eine entsprechende Sonder-

lesart der LXX vor; S. T. Holtz, aaO.29 Anm. 1.

Für τίς steht in D h ποῖος , nach T. Holtz, aaO.

"wohl Angleichung an eine LXX-Form".

ταῦτα πάντα in ℵ B H 33 81 al ist gegenüber

πάντα ταῦτα in p[74] A C D E PΨ al vorzuziehen, da

letztere Lesart Angleichung an die LXX ist. Vgl. B. M.

Metzger, aaO. 353; T. Holtz, aaO.

302 Vgl. Bauer, 75f.

303 T. Holtz, aaO. 94, hält es mit Recht für ausgeschlossen,

daß "derjenige, der die Vv. 44-47 schrieb, das in den

Vv. 46 und 47 Berichtete von vornherein verurteilen

wollte".

304 H. Schürmann, Das Lukasevangelium, 48 Anm. 1.

305 S. S. 68f.

306 S. T. Holtz, aaO. 29-31.

307 Vgl. T. Holtz, aaO. 29, der allerdings Lukas dafür ver-
     antwortlich macht.

308 Vgl. J. Bihler, aaO. 76.

309 Vgl. T. Holtz, aaO. 30f.

310 Die einzige Ausnahme bildet Jes 16,12. Dort bezeich-
     net τὰ χειροποίητα das heidnische Heiligtum. Vgl.
     E. Lohse, Art. χειροποίητα, ἀχειροποίητος :
     ThWNT IX, 425f; H.-U. Minke, Die Schöpfung in der früh-
     christlichen Verkündigung nach dem Ersten Clemensbrief
     und der Areopagrede, Diss.theol. Hamburg 1966, 100f;
     H. D. Preuß, Art. אֱלִיל : ThWAT I, 305-308.

311 J. Bihler, aaO. 77.
     Zur Textkritik des Abschnitts ist folgendes zu sagen:
     ταῖς καρδίαις liest א , καρδίας B, τῇ καρδίᾳ
     𝔐 E pl vet-lat, καρδίαις p⁷⁴ A C D p vg syʰ. Die
     erstgenannte und letztgenannte Lesart gehören zusam-
     men, so dass καρδίαις als bestbezeugt ursprünglich
     sein dürfte. ἐκεῖνοι in D* für οἱ πατέρες ὑμῶν
     ist ebenfalls aufgrund der äusseren Bezeugung sekun-
     där.

312 S. O. H. Steck, Israel und das gewaltsame Geschick der
     Propheten, 265-269. Vgl. T. Holtz, Untersuchungen über
     die alttestamentlichen Zitate bei Lukas, 110.

313 Zur biblischen Grundlage der Aussage s. T. Holtz, aaO.
     110 Anm. 2; vgl. R. Storch, Die Stephanusrede Ag
     7,2-53, 105-112.

314 S. S. 150.

315 Vgl. Bauer, 497.

316 Vgl. Apg 22,14.

317 S. S. 88f.

318 Lk 6,16 wird Judas von Lukas als προδότης bezeich-
     net. Das Wort kommt im Neuen Testament nur noch in
     2 Tim 3,4 vor.

319 διαταγή steht im Neuen Testament nur noch Röm 13,2.

320 Zur aktiven Beteiligung von Engeln bei der Gesetzge-
     bung s. T. Holtz, aaO. 111 Anm.2; R. Storch, aaO. 110.

321 Vgl. G. Bertram, Art. φυλάσσω : ThWNT IX, 233.

322 Vgl. Bl-Debr § 316,1.

323 Zum Umfang der Stephanustradition vgl. W. Wiater, Kom-
     position als Mittel der Interpretation im lukanischen
     Doppelwerk, 209-219.

324 Jedenfalls erhält die umstrittene Frage, was eigent-
     lich der Grund für die Tötung des Stephanus gewesen
     sei, durch diese Worte eine sinnvolle Erklärung. Vgl.da-
     zu die Lösungsversuche bei R. Storch, aaO. 118-126;
     W. Wiater, aaO.

325 W. Wiater, aaO. 215.

326 M. Dibelius, Die Reden der Apostelgeschichte und die
     antike Geschichtsschreibung, 143.

327 E. Haenchen, Die Apostelgeschichte, 350; vgl. 358.

328 H. Conzelmann, Die Apostelgeschichte, 83.

329 T. Holtz, Untersuchungen über die alttestamentlichen
     Zitate bei Lukas, 131.

330 AaO. 144f.

331 G. Delling, Israels Geschichte und Jesusgeschehen
     nach Acta: Neues Testament und Geschichte. Historisches
     Geschehen und Deutung im Neuen Testament (Festschr.
     für O. Cullmann), Tübingen 1972, 187-197.

332 AaO. 197.

333 M. Dibelius, aaO. 143.

334 Vgl. E. Haenchen, aaO. 350.358.

335 Vgl. G. Delling, aaO. 187 mit Anm. 3.

336 φοβούμενος (τὸν θεόν) ist terminus technicus "zur
     Bezeichnung der heidnischen Anhänger des jüdischen
     Glaubens". So H. Balz, Art. φοβέω κτλ. : ThWNT IX,
     209.

337 Zu ἀκούσατε vgl. Apg 7,2.

338 G. Delling, aaO. 188 Anm. 7.

339 Lk 6,13; 9,35; 10,42; 14,7; Apg 1,2.24; 6,5; 15,7.22.25;
     vgl. G. Schrenk, Art. ἐκλέγομαι : ThWNT IV, 176-179,
     der im Zusammenhang mit Apg 13,17 auf 2 Makk 1,25 hin-
     weist.

340 Vgl. G. Schrenk, aaO. 177.

341 H. Schürmann, Das Lukasevangelium, 562.

342 J. Jeremias, Die Gleichnisse Jesu, 96.

343   Vgl. E. Haenchen, aaO. 108.

344   Für καὶ τὸν λαόν haben D* διὰ τὸν λαόν ,
       614 gig sy^h διὰ τὸν λαὸν καί . Nach E. Haenchen,
       aaO. 350 Anm. 3, liegt "ein alter Zufallsfehler im
       westlichen Text" vor.
       Αἰγύπτῳ lesen C 𝕬 D pm. Es wird sich um eine Anglei-
       chung an Apg 7,36 handeln.

345   Vgl. das zu Apg 7,17 Gesagte S. 33f.

346   Vgl. T. Holtz, Untersuchungen über die alttestament-
       lichen Zitate bei Lukas, 132 Anm. 4: "Doch kann auch
       so schon in seiner Vorlage gestanden haben in Anleh-
       nung an die Übersetzung der LXX von רום pil.
       'wachsen lassen, groß ziehen' Jes 1,2; 23,4; vgl.
       auch Ez 31,4". Ferner G. Delling, aaO. 189 Anm. 14

347   Vgl. die Belegstellen bei G. Delling, aaO. 189, die
       zeigen, dass es sich "um eine geprägte Aussageweise"
       handelt.

348   E. Haenchen, aaO. 350 Anm. 3, sieht nach zweimaligem
       ἐν einen Ausdruckswechsel durch Lukas. Vgl. T. Holtz,
       aaO. 133 Anm. 1.

349   Vgl. G. Delling, aaO. 189.

350   ὡς wird in D E lat sy^p ausgelassen, wahrscheinlich
       als Verbesserung nach der LXX.

351   Vgl. E. Haenchen, Die Apostelgeschichte, 350.

352   S. S. 30ff.

353   ἐτροποφόρησεν lesen ℵ B C^2 D P 049 (056 0142 ἐτροπο-
       φόρησαν), viele Minuskeln, Byz Lect vet-lat^ar vg
       sy^h; ἐτροφοφόρησεν p^74 A C* E Ψ 33 181 2127
       2492 ℓ 809.1364 vet-lat^d.e.gig sy^p.h sa bo arm aeth
       georg. Die erste Lesart darf als geringfügig besser
       bezeugt gelten. Die LXX in Dtn 1,31 kennt ebenfalls
       beide Überlieferungen. Die bevorzugte Lesart wird
       durch die literarkritische Analyse unterstützt. Zu den
       Motiven der Herausgeber der internationalen Ausgabe
       des Neuen Testaments vgl. B. M. Metzger, A Textual
       Commentary on the Greek New Testament, 405f; vgl. zur
       anderslautenden Entscheidung T. Holtz, Untersuchungen
       über die alttestamentlichen Zitate bei Lukas, 132
       Anm. 5.

354   G. Delling, aaO. 190.

355   S. S. 33f.

356   καί wird von B pc ausgelassen. Für αὐτῶν haben
      D* sy^h τῶν ἀλλοφύλων . Beide Varianten sind zu
      schlecht bezeugt, um als ursprünglich gelten zu können.

357   S. S. 35f.

358   Vgl. G. Delling, aaO. 190.

359   Diese Lesart dürfte trotz unzulänglicher Bezeugung die
      ursprüngliche sein, da aus ihr die anderen Varianten
      erklärt werden können. Das Vorziehen von ὡς ἔτεσιν
      τετρακοσίοις καὶ πεντήκοντα   vor καὶ μετά bei
      der Mehrheit der Textzeugen wird in Angleichung zu
      V. 21 geschehen sein. Die anderen Lesarten sind Misch-
      formen dieser beiden. Anders entscheidet E. Haenchen,
      Die Apostelgeschichte, 350f; T. Holtz, Untersuchungen
      über die Alttestamentlichen Zitate bei Lukas, 132.
      Vgl. ferner B. M. Metzger, A Textual Commentary on the
      Greek New Testament, 406f.

360   Zu μετὰ ταῦτα s. Lk 5,27; 10,1. Vgl. H. Zimmermann,
      Neutestamentliche Methodenlehre, 101.

361   Vgl. G. Delling, Israels Geschichte und Jesusgeschehen
      nach Acta, 190 Anm. 20: "In Acta ist ὡς bei Zahlenan-
      gaben beliebt, s. 4,4; 5,7.36; 13,18.20; 19,34,
      ὡσεί   1,15; 2,41; 10,3; 19,7."

362   Vgl. G. Delling, aaO. 191.

363   Vgl. T. Holtz, Untersuchungen über die alttestamentli-
      chen Zitate bei Lukas, 131 Anm. 1; G. Delling, Israels
      Geschichte und Jesusgeschehen nach Acta, 191f.

364   Vgl. G. Delling, aaO. 192.

365   Vgl. aaO.

366   Vgl. aaO.

367   Die Reihenfolge ἤγειρεν αὐτοῖς in C 𝔐 E pl ist V.21
      nachgebildet.

368   T. Holtz, Untersuchungen über die alttestamentlichen
      Zitate bei Lukas, 135, nimmt eine Verwandtschaft mit
      1 Clem 18,1 an, ohne eine gegenseitige Abhängigkeit zu
      postulieren. Jedoch spricht der Kontext (vgl. 1 Clem
      17,1.2; 19,1) für Wortwahl des Verfassers. Sollte aber
      die Reihe der Zeugen im Clemensbrief vorgegeben sein,
      dann verlagert sich das Problem nur. Vgl. E. Haenchen,

Die Apostelgeschichte, 1f.

369   Vgl. T. Holtz, aaO. 133-136.

370   Zur Textkritik s. T. Holtz, aaO. 133 Anm. 2: "Der Text
      ist ziemlich sicher überliefert. B Athan (codd) Hil
      (codd) lassen ἄνδρα aus, wohl aus sachlichen Gründen
      (dadurch erhält das etwas merkwürdig auf Gott bezogene
      εὗρον , das aus Ψ 88,21 stammt, den besseren Sinn
      'ich erfand'); ein späterer 'Harmonist' hätte statt
      ἄνδρα eher ἄνθρωπον eingetragen".

371   Vgl. T. Holtz, aaO. 134.

372   S. das in Anm. 368 Gesagte. Die Übereinstimmungen und
      Unterschiede beider Mischzitate sind merkwürdig. "Bei-
      de Stellen verbinden Ps 89,21 ('ich fand David'),
      1 Sam 13,14 ('ein Mann nach seinem Herzen') und 2 Sam
      23,1 ('David, der Sohn Isai'; so auch Ps 72,20) mit
      einander. Trotzdem wird man nicht an eine Entlehnung
      aus der Apg denken dürfen. Lukas fährt fort mit den
      Worten 'der alles tun wird, was ich will' aus Jes
      44,28 LXX, während Clem den Satz mit den Worten aus
      Ps 89,21 fortführt 'mit ewigem Erbarmen habe ich ihn
      gesalbt'." So E. Haenchen, aaO. 2. Vgl. T. Holtz,
      aaO. 135f; G. Delling, aaO. 193f.

373   E. Stauffer, Die Theologie des Neuen Testaments,
      Stuttgart [4]1948, 331-334. Ein Teil der von E. Stauffer
      angeführten geschichtstheologischen Summarien ist zum
      Vergleich ungeeignet, wie überhaupt die Zusammenstel-
      lung recht oberflächlich erscheint.

374   AaO. 217.

375   AaO.

376   H. Thyen, Der Stil der jüdisch-hellenistischen Homilie
      (FRLANT NF 47), Göttingen 1955.

377   AaO. 110f.

378   R. Bultmann, Theologie des Neuen Testaments (Neue
      Theologische Grundrisse), Tübingen [5]1965, 98.

379   AaO.

380   H. Thyen, aaO. 111-115.

381   AaO. 112.

382   T. Holtz, Untersuchungen über die alttestamentlichen
      Zitate bei Lukas (TU 104), Berlin 1968.

383   AaO. 100.

384   AaO. 103f.

385   AaO. 105.

386   AaO. 106.

387   AaO. 108.

388   R. Storch, Die Stephanusrede Ag 7,2-53, Diss.theol.,
       Göttingen 1967, 5-10.

389   AaO. 5.

390   AaO.

391   AaO. 7.

392   AaO. 8.

393   AaO.

394   K. Müller, Geschichte, Heilsgeschichte und Gesetz:
       Literatur und Religion des Frühjudentums (hrsg. von
       J. Maier und J. Schreiner), Würzburg 1973, 73-105;
       hier 73.

395   AaO. 74.

396   AaO. 75-77.

397   AaO. 77.

398   AaO.

399   AaO.

400   AaO. 82.

4o1   AaO. 88.

4o2   AaO. 86.

4o3   AaO. 92.

4o4   AaO. 95.

4o5   AaO. 97-99.

4o6   Ausser den im Literaturverzeichnis genannten Textaus-
       gaben und der unter den Anmerkungen 373-405 und
       4o7-425 angeführten Literatur wurden noch folgende
       Beiträge für die Erstellung der Übersicht zu Rate ge-
       zogen: M. Noth, Das Buch Josua (HAT 7), Tübingen
       [3]1971; W. Rudolph, Esra und Nehemia samt 3. Esra
       (HAT 20), Tübingen 1949; W. Th. In der Smitten, Esra.
       Quellen, Überlieferung und Geschichte (Studia Semiti-
       ca Neerlandica), Assen 1973; A. Weiser, Das Buch Jere-
       mia (ATD 20), Göttingen 1969; W. Eichrodt, Der Pro-
       phet Hesekiel (ATD 22), Göttingen [3]1968; G. Fohrer,
       K. Galling, Ezechiel (HAT 13), Tübingen 1955;
       W. Zimmerli, Ezechiel (BK XIII), Neukirchen-Vluyn 1969;

A. Beutzen, Daniel (HAT 19), Tübingen [2]1952; N. W.
Porteous, Das Buch Daniel (ATD 23), Göttingen [2]1968;
A. Weiser, Die Propheten: Hosea, Joel, Amos, Obadja,
Jona, Micha (ATD 24), Göttingen [5]1967; J. Vollmer,
Geschichtliche Rückblicke und Motive in der Prophe-
tie des Amos, Hosea und Jesaja (BZAW 119), Berlin 1971;
W. Harnisch, Verhängnis und Verheißung der Geschichte
(FRLANT 97), Göttingen 1969; E. Janssen, Das Gottes-
volk und seine Geschichte. Geschichtsbild und Selbst-
verständnis im palästinensischen Schrifttum von Jesus
Sirach bis Jehuda ha-Nasi, Neukirchen-Vluyn 1971;
A. Nissen, Tora und Geschichte im Spätjudentum: NT 9
(1967) 274-277; M. Hengel, Judentum und Hellenismus
(WUNT 10), Tübingen 1969; Schalit, Eine aramäische
Quelle in den "Jüdischen Altertümern" des Flavius Jo-
sephus: Zur Josephus-Forschung (Wege der Forschung
LXXXIV), Darmstadt 1973, 367-400; F. Mußner, Der Jako-
busbrief (HThK XIII,1), Freiburg i.Br. 1964; A. Robert,
A. Feuillet, Einleitung in die Heilige Schrift. Band I.
Allgemeine Einleitungsfragen und Altes Testament,
Freiburg i.Br. 1963; E. Sellin, G. Fohrer, Einleitung
in das Alte Testament, Heidelberg [11]1969; O. H. Steck,
Israel und das gewaltsame Geschick der Propheten.
(WMANT 23), Neukirchen-Vluyn 1967.

407   K. Müller, Geschichte, Heilsgeschichte und Gesetz, 74.
408   AaO. 75.
409   Vgl. E. Haag, Studien zum Buche Judith. Seine theolo-
      gische Bedeutung und literarische Eigenart (Trierer
      theologische Studien 16), Trier 1973, 31f: "Achicr,
      der Anführer aller Ammoniter, antwortete auf die Frage
      des Holofernes mit einem kurzen, aber sehr bezeich-
      nenden Überblick über die Geschichte des Gottesvol-
      kes." Zu V.6-9: "Auffällig ist die besondere und aus-
      schließliche religiöse Motivierung der Auswanderung
      der Urväter Israels aus dem Chaldäerland, die an unse-
      rer Stelle erstmalig im AT als Flucht vor einer Reli-
      gionsverfolgung bezeichnet wird." In V.10-16 wird
      "von der wunderbaren und machtvollen göttlichen Füh-
      rung Israels in der Geschichte" berichtet. "Achior

beschliesst seine Darlegung von der machtvollen und
alle Widerstände im Laufe der Geschichte überwinden-
den Führung des Gottesvolkes durch Jahwe mit einem
wichtigen Hinweis auf die Bedingung, von der Glück
und Unglück oder Macht und Ohnmacht des Volkes abhängt."

410   Zu den schwierigen traditionsgeschichtlichen Problemen des Textes sei auf O. Eissfeldt, Einleitung in das
Alte Testament, Tübingen [3]1964, 803, verwiesen: "Das
Bußgebet 1,15-3,8 enthält mancherlei Anklänge an Jeremias Diktion (zB 2,23 // Jer 7,34) ist aber vor allem
mit Daniels Gebet Dan 9,4-19 aufs engste verwandt und
geradezu als eine erweiterte Rezension davon bezeichnet worden". Wird auch keine zusammenhängende Geschichte geboten, so ist doch die Geschichte konstitutiver
Inhalt des Gebets, in dem die Treue Gottes und die Untreue des Volkes und das sich daraus ergebende Gericht
Gottes mit bewegten Worten ausgesagt wird.

411   Nach G. Reese, Die Geschichte Israels in der Auffassung des frühen Judentums. Eine Untersuchung der Tiervision und der Zehnwochenapokalypse des äthiopischen
Henochbuches, der Geschichtsdarstellung der Assumptio
Mosis und der des 4Esrabuches, Diss.theol. Heidelberg
1967, 23, liegt "eine literarische Traumvision" vor,
deren Aussagen "ganz in der Tradition alttestamentlichen Redens von der Geschichte" (63) stehen. "In der
Tiervision unternimmt das späte Israel erneut den Versuch, in Nacherzählen und Begreifen seiner Geschichte
sich selbst und seine Gegenwart zu verstehen und von
den heilsbegründenden Taten Jahwes am Anfang her neue
Hoffnung zu gewinnen." (63) Auch G. von Rad, Weisheit
in Israel, 349, weist darauf hin, dass sich an der
alten Überzeugung von der völligen Geschichtssouverä-
nität Jahwes" nichts geändert habe, stellt aber heraus,
dass "diese Geschichte im Grunde" keine innergeschichtlichen "Heilsgründungen" kenne.

412   K. Müller, aaO. 81f, sieht das Geschichtssummarium wesentlich von der Vorstellung geprägt, "dass der bisherige Verlauf der Geschichte Israels im erwarteten
Eschaton eine nahtlose Fortführung findet." Die Nach-
erzählung der Vergangenheit diene "auch hier dem Ziel,

die Hoffnung auf eine göttliche Wende des gegenwärtigen nationalen Ergehens in der überlieferten Geschichte
des zurückliegenden Handelns Gottes an Gesamtisrael
zu verankern." S. G. Reese, aaO. 117.

413   Zur Geschichte und Bedeutung des Schma vgl. P. Schäfer,
Der synagogale Gottesdienst: Literatur und Religion
des Frühjudentums (hrsg. von J. Maier und J. Schreiner), Würzburg 1973, 399-404. In diesem Zusammenhang
soll besonders auf bBer 12a hingewiesen werden. Die
Benediktion vermittelt nach K. Müller, aaO. 97, "einen
starken Eindruck von der ungebrochenen Kraft des heilsgeschichtlichen Denkens im rabbinischen Judentum".
Zu bBer 12a s. Billerbeck IV.1, 194.

414   Aus 1 QS I, 18-24 ist zu entnehmen, dass die "lehrhafte
Rekapitulation" der Geschichte "ein wichtiges Element
des feierlichen Bundeszeremoniells war" (H. J. Kraus,
Psalmen (BK XV,2), Neukirchen-Vluyn [4]1972, 541). Ein
Preis der Heilstaten Gottes und eine Erzählung der
Sünden und Übertretungen Israels ist nicht erhalten,
doch bietet die "Paränese" (J. Becker, Das Heil Gottes. Heils- und Sündenbegriffe in den Qumrantexten
und im Neuen Testament (StUNT 8), Göttingen 1964, 57)
des ersten Teils der sogenannten Damaskusschrift
(CD II, 14-IV,21) "ein Summarium, in welchem das negative Urteil über den bisherigen Verlauf der Geschichte
Israels zu einem deutlichen Ausdruck kommt", dessen
"Verhältnis zu den Überlieferungen Israels von den
kontinuierlichen Rettungstaten Gottes in der Vergangenheit" als "ein gänzlich gebrochenes" anzusehen ist,
obwohl "der existentielle Bezug zur Geschichte Israels
erhalten" bleibt (K. Müller, aaO. 84f.).
Hinzuweisen ist ferner auf 1 QM 10.11. Nach J. Becker,
aaO. 44, setzen die erhaltenen Zeilen von 10-12 "die
Situation von der Schlacht voraus, sie machen jetzt
den Eindruck, als seien sie ein Gebet vor dem Kampf
zu Gott." QM muss "als Endprodukt eines umfangreichen
Kompilations- und Traditionsprozesses" angesehen werden (aaO. 49f). Dementsprechend ist auch eine Gliederung für die jetzige Textgestalt nicht eindeutig

vorzunehmen. Nach einem Lobpreis der Schöpfertat Gottes wird vor allem in XI Gottes Kampfeskraft an Beispielen aus der Geschichte aufgewiesen.

Besondere Beachtung verdient 4 Q Dib Ham. Es handelt
sich um "ein grosses Bekenntnis", das mit biblischen
Entlehnungen und Nachträgen übersät ist" und "mit
Wahrscheinlichkeit in der ersten Hälfte des 2.Jahr-
hunderts vor unserer Zeitrechnung" verfasst worden
ist. Als "Sitz im Leben" kann für das "Klagelied" oder
"nationale Bekenntnis" die Liturgie angegeben werden
(M. Baillet, Un receuil liturgique de Qumrân, grotte
4: "Les Paroles des Luminaires": RB 68 (1961) 246ff).
Das Gebet vertraut aufgrund der Geschichte, die durch
die Untreue der Väter und den sich daraus notwendig
ergebenden Zorn Gottes und dennoch durch Gottes Treue
gezeichnet ist, auf die gegenwärtige Zuneigung Gottes,
auf Verzeihung und Befreiung. Eine besondere Beziehung
zu Qumran scheint der Text nicht zu haben (vgl. aaO.
250).

415   H. Thyen, Der Stil der jüdisch-hellenistischen Homilie, 76, sieht in Hebr 11 ein "besonders stark ausge-
prägtes Beispiel für die hellenistische Manier der Be-
weisführung". Diese Bewertung dürfte nur dem vorliegenden Text gerecht werden, muss aber als unzulänglich
angesehen werden, wenn Kap. 11 unter traditionsge-
schichtlichem Gesichtspunkt beurteilt wird. Im folgenden sollen einige Beobachtungen wiedergegeben werden,
die die Bearbeitung einer ursprünglich andersartigen
Vorlage vermuten lassen. Als sekundär darf das "stereo-
type 'im Glauben'" angesehen werden, da es sich zum
Teil "mit dem Kontext nur schlecht"verträgt (G. Schille,
Katechese und Taufliturgie, Erwägungen zu Hbr 11:
ZNW 51 (1960) 112-131, hier 114f). In V.3 besteht der
Vordersatz "aus älterem Material der Tradition", während der Infinitivsatz nicht nur stilistisch schwer
verständlich ist, sondern auch inhaltlich als "helle-
nistisch-philisophische Ausdrucksweise" sich vom Vor-
dersatz abhebt (O. Michel, Der Brief an die Hebräer
(Meyer K 13.Abt.) Göttingen [12]1966, 382). Man wird

annehmen dürfen, dass der ursprüngliche Text mit einer
Aussage über den Schöpfergott begann. Als weitere Zusätze haben Verweise des Textes auf die Glaubensdefini-
tion in V.1 zu gelten. So ist die Aussage in V. 5b und
6 als sekundäre Entfaltung der Glaubensthematik zu verstehen (G. Schille, aaO. 117f). Ebenso scheint sich in
V.7 jetzige Thematik und vorgegebene Tradition zu über-
schneiden (aaO. 116). In V. 8-22 können V. 13-16 nachträglich hinzugekommen sein. Löst man sie heraus,
"dann schließt sich V. 17 eng an V. 12 an" (O. Michel,
aaO. 401). Ist diese Entscheidung richtig, dann ist
auch V. 10 unter die späteren Zusätze zu rechnen (vgl.
G. Schille, aaO. 119). V. 32-40 "ist deutlich von dem
vorherigen abgesetzt: er hat einen anderen Stil und
einen anderen Inhalt als die vorangehenden Verse"
(O. Michel, aaO. 414f; vgl. G. Schille, aaO. 116).
V. 39.40 "fassen zusammen" und stammen "offenbar" vom
Verfasser des Hebräerbriefes (O. Michel, aaO. 421).
Über den Schluss der zu postulierenden Vorlage lässt
sich nur schwer etwas sagen. Es ist nicht auszuschliessen, dass die Tradition auch das Christusgeschehen beinhaltete. Darauf könnten einige Aussagen in Hebr
12,1-3 hinweisen. Zwar gehört dieser Abschnitt zur
Paraklese des Verfassers. Jedoch wird im Hebräerbrief
nur hier vom σταυρός gesprochen (V.2). Auch die Erhöhungsaussage ist als traditionell zu werten (V.2;
vgl. Hebr 1,3; 8,1). Vielleicht kann darin ein Hinweis
vermutet werden, dass die Darstellung der Geschichte
bis zum Christusereignis führte. Jedenfalls scheint
die Vorlage weniger eine Paradigmenreihe gewesen zu
sein denn eine bekenntnisartige Darstellung der Geschichte als einer Geschichte der Verheißung.

416 Für G. von Rad, Das formgeschichtliche Problem des
     Hexateuch: Gesammelte Studien zum AT (ThB 8), München
     [3]1965, 9-86, liegt in Dtn 26,6-9 "ein Credo mit allen
     Merkmalen und Eigenschaften eines solchen, vermutlich
     das älteste, das uns erkennbar ist" vor (aaO. 12f).
     Die Bezeichnung des Textes als Credo hat sich seitdem
     durchgesetzt, wenn auch die historisch-kritischen

Forschungsergebnisse voneinander abweichen. L. Rost,
Das kleine Credo und andere Studien zum Alten Testament, Heidelberg 1965, 11-25, bezweifelt das von G. von
Rad angenommene hohe Alter des Credo und stellt fest,
dass die "Gestaltung der Verse" "nicht im Laufe einer
anonymen Traditionsformung entstanden sein"könne,
"sondern hinter ihr wird ein einzelner, uns freilich
nicht mit Namen bekannter Verfasser sichtbar, der diese
Verse geformt hat" (aaO. 16f). Nach W. Richter, Beobachtungen zur theologischen Systembildung in der alttestamentlichen Literatur anhand des kleinen geschichtlichen Credo": Wahrheit und Verkündigung. M. Schmaus
zum 70.Geburtstag, Bd 1, München, Paderborn, Wien
1967, 175-212, kann als Credo nur "ein Schema von fest-
formulierten Gliedern des Bekenntnisses" (aaO. 193)
angesehen werden. Das "nach Alter und strukturellen
Gesichtspunkten" gesichtete "verstreute Material"
bringt W. Richter zu der Erkenntnis, "dass ein 'Credo'
nicht am Anfang der Entwicklung stand, sondern sich
in einem komplizierten Prozeß allmählich herausbilde-
te. Dabei hat es bis zur deuteronomischen Schule keine
kanonische Form eines 'Credo' gegeben" (aaO. 210).
Demgegenüber kommt die literarkritische Analyse von
P. Merendino, Das Deuteronomische Gesetz. Eine literarkritische, gattungs- und überlieferungsgeschichtliche
Untersuchung zu Dt 12-26 (BBB 31), Bonn 1969, zu dem
Ergebnis, "dass eine solche umfassende Formel dem deuteronomischen Redaktor bereits vorlag, dass er sie sogar schon eingebaut in das Formular Dt 26,2-11 vorfand" (aaO. 362). Der Urtext des Bekenntnisses lasse
dem Inhalt nach "drei Glieder erkennen: 1) Vätergeschichte, v.5; Subjekt: der Stammvater; 2) Bedrückung
in Ägypten, vv.6-7a; Subjekte: die Ägypter und 'wir';
3) Gottes Eingreifen, vv.7b-9; Subjekt: Gott" (aaO.
352). Es handelt sich also um "eine knappe Zusammenfassung der Heilsgeschichte". "Der Sprechende sieht
sich selbst und sein Volk in ihrem Verhältnis zu Gott:
was sie jetzt sind und besitzen, verdanken sie dem
Gott ihrer Väter, der 'hörte', 'herausführte', 'kommen

liess' und 'gab'. Es ist die bloße Feststellung dessen,
was man bekommen hat. Der Text scheint zu keinem anderen Zweck, etwa zum Gebrauch im Kult oder in der Unterweisung, bestimmt zu sein als einzig zum Bekenntnis
(aaO. 355). P. Merendino spricht dem Bekenntnis "die
Ursprünglichkeit einer Glaubensformel" zu und betrachtet "es mehr als Ausgangspunkt denn als Ausdruck ge-
wisser theologischer Strömungen" (aaO. 358). Der Blick
auf die verschiedenen Zusammenhänge und Fassungen des
Bekenntnisses (Dtn 6,21.23b; 26,5-9; Num 20,15-16a;
1Sam 12,8; Jos 24,17-18a) zeige, dass "es sich also
nicht um ein in seinem Wortlaut ein für alle Mal fest-
gelegtes und starres Formular" handele (aaO. 358). Die
Texte scheinen auf "eine feste Tradition" hinzuweisen,
"bei bestimmten Begehungen liturgischen oder sakral-
rechtlichen Charakters das Credo zu rezitieren und dadurch die Anerkennung und die Annahme der geschichtlichen, von Gott gesetzten Grundlage der gegenwärtigen Handlung zum Ausdruck zu bringen" (aaO. 366). Hinzuweisen ist noch auf N. Lohfink, Zum "kleinen geschichtlichen Credo" Dtn 26,5-9: Theologie und Philosophie 46 (1971) 19-39, der herausarbeitet, dass zwischen "den Satzgruppen" über die "Not Israels in
Ägypten", die "Klage und Erhörung Israels in Ägypten"
und das "Eingreifen Jahwes zugunsten Israels" (aaO.
34) "nicht nur der Zusammenhang historischer Abfolge"
(aaO. 36) bestehe. "Vielmehr ist in diesen Teilen der
Geschichtsverlauf von einem einzigen Vorstellungsmo-
dell her interpretiert. Die Folge 'Not - Klage -
Beachtung der Klage durch einen anderen - Eingreifen
des anderen zur Wendung der Not' entspricht einem im
menschlichen Gemeinschaftsleben immer wieder vorkom-
menden Interaktionsablauf". S. ferner J. Schreiner,
Die Entwicklung des israelitischen "Credo": Concilium
2 (1966), 759f.

417   G. von Rad, aaO. 13, sieht in Dtn 6,20-24 "eine ganz
ähnliche bekenntnismässige Zusammenstellung der Heils-
tatsachen, die wir gattungsgemäss ebenso wie Dt.26 zu
beurteilen haben." Gegenüber dem wohl am Anfang einer

Entwicklung stehenden Relativsatz "der dich (euch, sie)
aus dem Lande Ägypten herausgeführt hat" und Num
20,15-16a sieht P. Merendino, aaO. 354, in Dtn 6,21aβ b.
23b "eine erste Stufe der Entwicklung". "Vv 22-23a dürften eine nachträgliche Ergänzung sein, die den Macht-
erweis Jahwes unterstreichen will. Dabei greift v.23a
auf v.21b zurück und klammert dadurch v.22 an v.23b,
der ursprünglich v.21b unmittelbar folgte. Der Urtext
würde aus zwei Versen mit je neun rhythmischen Worten
bestehen" (aaO. Anm. 41).

418   Ebenfalls in einer engen Beziehung zum "kleinen geschichtlichen Credo" ist Num 20,15-16a zu sehen. Nach
P. Merendino, aaO. 354, weist das Credo "dieselbe
Gliederung wie Dt 26,5ff auf: Vätergeschichte v.15a;
Bedrückung v.15b; Eingreifen Jahwes v.16a". N. Lohfink,
aaO. 26, nimmt einen genetischen Zusammenhang zwischen
beiden Texten an, und zwar so, "dass Num 20,15ff. ein
Modell war, das in Dtn 26,5-8 erweiternd nachgeahmt
wurde".

419   Für G. von Rad, aaO. 14.16, besteht kein Zweifel, "daß
diese Rede gattungsgemäss gewiss keine literarische
Schöpfung ad hoc ist, so wie etwa sonst gerne freikom-
ponierte Reden bei der Schilderung besonderer Ereignisse eingeschoben werden. Auch hier ist eine im Grunde
festgeprägte Form verwendet, die nur zu unbedeutenden
Freiheiten Spielraum ließ. Grundsätzlich sind es hier
wie oben die Hauptdaten der Heilsgeschichte von der
Väterzeit bis zur Landnahme."

420   G. von Rad, aaO. 16, schreibt über diese Stelle: "Es
ist zu beachten, dass diese Digression in die Geschichte im Munde Samuels nicht einfach ein Element
der Rede neben anderen ist, sondern durch eine feierliche Einführung als etwas Besonderes aus dem Zusammenhang herausgehoben ist (v.7); es handelt sich dabei
offenbar um etwas Feststehendes und Gültiges, das den
Hörern in Erinnerung gebracht wird." Nach W. Richter,
Bearbeitungen des "Retterbuches" in der deuteronomi-
stischen Epoche (BBB 21), Bonn 1964, 89, ist "die
Predigt nur ein Stilmittel", "das bei dieser Einheit

ebenso verwendet wird, wie in Ri 10,6-16 das Gespräch.
Dann wird als Gattung auch hier der Form nach eine Ab-
handlung, nun mit dem Stilmittel 'Predigt', der Funktion nach eine theologische Geschichtsbetrachtung vorliegen." Zur Rekonstruktion der in die Samuelrede aufgenommenen Tradition vgl. P. Merendino, aaO. 356.

421   Eine ausführliche Erörterung dieser Stelle bietet
W. Richter, aaO. 97-109. Für ihn steht der Abschnitt
"vollständig isoliert im Kontext" (aaO. 98). In seinen
"Beobachtungen zur theologischen Systembildung", aaO.
201, stellt W. Richter im Hinblick auf ein mögliches
Credo fest: "Da in Ri 6,7-10 sogleich nach der Her-
ausführungsformel die deuteronomische Wendung von der
Herausführung aus dem Sklavenhaus eingefügt wird, gewinnt die Formel von der Rettung an Selbständigkeit
und kann nun das Thema 'Wüste' vertreten. So erst entsteht eine Art 'Credo'."

422   S. Anm. 415.

423   S. Anm. 413.

424   S. Anm. 416.

425   G. von Rad, aaO. 11.

426   S. S. 13-19.

427   S. S. 20.

428   H.-J. Kraus, Psalmen, 238.

429   E. Norden, Agnostos Theos. Untersuchungen zur Formgeschichte religiöser Rede, Darmstadt [4]1956, 8f.

430   M. Dibelius, Paulus auf dem Areopag: Aufsätze zur
Apostelgeschichte, 65f.

431   E. Haenchen, Die Apostelgeschichte, 372.

432   H. Conzelmann, Die Apostelgeschichte, 89.

433   καί   vor ὑμεῖς lassen D 1175 gig Ir aus. Es handelt
sich um einen stilistischen Verbesserungsversuch. Für
ὑμᾶς ... ἐπιστρέφειν lesen D(E) Ir[lat] ὑμῖν τὸν
θεὸν ὅπως ... ἐπιστρέψητε . Diese Lesart ist aufgrund der äußeren Bezeugung sekundär, entsprechend
auch τον ποιήσαντα in D. In V.17 lesen αὐτόν p[45]
B ℵ* A E pc; ἑαυτόν p[74] C 𝔐 D pl. ἑαυτόν kann als
sprachliche Verbesserung angesehen werden, während
αὐτόν glatter in den Kontext einpaßt, indem vier

aufeinanderfolgende Wörter mit α beginnen. S. B. M.
Metzger, aaO. 424.
Die Umstellung von ὑετοὺς διδούς in א A al ist als
sekundäre Verbesserung anzusehen.

434 Vgl. E. Haenchen, aaO. 371-373.
435 Vgl. K. Löning, Die Korneliustradition: BZ NF 18 (1974),
     1-19.
436 H. Schürmann, Das Lukasevangelium, 178 Anm. 121.
437 Vgl. O. Michel, Der Brief an die Hebräer, 239.
438 S. dazu C. Bussmann, Themen der paulinischen Missions-
     predigt auf dem Hintergrund der spätjüdisch-helleni-
     stischen Missionsliteratur, 38-56.
439 Zu μάταιος vgl. O. Bauernfeind, Art. μάταιος :
     ThWNT IV, 527; zu εἴδωλον C. Bussmann, aaO. 41.
440 C. Bussmann, aaO. 39.
441 S. aaO. 56.
442 Vgl. E. Haenchen, aaO. 371f.
443 Bl-Debr § 450,3.
444 M. Dibelius, aaO. 65f Anm. 3.
445 H. Hommel, Neue Forschungen zur Areopagrede Acta 17:
     ZNW 46 (1955), 156.
446 T. Holtz, Untersuchungen über die alttestamentlichen
     Zitate bei Lukas, 84, weist zwar darauf hin, daß die
     wörtliche Übereinstimmung mit Ex 20,11 LXX "schwerlich
     als Zeichen unmittelbarer Bekanntschaft des Lukas mit
     dem Buch Exodus" angesehen werden könne, den Zusammen-
     hang mit Jes 42,5 bemerkt er jedoch nicht.
447 Vgl. W. Eltester, Gott und die Natur in der Areopag-
     rede: Neutestamentliche Studien für R. Bultmann
     (BZNW 21), Berlin 1954, 209.
448 M. Dibelius, aaO. 32. Vgl. A. Wikenhauser, Die Apostel-
     geschichte (RNT 5), Regensburg [4]1961, 166.
449 Vgl. E. Haenchen, Die Apostelgeschichte, 370.
450 Die Verbindung der Schöpfungsaussage mit δεσπότης
     ist im spätjüdischen Sprachgebrauch grundgelegt.
     S. K.H. Rengstorf, Art. δεσπότης : ThWNT II, 46: "Im
     Unterschied von der griechischen Religion oder auch von
     den hellenistischen Religionen hat das Judentum eine aus-
     gesprochen und ausschließlich geschichtlich bestimmte

Gottesvorstellung. Gott ist ihm der Schöpfer, damit
aber auch der Herr alles Geschaffenen..." Vgl. R.
Bultmann, aaO. 73.

451 Untersuchungen zur Formgeschichte religiöser Rede,
     Darmstadt [4]1956, 3-140.

452 Aufsätze zur Apostelgeschichte, 29-70.

453 AaO. 54.

454 Paulus und die Stoa: ZNW 42 (1949), 69-1o4.

455 Neue Forschungen zur Areopagrede Acta 17: ZNW 46
     (1955), 145-178; ders.,Platonisches bei Lukas: ZNW 48
     (1957), 193-200.

456 (ASNU XXI), Uppsala 1955.

457 Le Discours devant l'Aréopage et la Révélation Natu-
     relle: Études sur les Actes des Apôtres (Lectio Divi-
     na 45), Paris 1967, 160.

458 Gott und die Natur in der Areopagrede, 2o2-227.

459 Die Tradition und Komposition der Areopagrede. Eine
     motivgeschichtliche Untersuchung: ZThK 53 (1956),
     11-52.

460 Die Rede des Paulus auf dem Areopag: Theologie als
     Schriftauslegung. Aufsätze zum Neuen Testament
     (BEvTh 65), München 1974, 91-1o5.

.461 Diss.theol. Hamburg 1966.

462 AaO. 84.

463 AaO. 86-96.

464 AaO. 91.

465 AaO. 96-99.

466 AaO. 97f.

467 AaO. 120.

468 AaO. 119f.

469 Anknüpfung und Kerygma in der Areopagrede (Apg 17,22b
     bis 31): Praesentia Salutis. Gesammelte Studien zu
     Fragen und Themen des Neuen Testamentes, Düsseldorf
     1967, 235-243.

47o AaO. 243.

471 H. Hommel, Neue Forschungen zur Areopagrede Acta 17,
     159.

472 AaO.

473 S. Bauer, 344f.

474 W. Foerster, Art. σέβασμα : ThWNT VII, 173.

475 M. Dibelius, aaO. 39. Vgl. E. Haenchen, Die Apostelgeschichte, 458f.

476 H. Conzelmann, Die Apostelgeschichte, 107.

477 Vgl. M. Dibelius, aaO. 30.

478 H.-U. Minke, aaO. 100, weist darauf hin, dass es sich
hier nicht um ein Seinsurteil über den unbekannten
Gott handele, sondern dass Gottes Tun ausgesagt werde. Ob jedoch die attributiven und prädikativen Partizipialkonstruktionen "nur begründende und erläutern-
de Funktionen" haben, muss bezweifelt werden, wenn man
die Herkunft zumindest der Schöpfungsaussage bedenkt.

479 M. Dibelius, aaO. 42.

480 H. Hommel, Neue Forschungen zur Areopagrede Acta 17,
157

481 Bo Reike, Art. πᾶς , ἅπας : ThWNT V, 891.

482 H. Zimmermann, Neutestamentliche Methodenlehre, 22f.
Vgl. H.-U. Minke, aaO. 102.

483 S. S. 134f.

484 M. Dibelius, aaO. 44.

485 Vgl. E. Norden, aaO. 13f; M. Dibelius, aaO. 42f. Wenn
H.-U. Minke, aaO. 102f, sich gegen die Interpretation
von Dibelius wendet, ist das insofern berechtigt, als
M. Dibelius zweifellos den Hintergrund hellenistisch-
philosophischer Theologie überbetont. Doch bestimmt
er das Verhältnis von προσδεόμενος und θεραπεύεται und διδούς nicht richtig. Richtig dagegen ist,
dass die hellenistischen Motive durch den Rahmen der
biblischen Schöpfungsaussage ein neues Verständnis bekommen.

486 M. Dibelius, aaO. 45.

487 Vgl. aaO. 30.

488 Nach B. M. Metzger, A Textual Commentary on the Greek
New Testament, 456, könnte das durch den westlichen
Text und eine lange Reihe weiterer Zeugen überlieferte αἵματος nach ἐξ ἑνός versehentlich ausgelassen
worden sein, weil es mit der gleichen Silbe wie das
vorhergehende ἑνός endet. Auch sei eine bewußte Auslassung entsprechend Gen 2,7 nicht auszuschließen. Die-

ser zweifellos schwierigeren Lesart gegenüber verdient
jedoch die kürzere aufgrund der guten Bezeugung den
Vorrang. Die übrigen Varianten sind der Bezeugung nach
eindeutig beurteilbar.

489   Vgl. M. Dibelius, aaO. 36: "Das Wort ποιεῖν bezeichnet
in diesem Zusammenhang das Schaffen; in der LXX ist es
bei der Schöpfung des Menschen Gen. 1,27 nicht weniger
als dreimal für das hebr. bara' gebraucht".

490   Vgl. Bl-Debr § 443.

491   M. Dibelius, aaO. 36.

492   AaO. 37.

493   Vgl. H.-U. Minke, aaO. 107.

494   Vgl. E. Haenchen, Die Apostelgeschichte, 461.

495   J. Zmijewski, Die Eschatologiereden des Lukas-Evange-
liums, 289.

496   So M. Dibelius, aaO. 33; dagegen H.-U. Minke, aaO. 106.
Wenn in Apg 14,17 die Gabe Gottes zeigen soll, dass
Gott sich dadurch nicht unbezeugt gelassen hat, dann
ist der gleiche Gedanke in Apg 17,26 mit den Worten
ζητεῖν τὸν θεόν   umschrieben.

497   Dieses Verständnis bietet sich schon durch Apg 14,17
an. Lukas variiert denselben Gedanken - wie so oft -
mit anderen Worten. Zu den unterschiedlichen Auffas-
sungen vgl. vor allem M. Dibelius, aaO. 32, der ein
Verständnis auf dem Hintergrund philosophischer Gottes-
beweise fordert, und W. Eltester, aaO. 2o6-2o9, der den
Nachweis eines biblischen Hintergrundes erbringen will.

498   J. Zmijewski, aaO. 100.

499   Vgl. W. Eltester, aaO. 2o7-2o9.

500   W. Eltester, aaO. 211.

501   AaO. 216.

502   Vgl. aaO. 2o2-227.

5o3   H. Greeven, Art. ζητέω   : ThWNT II, 895 Anm. 5.

5o4   M. Dibelius, aaO. 34.

5o5   S. G. Steyer, Handbuch für das Studium des neutestamentlichen Griechisch. Band II. Satzlehre der neutestamentlichen Griechisch, Berlin 1972, 64.

5o6   H. Conzelmann, Die Apostelgeschichte, 1o9.

5o7   E. Norden, aaO. 14f.

508 AaO. 15.

509 H. Hommel, Neue Forschungen zur Areopagrede Acta 17, 164.

510 Vgl. E. Norden, aaO. 17.

511 M. Dibelius, aaO. 46.

512 Vgl. T. Holtz, Untersuchungen über die alttestament-lichen Zitate bei Lukas, 10.

513 Vgl. H. Hommel, aaO. 164f.

514 Vgl. H. Conzelmann, Die Rede des Paulus auf dem Areo-pag, 25f.

515 Bauer, 302.

516 τινες τῶν καθ' ὑμᾶς ποιητῶν muss gegenüber den ande-ren Varianten aufgrund der äusseren Bezeugung für ur-sprünglich gehalten werden. S. M. Dibelius, aaO. 47 Anm. 2; vgl. B. M. Metzger, aaO. 458.

517 M. Dibelius, aaO. 30.

518 Vgl. E. Haenchen, Die Apostelgeschichte, 462 Anm. 2. Zu den möglichen Grundlagen vgl. M. Pohlenz, aaO. 90; H. Hommel, aaO. 165f.

519 S. M. Dibelius, aaO. 49.

520 AaO. 48f.

521 F. Hauck, Art. ὀφείλω : ThWNT V, 559.

522 Vgl. H. Kleinknecht, Art. θεῖος : ThWNT III, 122f.

523 M. Dibelius, aaO. 52.

524 Bauer, 1732; vgl. U. Wilckens, Art. χάραγμα : ThWNT IX, 405-407.

525 ὁ θεὸς οὖν ἀπὸ τοῦ σπέρματος αὐτοῦ in D ist nach-trägliche Voranstellung des bedeutsamen Subjekts und Interpretation des Christusgeschehens als Erfüllung des Gotteswortes.
ἤγαγεν wird in C D 33 614 pm gig sy durch ἤγειρε er-setzt, offensichtlich in Anlehnung an V.22 und viel-leicht auch im Hinblick auf V.30. Nicht auszuschließen ist eine bewusste Angleichung an Ri 3,9. Vgl. B. M. Metzger, A Textual Commentary on the Greek New Testa-ment, 408. Als Versehen durch falsches Lesen ist es zu werten, wenn einige Textzeugen für σωτῆρα Ἰησοῦν nur σωτηρίαν lesen; vgl. B. M. Metzger, aaO.; E. Kränkl, Jesus der Knecht Gottes, 85 Anm. 4.

526   Obwohl ἡμῶν die bestbezeugte Lesart ist und darüber
      hinaus noch die schwierigere, dürfte es berechtigt
      sein, ἡμῖν für ursprünglich zu halten. Die Abwand-
      lung von ἡμῖν in ἡμῶν kann aus syntaktischen
      Gründen vorgenommen worden sein. Vor allem spricht
      für ἡμῖν , dass eine Reihe von Zeugen αὐτῶν ἡμῖν
      lesen, aus der dann bei anderen Zeugen αὐτῶν übrig-
      geblieben ist. ἡμῖν korrespondiert zudem mit V.26,
      während ἡμῶν inhaltlich als sinnentstellend gelten
      muß. S. B. M. Metzger, aaO. 410f. κύριον 'Ιησοῦν
      Χριστόν (D sa Ambst) bzw. τὸν κύριον ἡμῶν 'Ιησοῦν
      (614 sy^h Hil) ist eine der für den westlichen Text
      typischen Erweiterungen; vgl. B. M. Metzger, aaO. 411.
527   Vgl. G. Delling, Art. ἐκπληρόω : ThWNT VI, 305f.
528   Vgl. E. Kränkl, aaO. 137.
529   S. S. 130/131; 165f.
530   Vgl. E. Kränkl, aaO. 85 Anm. 4.
531   Zum traditionellen Ursprung dieser Aussage s. E. Kränkl,
      aaO. 79.
532   Vgl. G. Delling, Israels Geschichte und Jesusgeschehen
      nach Acta, 194.
533   Vgl. T. Holtz, Untersuchungen über die alttestamentli-
      chen Zitate bei Lukas, 139: "Das Zitat erfüllt im Be-
      weisgang der Rede, so wie es in ihr eingebettet ist,
      keinen Zweck." Ferner M. Rese, Alttestamentliche Mo-
      tive der Christologie des Lukas (StNT I), Gütersloh
      1969, 87: "Das grosse Problem ist nun, welche Funktion
      das Jes.Zitat an dieser Stelle im einzelnen hat." Und
      E. Kränkl, aaO. 139f.
534   T. Holtz, aaO. 137.
535   Vgl. aaO. 139.
536   E. Kränkl, aaO. 139.
537   T. Holtz, aaO. 141.
538   AaO. 137f.

ZWEITES KAPITEL: Die Überlieferung über das Handeln Gottes
                 an Jesus Christus

1   E. Kränkl, Jesus der Knecht Gottes, 78.

2   AaO.

3   AaO. 81.

4   AaO. 80.

5   AaO. 86-214.

6   AaO. 206.

7   Das Ersetzen von θανάτου durch ᾅδου (D [d.e.gig] vg
     sy[p] bo Polyc Ir [lat] Ephr Aug) in Apg 2,24 ist nicht
     einfach Rückwirkung von ᾅδην in V.27 und 31, wie
     B. M. Metzger, A Textual Commentary on the Greek New
     Testament, 298, meint, sondern von ᾅδου in V.31, wie
     noch zu zeigen ist. In Apg 10,40 haben D vet-lat [d.67]
     statt τῇ τρίτῃ ἡμέρᾳ die Wendung μετὰ τὴν τρίτην
     ἡμέραν . Die Bezeugung ist unzureichend. Schwerer zu
     beurteilen ist, ob ursprünglich ἐν gestanden hat oder
     nicht. ἐν könnte bei der Mehrheit der Zeugen durch
     die Endung von ἤγειρεν versehentlich ausgefallen sein.
     Jedoch kann auch der umgekehrte Fall angenommen werden.
     Aufgrund des dritten Evangeliums dürfte das ἐν sekun-
     där sein. Vgl. B. M. Metzger, aaO. 380.

8   Vgl. E. Haenchen, Die Apostelgeschichte, 559.

9   AaO.; siehe K. Löning, Die Saulustradition in der Apo-
     stelgeschichte (NTA NF 9), Münster 1973, 163.

10   Vgl. E. Kränkl, Jesus der Knecht Gottes, 130f; ferner
     H. Braun, Zur Terminologie der Acta von der Auferste-
     hung Jesu: ThLZ 77 (1952), 533-536; U. Wilckens, Die
     Missionsreden der Apostelgeschichte, 137-140.

11   Vgl. A. Oepke, Art. ἀνίστημι : ThWNT I, 372; ders.,
     Art. ἐγείρω : ThWNT Il, 334.

12   Vgl. H. Schlier, Der Apostel und seine Gemeinde. Ausle-
     gung des ersten Briefes an die Thessalonicher, Freiburg
     i.Br. 1972, 117 Anm. 108.

13   Vgl. E. Kränkl, aaO. 130.

14   Röm 4,24; 8,11; 10,9; 1 Kor 6,14; 15,15; 2 Kor 4,14;
     Gal 1,1; Eph 1,20; Kol 2,12; 1 Thess 1,10; 1 Petr 1,21.

15   H. Zimmermann, Neutestamentliche Methodenlehre, 171.

16   K. Wengst, Christologische Formeln und Lieder des Ur-
      christentums (StNT 7), Gütersloh 1972. 33. Es muss je-
      doch bezweifelt werden, ob der Name Ἰησοῦς zum ur-
      sprünglichen Bestand der Formel gehört hat.

17   AaO. 30.

18   Vgl. M. Rese, Alttestamentliche Motive in der Christo-
      logie des Lukas, 105-107; E. Kränkl, Jesus der Knecht
      Gottes, 131f.

19   S. M. Rese, aaO. 106.

20   C. Westermann, Das Loben Gottes in den Psalmen, Berlin
      [4]1968, 81. Vgl. M. Rese, aaO. 105.

21   S. J. A. Fischer, Die Apostolischen Väter, Darmstadt
      1966, 248.

22   Zur Textüberlieferung von Apg 5,32 siehe K. Aland,
      M. Black, C. M. Martini, B. M. Metzger, A. Wikgren,
      The Greek New Testament. Es geht um die Entscheidung
      zwischen ἐσμεν μάρτυρες   oder   μάρτυρές ἐσμεν   oder
      ἐσμεν αὐτοῦ μάρτυρες   oder   ἐν αὐτῷ ἐσμεν μάρτυρες .
      Die ersten beiden Varianten und die dritte und vierte
      sind je zusammenzusehen. Von der Bezeugung her ist die
      erste Lesart vorzuziehen. Die zweite Lesart gleicht
      an Apg 3,15 an, die dritte wahrscheinlich an Apg 1,8,
      aus der dann die vierte Lesart entstanden ist, um einen
      doppelten Genitiv zu vermeiden. Vgl. B. M. Metzger, A
      Textual Commentary on the Greek New Testament, 332.
      In Apg 10,41 fügen verschiedene westliche Zeugen
      καὶ συνανεστράφημεν   nach αὐτῷ hinzu und ἡμέρας
      τεσσεράκοντα   nach νεκρῶν . Offensichtlich handelt
      es sich um sekundäre Angleichung an Apg 1,3.4.
      In Apg 13,31 haben νῦν εἰσιν A C 81; εἰσι νῦν   ;
      ἄχρι νῦν D. νῦν fehlt in B E al. νῦν wurde aus-
      gelassen, "wohl weil es überflüssig schien" (J. Felten,
      Die Apostelgeschichte, Freiburg i.Br. 1892, 260f Anm.
      1). D will verbessern, weil die Apostel "schon längst
      Zeugen waren" (W.M.L. de Wette, Kurze Erklärung der
      Apostelgeschichte (Kurzgefasstes exegetisches Hand-
      buch zum Neuen Testament I.4),Leipzig [4]1870, 201; vgl.
      B. M. Metzger, aaO. 410.

23   W. Wiater, Komposition als Mittel der Interpretation

im lukanischen Doppelwerk, 189.

24   AaO. 188.

25   Vgl. H. Zimmermann, Neutestamentliche Methodenlehre, 162f; ders., Jesus Christus - Geschichte und Verkündigung, 196-198.

26   Vgl. H. Zimmermann, Neutestamentliche Methodenlehre, 210: "Durch 1 Kor 15,3-8 wird erwiesen, dass ὤφθη einerseits zum alten Formelgut gehört, andererseits mit ihm die Erscheinung des Auferstandenen ausgesagt sein soll."

27   U. Wilckens, Die Missionsreden der Apostelgeschichte, 144 mit Anm. 4.

28   προχειροτονεῖν   steht im Neuen Testament nur hier; προχειρίζεσθαι   nur in Apg 3,20; 22,14; 26,16.

29   J. Roloff, Das Kerygma und der irdische Jesus. Historische Motive in den Jesus-Erzählungen der Evangelien, Göttingen [2]1973, 255, nimmt ältere Traditionen an, da die Aussage nicht "von den Auferstehungsberichten, die Lukas selbst gibt," voll gedeckt werde. Doch darf man den Vergleich nicht überspitzen. Die Darstellung in der Rede ist anderer, nämlich summarischer Art.

30   E. Haenchen, Die Apostelgeschichte, 352f.

31   Diss theol., Princeton 1971 (University Microfilms, A XEROX Company, Ann Arbor, Michigan).

32   AaO. 38-179.

33   AaO. 180-198.

34   AaO. 299-386.

35   AaO. 37.

36   AaO. 36.

37   AaO. 35.

38   Die Hinzufügung von λαβόντες nach ἔκδοτον in Apg 2,23 bei אc C3 D E P 614 al, gefolgt vom Textus Receptus, "is a typical scribal expansion introduced in order to fill out the construction" (B.M. Metzger, A Textual Commentary on the Greek New Testament, 298).
Die Ergänzungen in Apg 3,13 sind nachträgliche Verbesserungsversuche nach der LXX in Ex 3,6 und darüber hinaus nach den synoptischen Evangelien. Vgl. das zur Textkritik von Apg 7,32 Gesagte.

Der Abschnitt Apg 13,27-29 hat nicht nur in der westlichen Textüberlieferung zu verschiedensten Überarbei-
tungen geführt, sondern auch in der neueren Forschungsgeschichte. Der Grund liegt in den sprachlichen Härten
der bestbezeugten Lesart, die schon deswegen als ursprünglich angesehen werden muss; s. E. Kränkl, Jesus
der Knecht Gottes, 116 mit Anm. 83; vgl. B.M. Metzger,
aaO. 409f.

39   Vgl. W. Wiater, Komposition als Mittel der Interpreta-
     tion im lukanischen Doppelwerk, 185f; W.B. Pilgrim,
     aaO. 56.

40   Vgl. W. Wiater, aaO. 185.

41   AaO.

42   Zum unterschiedlichen Gebrauch von Dtn 21,22.23 vgl.
     M. Rese, Alttestamentliche Motive in der Christologie
     des Lukas, 115f; W.E. Pilgrim, aaO. 84.

43   E. Kränkl, Jesus der Knecht Gottes, 112 Anm. 54. Vgl.
     W.E. Pilgrim, aaO. 83: "διαχειρίζειν   is found only
     here and in Acts 26,21, and on basis of this letter
     passage may be regarded as Lukan."

44   E. Kränkl, aaO. 102 Anm. 1.

45   Lk 22,2; 23,32; Apg 2,23; 5,33.36; 7,21.28; 9,23.24.29;
     10,39; 12,2; 13,28; 16,27; 22,20; 23,15.21.27; 25,3;
     26,10. Vgl. W.E.Pilgrim, aaO. 86: " ἀναιρεῖν   is a
     Lukan word."

46   Vgl. U. Wilckens, aaO. 132.

47   So F. Schütz, Der leidende Christus. Die angefochtene
     Gemeinde und das Christuskerygma der lukanischen Schrif-
     ten (BWANT 89), Stuttgart 1969, 31.

48   Vgl. S. Schulz, Q. Die Spruchquelle der Evangelisten,
     Zürich 1972, 337 Anm. 108: " σταυροῦν   fehlt in Q."

49   Vgl. 1 Kor 1,13.23; 2,2.8; 2 Kor 13,4; Gal 3,1; 5,24;
     6,14.

50   Vgl. H. Zimmermann, Jesus Christus - Geschichte und
     Verkündigung, 60.

51   Vgl. H. Schlier, Die Anfänge des christologischen Cre-
     do: Zur Frühgeschichte der Christologie. Ihre bibli-
     schen Anfänge und die Lehrformel von Nikaia (Questio-
     nes Disputatae 51), Freiburg i.Br. 1970, 20.45.

52   S. S. 222f. Anm. 415; vgl. O. Michel, Der Brief an die
      Hebräer, 436; P.-G. Müller, ΧΡΙΣΤΟΣ ΑΡΧΗΓΟΣ   . Der
      religionsgeschichtliche und theologische Hintergrund
      einer neutestamentlichen Christusprädikation (Europä-
      ische Hochschulschriften Reihe XXIII, Bd. 28), Frank-
      furt a.M. 1973, 307.

53   J. Schneider, Art. σταυρόω   : ThWNT VIII, 582.

54   E. Kränkl, aaO. 108.

55   Vgl. U. Wilckens, aaO. 130f.

56   So W. Grundmann, Das Evangelium nach Lukas (ThHK 3),
      Berlin [6]1971, 287.

57   E. Kränkl, Jesus der Knecht Gottes, 103.

58   U. Wilckens, Die Missionsreden der Apostelgeschichte,
      125; W.E. Pilgrim, The Death of Christ in Lukan Sote-
      riology, 58, schreibt: "The one word in V.23 which of-
      fers no evidence for a Lukan redaction is   ἔκδοτον ,
      which is found only here. However, if it is correct to
      trace its origin to Lk 22,22, if can also be regarded
      as a Lukan variant."

59   Zum Plan Gottes vgl. H. Conzelmann, Die Mitte der Zeit
      (BHTh 17), Tübingen [5]1964, 141-144.

60   H. Schürmann, Das Lukasevangelium, 422 Anm. 98.

61   H. Conzelmann, aaO. 141.

62   U. Wilckens, aaO. 125.

63   H. Conzelmann, aaO. 84.

64   Vgl. W.E. Pilgrim, aaO. 51f, der gegen Conzelmann, aaO.,
      darauf hinweist, dass es sich um einen üblichen Aus-
      druck für Heiden handele. Doch sagt er ferner: "More-
      over Lk 24,7 echoes this view when Jesus' persecutors
      are simply called ἄνθρωποι ἀμαρτωλοί ." Doch wird
      man nicht umhinkommen, lukanisches Verständnis von ur-
      sprünglicher Bedeutung zu unterscheiden.

65   Vgl. E. Kränkl, aaO. 102f: "Lukas schiebt die Verantwor-
      tung für Jesu Tod allein den Juden zu. In diesem Sinn
      streicht er in seinem Evangelium den Bericht von der
      Verspottung Jesu durch die römische Kohorte (Mk
      14,16-20). Handelndes Subjekt bei der Kreuzigung wer-
      den dadurch die Juden: In der markinischen Vorlage wa-
      ren es die heidnischen Soldaten (vgl. Lk 23,26ff. mit

Mk 15,20cff.)."

66   E. Haenchen, Die Apostelgeschichte, 165, nennt παρα-
      διδόναι einen alten "terminus technicus des urchrist-
      lichen Kerygmas".

67   Vgl. S. Schulz, Q, 192 Anm. 129,

68   Neuerdings hat sich mit diesem Problem P.-G. Müller
      in seiner Dissertation "ΧΡΙΣΤΟΣ ΑΡΧΗΓΟΣ " (s. S.238
      Anm. 52) befasst. Zwar wird herausgestellt, dass "der
      gemeinsame 'Ort' der Christusprädikation 'Αρχηγος
      wohl im Judenchristentum zu suchen" sei (312), aber
      die Frage nach einer beiden Schriften gemeinsamen For-
      mulierung wird nicht gestellt, wie überhaupt in der
      Arbeit die Analyse von Tradition und Redaktion und da-
      mit ein Vergleich der je zugrunde liegenden Tradition
      zu kurz kommen.

69   Vgl. dazu P.-G. Müller, aaO. 249-312.

70   AaO. 312.

71   Zu den unterschiedlichen Übersetzungsversuchen vgl.
      P.-G. Müller, aaO. 110f.

72   Die mögliche Herkunft der Wendung wird hier nicht ei-
      gens behandelt, weil ihr Inhalt durch die neutesta-
      mentlichen Zusammenhänge hinlänglich erkennbar ist,
      vgl. aber dazu die Ausführungen bei P.-G. Müller, aaO.
      18-42. 114-248.

73   S. P.- G. Müller, aaO. 48-52

74   E. Kränkl, aaO. 116; B.M. Metzger, A Textual Commen-
      tary on the Greek New Testament, 409f.

75   Vgl. E. Kränkl, aaO. 116: "τοῦτον ist als gemeinsa-
      mes Objekt von ἀγνοήσαντες und dem damit durch καί
      verbundenen κρίναντες aufzufassen."

76   AaO.

77   Mt 6mal; Lk 6mal; Apg 21mal.

78   Vgl. W.E. Pilgrim, aaO. 90f.

79   E. Kränkl, aaO. 116.

80   Vgl. W.E. Pilgrim, aaO. 91: "Perhaps the alteration is
      better explained as the result of Luke's tendency to
      heighten the guilt of the Jews."

81   S. U. Wilckens, aaO. 136.

82   E. Kränkl, aaO. 98.

83   Vgl. E. Kränkl, aaO.: "Lukanischem Sprachgebrauch ent-
       spricht auch das Füllwort ἀνήρ (im Zusammenhang mit
       Jesus noch Lk 24,19; Apg 17,31)." Ferner U. Wilckens,
       aaO. 123 mit Anm. 6 und 7.

84   So U. Wilckens, aaO. 33, ohne jedoch für δύναμις eine
       Erklärung zu suchen. S. 127 und S.252 Anm. 24.

85   Vgl. G. Bertram, Art. εὐεργετέω κτλ.   : ThWNT II,
       651-653.

86   E. Haenchen, Die Apostelgeschichte, 285 Anm. 3.

87   F. Mußner, Der Jakobusbrief (HThK XIII, 1), Freiburg
       i.Br. 1964, 121.

88   Vgl. H. Schürmann, Das Lukasevangelium, 208 Anm. 147.

89   Ermöglicht ist die Aufteilung des zu Bezeugenden in die-
       ser Rede durch Apg 1,21.22. Vgl. E. Kränkl, aaO. 167f.
       Anders W. Dietrich, Das Petrusbild der lukanischen
       Schriften (BWANT 94), Stuttgart 1972, 283f.

90   Vgl. Lk 4,23.

91   Bl-Debr § 444,5.

92   W. Dietrich, Das Petrusbild der lukanischen Schriften,
       283.

93   Die Übernahme aus Lk 23,5 erklärt hinreichend die sich
       nicht richtig anschließende Form des maskulinen Nomi-
       nativs. Die Komposition verschiedener sprachlicher Wen-
       dungen kann Härten ergeben. Zum Problem vgl. W. Diet-
       rich, aaO. 281 Anm. 210. Zu ἀρξάμενος als textkri-
       tisches Problem vgl. B.M. Metzger, A Textual Commenta-
       ry on the Greek New Testament, 379f.

94   E. Kränkl, Jesus der Knecht Gottes, weist mit guten
       Gründen darauf hin, dass Lukas in Apg 1,22 dem Markus-
       evangelium folge (89), während er in Apg 13,37 "seiner
       eigenen Darstellung" nachgehe (90).

95   In Apg 13,25 lesen τί ἐμέ p[75] ℵ A B (81 τί μαι=
       με) 915 sa aeth, τίνα με p[45vid] C D E H L P Ψ ,
       die meisten Minuskeln, vg sy [p.h] arm. Nach B. M.
       Metzger, aaO. 408, stellt τίνα με eine sprachliche
       Vervollkommnung gegenüber dem mehr auf das Aramäisch
       hinweisende τί ἐμέ dar. E. Haenchen, Die Apostelge-
       schichte, 351, versteht τί als Relativpronomen und
       nicht als Fragepartikel.

96   Vgl. J. Zmijewski, Die Eschatologiereden des Lukas-
     Evangeliums, 369.

97   S. E. Kränkl, aaO. 91ff.

98   Nach B.M. Metzger, A Textual Commentary on the Greek
     New Testament, 300, sind die Ergänzungen von ὑμῖν
     nach ἐξέχεεν (D) und von τὸ δῶρον vor ὑμεῖς (E
     vet-lat[p] sa Ir) in Apg 2,33 offensichtlich Ausschmük-
     kungen der Schreiber.
     In Apg 5,31 lesen Zeugen des westlichen Textes   τῇ
     δόξῃ αὐτοῦ   . Es wird sich um einen Lese- oder
     Schreibfehler handeln; s. B.M. Metzger, aaO. 332.

99   Vgl. G. Lohfink, Die Himmelfahrt Jesu. Untersuchungen
     zu den Himmelfahrts- und Erhöhungstexten bei Lukas
     (STANT 26), München 1971, 230, sieht die Übereinstim-
     mung beider Stellen, vermag aber keine "festgeprägte
     Formel" festzustellen. Vgl. G. Bouwman, Die Erhöhung
     Jesu in der lukanischen Theologie: BZ NF 14 (1970),
     259f.

100 Vgl. G. Lohfink, aaO. 229.

101 E. Haenchen, Die Apostelgeschichte, 146.

102 G. Lohfink, aaO. 228.

103 S. dazu E. Kränkl, Jesus der Knecht Gottes, 181.

104 S. S. 89f.

105 G. Lohfink, Christologie und Geschichtsbild in Apg
     3,19-21: BZ NF 13 (1969), 223-241, nennt lukanisch
     das μέν solitarium, den relativischen Anschluss mit
     ὅν   (236) und das christologische δεῖ (238).

106 Gegen G. Lohfink, aaO. 237. Die sehr gründliche Unter-
     suchung informiert auch über den Stand der Forschung.

107 G. Lohfink, Die Himmelfahrt Jesu, 224.

108 In Apg 3,20 verdient aufgrund der neutralen und west-
     lichen Zeugen Χριστὸν Ἰησοῦν   den Vorzug. Die Um-
     stellung scheint Angleichung zu dem im Neuen Testament
     geläufigeren Ἰησοῦς Χριστός   zu sein. So B.M. Metz-
     ger, A Textual Commentary on the Greek New Testament,
     314. Im nächsten Vers lassen Zeugen des westlichen Tex-
     tes ἀπ' αἰῶνος   aus. Vgl. die im Apparat der inter-
     nationalen Ausgabe verzeichneten sonstigen Überliefe-
     rungsvarianten zu ἀπ' αἰῶνος   . Als bestbezeugte

Lesart verdient ἀπ' αἰῶνος αὐτοῦ προφητῶν den Vorzug; s. B.M. Metzger, aaO. 314f.

109   G. Lohfink, Christologie und Geschichte in Apg
      3,19-21, 235: "Selbst Bauernfeind, Hahn und Wilckens
      rechnen für προκεχειρισμένον   mit lukanischer Re-
      daktion. προχειρίζομαι   steht im Neuen Testament
      nämlich nur bei Lukas; ausser an unserer Stelle noch
      Apg 22,14 und 26,16 - dort aber haben wir mit Sicher-
      heit von Lukas formulierte Texte vor uns."

110   Vgl. aaO.

111   Vgl. aaO.

112   Wenn G. Lohfink, aaO. 223f, eine Verbindung zu Mal 3,22
      ablehnt, obwohl er zugesteht, dass im Neuen Testament
      von einer Parusieformel mit ἀποστέλλειν keine Spur
      sei, so kann die Begründung nicht als ausreichend an-
      gesehen werden. Denn das Faktum, dass die Apostelge-
      schichte das Christuskerygma ausschliesslich in theo-
      zentrischer Formulierung bringt, kann auch so gesehen
      werden, dass die Eliastradition aufgrund Mal 3,22 gera-
      de wegen ihrer Theozentrik für die Redaktion besonders
      geeignet war.

113   G. Lohfink, aaO. 232.

114   J. Jeremias, Art.   Ἠλ(ε)ίας : ThWNT II, 936.

115   Vgl. G. Lohfink, aaO. 238f.

116   S. G. Lohfink, aaO. 55-70.

117   S. aaO.; vgl. E. Kränkl, aaO. 193-198.

118   S. dazu J. Jeremias, aaO. 936-943; vgl. S.-H. Lee, John
      the Baptist and Elijah in Lucan Theology, Diss.theol.
      Boston 1972.

119   H. Schürmann, Das Lukasevangelium, 87.

120   In Apg 10,42 lesen οὗτος B C D^{gr}, eine Reihe von Mi-
      nuskeln, sy$^{p.er}$ sa bo al; αὐτός   überliefern p^{74} א
      A H P 69 81 vet-lat^e vg aeth al. οὗτος kann als An-
      gleichung an V.36 verstanden werden. So W.M.L. de Wette.
      Kurze Erklärung der Apostelgeschichte, 165; vgl. B.M.
      Metzger, A Textual Commentary on the Greek New Testa-
      ment, 381. Jedoch entspricht οὗτος eher dem lukani-
      schen Stil.
      In Apg 17,31 fügen D und Ir^{lat} nach ἀνδρί "the iden-

tifying Ἰησοῦν " hinzu (B.M. Metzger, aaO.459).

121 Zur Tradition in Röm 1,3.4 vgl. H. Zimmermann, Neutestamentliche Methodenlehre, 192-202.

122 Bauer, 1151. Das Wort steht sonst noch in Apg 11,29;
17,26; Hebr 4,7.

123 G. Bertram, Art. κριτής : ThWNT III, 944 Anm. 6.

124 Vgl. J. Zmijewski, Die Eschatologiereden des Lukas-
Evangeliums, 229.

125 Damit ist nicht bestritten, "dass Lk an dieser Stelle
ein traditionelles Motiv der Missionspredigt der hellenistischen Synagoge und der frühchristlichen Gemeinde aufgegriffen hat." So M. Rese, Alttestamentliche
Motive in der Christologie des Lukas, 119; vgl. G.
Bornkamm, Glaube und Vernunft bei Paulus (Gesammelte
Aufsätze II), München 1963, 123 Anm. 11.

126 W. Wiater, Komposition als Mittel der Interpretation
im lukanischen Doppelwerk, 188.

127 So M. Dibelius, Die Pastoralbriefe (HNT 13), Tübingen
⁴1966, 85.

128 W. Wiater, aaO.

129 W. Wiater, aaO. 187.

130 Bl-Debr § 400.

131 So G. Lohfink, Christologie und Geschichtsbild, 228.

132 Vgl. aaO.

133 AaO. 229. πρός anstelle von εἰς überliefern nur ℵ
und B. Die Lesart dürfte sekundär sein, da die Konstruktion πρὸς τό ausser in Lk 18,1 nicht zu finden
ist. Lk 18,1 scheint vorgegeben zu sein wie πάντοτε
anzeigt (so J. Jeremias, Die Gleichnisse Jesu, 92
Anm. 3). Zur gleichlautenden Entscheidung der Herausgeber der internationalen Ausgabe s. B.M. Metzger, A
Textual Commentary on the Greek New Testament, 314.

134 Die Hinzufügung von ἐφ' ὑμᾶς nach ἐπέλθῃ in Apg
13,40 dürfte aufgrund der äusseren Bezeugung (gegen
p⁷⁴ B ℵ D pc) eine nachträgliche Verdeutlichung sein.
Die übrigen Varianten von Apg 13,38-41 sind eindeutig
beurteilbar.

135 Bauer, 1175.

136 H. Schürmann, Das Lukasevangelium, 91 Anm. 73.

137   E. Kränkl, aaO. 181.

138   J. Zmijewski, aaO. 99.114.

139   AaO. 99.

140   AaO. 228.

141   E. Haenchen, Die Apostelgeschichte, 355.

142   T. Holtz, Untersuchungen über die alttestamentlichen
      Zitate bei Lukas, 21.

143   Zu Apg 14,15 s. S. 63   ; zu 17,30 S.[172].

144   S. S.74.

145   Vgl. die Aufstellung der Parallelen auf S.104–108.

146   E. Kränkl, Jesus der Knecht Gottes, 206.

147   Vgl. H. Zimmermann, Jesus Christus – Geschichte und
      Verkündigung, 23 f.

148   H. Zimmermann, Neutestamentliche Methodenlehre, 171.

149   Vgl. aaO.

150   Vgl. aaO.

151   Vgl. aaO.

152   AaO. 200.

153   Zur Rekonstruktion s. H. Zimmermann, aaO. 192–197.

154   AaO. 200.

155   Zur Traditionsgeschichte s. H. Zimmermann, aaO. 200f.

156   Vgl. H. Zimmermann, aaO. 162.

157   H. Zimmermann, Jesus Christus – Geschichte und Verkün-
      digung, 191f.

158   Zu der weitgehend vernachlässigten Traditionsgeschich-
      te des Bekenntnisses s. H. Zimmermann, aaO. 191–203.

159   AaO. 202.

160   H. Schlier, Die Anfänge des christologischen Credo,
      27.

161   H. Schlier, aaO. 29. Vgl. dagegen K. Wengst, Christo-
      logische Formeln und Lieder des Urchristentums, 47.

162   K. Wengst, aaO. 125.

163   H. Schlier, aaO. 31.

164   K. Wengst, aaO. 85. Vgl. R. Bultmann, Bekenntnis und
      Liedfragment im 1 Petrusbrief: Conjectanea Neotesta-
      mentica XI in honorem Antonii Fridrichsen Sexagenarii,
      Lund 1947, 1–14.

165   H. Schlier, aaO. 29; vgl. R. Bultmann, aaO.

166   H. Lietzmann, Symbolstudien I–XIV ("Libelli" 136),

Darmstadt 1966, 44. Als Textgrundlage wurde benutzt:
J.A. Fischer (Hrsg.), Die Apostolischen Väter (Schriften des Urchristentums 1.Teil), Darmstadt 1966.

167   K. Wengst, aaO. 122.

168   Vgl. dagegen K. Wengst, aaO.

169   Vgl. H. Lietzmann, aaO. 44.

170   Vgl. K. Wengst, aaO. 120 mit H. Schlier, aaO. 32.

171   Vgl. K. Wengst, aaO. 120f; J.A. Fischer, aaO. 177
      Anm. 34.

172   Vgl. K. Wengst, aaO. 121.

173   S. K. Wengst, aaO. 120: "An die abschliessende Aufer-
      weckungsaussage fügt Ignatius einen umständlichen,
      stilistisch dem vorigen nicht entsprechenden Satz an,
      in dem jetzt Gott Subjekt ist - ein weiterer Grund,
      ihn nicht für Tradition zu halten."

174   K. Wengst, aaO. 122.

175   AaO. 123.

176   Vgl. aaO.

177   Vgl. J.A. Fischer, aaO. 250f.

178   Vgl. H. Schlier, aaO. 32.

179   Die Reihe der Beispiele könnte fortgesetzt werden etwa
      mit Justin Apol. 1,31 (13; 61,3; 61,10) und Dial. 85,2;
      132,1. Zu Apol. 1,31 sei K. Wengst, aaO. 126f Anm. 3
      zitiert: "Wenn es sich Justin, Apol.I 31 nach προκηρυσ-
      σόμενον   um überliefertes Gut handelt, wäre diese
      Stelle ein Beweis dafür, dass in der Bekenntnistradi-
      tion auch die Vita Jesu weiter ausgebaut wurde: Der
      Vorherverkündigung und der Ankunft folgen die Geburt
      durch die Jungfrau, das Mannwerden, Heilungen und To-
      tenauferweckungen, Gehaßt- Verkannt- und Gekreuzigt-
      werden, Tod, Auferweckung, Aufgang zum Himmel. Doch
      lässt sich nicht sicher sagen, ob Justin ein vorlie-
      gendes Bekenntnis integer gelassen oder interpoliert
      hat." Zu Apol. 13; 61,3; 61,10 vgl. H. Lietzmann, aaO.
      32f. Zu Dial. 85,2; 132,1 s. K. Wengst, aaO. 127f.

180   S. E. Kränkl, aaO. 77-81.

181   H. Schlier, aaO. 50.

182   AaO. 51f.

DRITTES KAPITEL : Das heilsgeschichtliche Credo

1   S. H. Zimmermann, Neutestamentliche Methodenlehre, 171.

2   AaO. 163.

3   E. Kränkl, Jesus der Knecht Gottes, 81.

4   Vgl. H. Zimmermann, aaO. 162f.

5   Vgl. H. Schlier, Die Anfänge des christologischen
     Credo, 13-58.

6   K. Müller, Geschichte, Heilsgeschichte und Gesetz, 74.

7   S. S. 60.

8   Wenn die Handlungsverben des rekonstruierten Textes
     wichtige Ereignisse der Geschichte der Väter bis hin
     zum Jesusgeschehen in unverwechselbarer Abfolge zur
     Sprache bringen und deswegen von einem geschichtlichen
     Text gesprochen werden darf, und wenn darüber hinaus
     die Mehrzahl der Handlungsverben dem also beherrschen-
     den Subjekt "Gott" zukommen, und zwar durchweg mit po-
     sitiver Aussagerichtung, dann muss es berechtigt er-
     scheinen, das Credo als heilsgeschichtlich näherhin zu
     kennzeichnen. Damit soll keineswegs die mit dem Be-
     griff Heilsgeschichte gegebene Problematik ignoriert
     werden (s. H. Ott, Art. "Heilsgeschichte": RGG III,
     188f; vgl. R. Schnackenburg, A. Darkapp, K.G. Steck,
     Art. "Heilsgeschichte": LThk 5, 148-157; W. Richter,
     Exegese als Literaturwissenschaft. Entwurf einer alt-
     testamentlichen Literaturtheorie und Methodologie,
     Göttingen 1971, 13 Anm. 16). Den negativen Urteilen
     über Heilsgeschichte bei G. Klein, Bibel und Heils-
     geschichte. Die Fragwürdigkeit einer Idee: ZNW 62
     (1971), 1-17, und bei F. Hesse, Abschied von der Heils-
     geschichte (Theologische Studien 108), Zürich 1971,
     die beide die völlige Aufgabe des Begriffes fordern,
     dürften zu extrem sein und dem Problem nicht gerecht
     werden. Zur Auseinandersetzung vor allem mit G. Klein
     s. W.G. Kümmel, Heilsgeschichte im Neuen Testament?:
     Neues Testament und Kirche (Festschr. für R. Schnacken-
     burg, hrsg. von J. Gnilka), Freiburg i.Br. 1974,
     434-457; 457: "Hat aber die heilsgeschichtliche Inter-
     pretation des göttlichen Heilshandelns in Christus ihre
     Wurzel und ihren Grund in Jesus selber, dann wird man

nicht nur mit Recht sagen müssen, dass 'eine gewisse
heilsgeschichtliche Orientierung aller christlichen
Theologie unbestreitbar erscheint', dann lässt sich
vielmehr das Urteil nicht umgehen, dass es für den
Theologen, der sich an die Verkündigung Jesu und der
Apostel gebunden weiss, 'ohne die Heilsgeschichte
nicht geht'."

9   H. Zimmermann, Neutestamentliche Methodenlehre, 162.

10   Vgl. aaO.

11   R. Bultmann, Theologie des Neuen Testaments, 73.

12   C. Westermann, Das Buch Jesaja (ATD 19), Göttingen
     ^{2}1970, 82.

13   C. Westermann, aaO. 82.

14   Vgl. W. Eichrodt, Theologie des Alten Testaments
     II/III, Stuttgart ^{5}1964, 74; G. von Rad, Das theolo-
     gische Problem des alttestamentlichen Schöpfungsglau-
     bens: Gesammelte Studien (ThB 8), München ^{3}1965, 146f;
     ders., Theologie des Alten Testaments I, München ^{6}1969,
     149-153.

15   S. W. Bousset, Die Religion des Judentums im späthel-
     lenistischen Zeitalter, 359: "In der hellenistischen
     Literatur ist der Schöpfungsgedanke noch zentraler als
     in der palästinensischen. Der Glaube an den einen un-
     sichtbaren geistigen Gott, der selbst ungeworden diese
     sichtbare kreatürliche Welt aus sich hat hervorgehen
     lassen, ist das Allerwesentlichste in der Missionspre-
     digt dieses Judentums." Eine Reihe von Texten zum
     Topos "Gott der Schöpfer" zitiert C. Bussmann, Themen
     der paulinischen Missionspredigt auf dem Hintergrund
     der spätjüdisch-hellenistischen Missionsliteratur,
     179.

16   Vgl. K.H. Schelkle, Theologie des Neuen Testaments I,
     Düsseldorf 1968, 27-63.

17   AaO. 63.

18   Vgl. R. Storch, Die Stephanusrede Ag 7,2-53, 14-23.

19   Vgl. aaO. 130.

20   AaO.

21   Vgl. aaO. 34.

22   Vgl. E. Haenchen, Die Apostelgeschichte, 240.

23   G. Delling, Israels Geschichte und Jesusgeschehen

nach Acta, 189.

24   AaO. Anm. 14.

25   R. Storch, Die Stephanusrede Ag 7,2-53, 50.

26   Vgl. R. Storch, aaO. 74f.

27   G. Delling, aaO. 189

28   Vgl. G. von Rad, Theologie des Alten Testaments, 189:
     "Die Aussage: Jahwe hat Israel aus Ägypten herausge-
     führt, hat, wo immer sie ausgesprochen wurde, den Cha-
     rakter eines Bekenntnisses."

29   R. Storch, aaO. 79.

30   Vgl. G. Kittel, Art. λόγιον : ThWNT IV, 141.

31   F. Büchsel, Art. εἴδωλον : ThWNT II, 374.

32   G. Delling, aaO. 190.

33   G. Delling, Israels Geschichte und Jesusgeschehen
     nach Acta, 191.

34   S. S.43.

35   Zum alttestamentlichen Hintergrund von ἐγείρω   vgl.
     G. Delling, aaO. 192.

36   Vgl. H.-J. Kraus, Psalmen, 624.

37   Vgl. E. Lohse, Art. υἱὸς Δαυίδ   : ThWNT VIII, 484.

38   Vgl. aaO. 482-486.

39   Vgl. aaO. 486-492.

40   Bl-Debr § 318,4.

41   T. Holtz, Untersuchungen über die alttestamentlichen
     Zitate bei Lukas, 140.

42   Vgl. E. Kränkl, Jesus der Knecht Gottes, 139.

43   AaO. 86.

44   Vgl. zu σωτήρ die Ausführungen von G. Voss, Die Chri-
     stologie der lukanischen Schriften in Grundzügen
     (StN 2), Paris 1965, 45-55.

45   S. H. Schaeder, Art. Ναζαρηνός , Ναζωραῖος :
     ThWNT IV, 879-884.

46   Vgl. aaO. 884.

47   Vgl. zum Verständnis des Matthäus W. Grundmann, Das
     Evangelium nach Matthäus (ThHK I), Leipzig [2]1971, 88.
     Für Lukas ist auf Apg 10,37 hinzuweisen.

48   W. Grundmann, aaO.; s. H. Schaeder, aaO. 883; vgl.
     W. Eichrodt, Theologie des Alten Testaments I, 200-202.

49   H.W. Hertzberg, Die Bücher Josua, Richter, Ruth (ATD 9), Göttingen [4]1969, 227.

50   Vgl. W. Grundmann, Art. δύναμαι / δύναμις : ThWNT II, 302.

51   Vgl. K. Kertelge, Die Wunder Jesu im Markusevangelium. Eine redaktionsgeschichtliche Untersuchung (StANT XXIII), München 1970, 120-126.

52   Vgl. H. Zimmermann, Jesus Christus - Geschichte und Verkündigung, 192f.

53   W. Gutbrod, Art. ἄνομος : ThWNT IV, 1079f, stellt heraus, dass im Judentum οἱ ἄνομοι "häufig Bezeichnung für die Heiden" sei, und sieht dieses Verständnis auch in Apg 2,23 gegeben.

54   H. Zimmermann, aaO. 193.

55   Vgl. aaO. 134.

56   AaO. 193.

57   H. Zimmermann, aaO. 196.

58   AaO. 197.

59   Vgl. aaO.

60   S. M. Rese, Alttestamentliche Motive in der Christologie des Lukas, 110; vgl. E. Kränkl, Jesus der Knecht Gottes, 149f.

61   S. G. Voss, Die Christologie der lukanischen Schriften in Grundzügen, 133; vgl. G. Lohfink, Die Himmelfahrt Jesu. Untersuchungen zu den Himmelfahrts- und Erhöhungstexten bei Lukas, 226.

62   S. G. Lohfink, aaO. 227.

63   Vgl. Röm 8,34, Kol 3,1; Eph 1,20; 1 Petr 3,21.22; Hebr 1,3; 10,12; 12,2.

64   Vgl. H.E. Tödt, Der Menschensohn in der synoptischen Überlieferung, Gütersloh 1959, 144-162.

65   H. Lohfink, aaO. 226f.

66   W. Grundmann, Art. δεξιός : ThWNT II, 37.

67   Vgl. H.-J. Kraus, Psalmen, 806.

68   S. G. Bertram, Art. ὑψόω κτλ. : ThWNT VIII, 605.

69   AaO. 609.

70   Vgl. F. Büchsel, Art. κρίνω : ThWNT III, 936-942.

71   AaO. 935.

72   Vgl. W. Bousset, Die Religion des Judentums, 257-259.

73   Vgl. aaO. 262-268.
74   R. Bultmann, Theologie des Neuen Testaments, 81.
75   AaO.

VIERTES KAPITEL : Andere in den Reden verwendete Tradition

1   S. S. 81f.

2   S. S. 185.

3   S. S. 100f.

4   S. S. 33f. und 36f.

5   S. S. 37f.

6   S. S. 99ff.

7   S. S. 62/63f.

8   S. S. 95f.

9   S. S. 89f.

10   S. S. 96f.

11   S. S. 93/94f.

12   S. S. 68-71.

13   Dass es sich bei der Pfingstrede um eine Komposition
     des Verfassers der Apostelgeschichte handelt, wird
     schon durch die Aufnahme des heilsgeschichtlichen Cre-
     do in Apg 2,22-24.33 deutlich.

14   Über die möglicherweise vorgegebene "natürliche" Be-
     gründung s. S. 137.

15   S. M. Rese, Alttestamentliche Motive in der Christo-
     logie des Lukas, 52.

16   Vgl. T. Holtz, Untersuchungen über die alttestament-
     lichen Zitate bei Lukas, 1f. Zur Textkritik vgl. ders.,
     aaO. 5 Anm. 1.

17   Zur Art der Schriftverwendung vgl. M. Rese, aaO. 38.

18   W. Dietrich, Das Petrusbild der lukanischen Schriften,
     202 Anm. 67. S. F. Mußner, "In den letzten Tagen" (Apg
     2,17a): BZ NF 5 (1961), 263-265. Die sehr gut bezeugte
     Lesart ἐν ταῖς ἐσχάταις ἡμέραις ist in der Textkri-
     tik heftig umstritten; vgl. aaO.; T. Holtz, aaO. 7f;
     M. Rese, aaO. 51f; B.M. Metzger, A Textual Commentary
     on the Greek New Testament, 295. Die bevorzugte Lesart
     ist die schwierigere, weil sich die Wendung sonst bei
     Lukas nicht findet. Dagegen ist μετὰ ταῦτα in
     B 076 sa Cyr^Jer als Angleichung an die LXX zu verste-
     hen. Eine eindeutige Entscheidung aufgrund der text-
     kritischen Regeln (s. H. Zimmermann, Neutestamentli-
     che Methodenlehre, 39-53) ist also möglich, wenn auch
     die Einwände aus der Einsicht in den lukanischen Stil

die Entscheidung mit einem Fragezeichen versehen (s.
vor allem T. Holtz, aaO. 8). Die übrigen Varianten in
der Textüberlieferung des Zitats sind eindeutig beurteilbar.

19   Vgl. M. Rese, aaO. 51f; T. Holtz, aaO. 7f.

20   So T. Holtz, aaO. 5f.

21   S. dazu die genaue Untersuchung von T. Holtz, aaO. 8-11.

22   Diese Bewertung ist umstritten. T. Holtz, aaO. 12, hält
      eine Entscheidung nicht für möglich. W. Dietrich, aaO.
      201, setzt ein Fragezeichen. Doch zeigt Apg 19,6 deut-
      lich, dass für Lukas Geistempfang und Prophetie zusam-
      mengehören.

23   Vgl. T. Holtz, aaO. 12.

24   S. S. 92 ; vgl. M. Rese, aaO. 49f.

25   Vgl. M. Rese, aaO. 50.

26   Vgl. E. Kränkl, 192f.

27   Vgl. (auch zur an sich eindeutigen Textüberlieferung)
      T. Holtz, Untersuchungen über die alttestamentlichen
      Zitate bei Lukas, 48f.

28   Vgl. aaO. 49.

29   AaO. 143.

30   Vgl. W. Dietrich, Das Petrusbild der lukanischen Schrif-
      ten, 206f.

31   E. Kränkl, Jesus der Knecht Gottes, 132.

32   Zur Art der Schriftauslegung vgl. M. Rese, Alttesta-
      mentliche Motive in der Christologie des Lukas, 41.
      Zum Zitat insgesamt s. 55-58.

33   So E. Haenchen, Die Apostelgeschichte, 144; vgl. dage-
      gen E. Kränkl, aaO. 133.

34   E. Kränkl, aaO. 133.

35   Vgl. zur Problematik M. Rese. aaO. 111-113.

36   M. Rese, aaO. 112.

37   AaO.

38   S. dazu E. Kränkl, aaO. 126.

39   Von daher erübrigt sich die Frage, welche Bedeutung
      diese Christusbezeichnung für sich genommen gehabt ha-
      ben könnte. Gegen E. Kränkl, aaO. 125-129. Vgl. M.
      Rese, aaO. 128-131.

40   Zum Problem dieser Zitate sei auf die Arbeiten von T.

Holtz, Untersuchungen über die alttestamentlichen Zitate bei Lukas, 71-81; M. Rese, aaO. 66-77, und E. Kränkl, aaO. 198-202, verwiesen.

41   S. S. 96f.

42   Die in Lk 24,44 zu findende Dreiteilung kommt hier nicht zur Anwendung. Vgl. T. Holtz, aaO. 79 Anm. 1.

43   S. die unter Anm. 40 angegebene Literatur.

44   S. S. 31f.

45   S. M. Rese, aaO. 66.

46   S. M. Rese, aaO. 71f; E. Kränkl, aaO. 201.

47   Vgl. M. Rese, aaO. 73.

48   Zur Testimonienbuchhypothese vgl. M. Rese, aaO. 217-223.

49   S. F. Mußner, Der Galaterbrief (HThK IX), Freiburg i.Br. 1974, 220-222.

50   S. S. 102/103.

51   S. S. 138.

52   S. S. 30 und 98.

53   Vgl. T. Holtz, Untersuchungen über die alttestamentlichen Zitate bei Lukas, 160f; M. Rese, Alttestamentliche Motive in der Christologie des Lukas, 113.

54   Vgl. zur Diskussion dieses Problems M. Rese, aaO. 113f.

55   T. Holtz, aaO. 162, sieht den Zusammenhang des Zitats mit den "Wendungen des altchristlichen Kerygmas" ohne Begründung als vorgegeben an und damit auch ὑμῶν .

56   S. dazu M. Rese, aaO. 114f.

57   S. S. 73f.

58   S. S. 132ff.

59   Vgl. dazu besonders M. Rese, Alttestamentliche Motive in der Christologie des Lukas, 81-86.

60   Zur Textkritik des Zitats und seiner Einleitung s. T. Holtz, Untersuchungen über die alttestamentlichen Zitate bei Lukas, 54f Anm. 5. 137; vgl. B.M. Metzger, A Textual Commentary on the Greek New Testament, 412-414.

61   Vgl. T. Holtz, aaO. 137.

62   M. Rese, aaO. 81.

63   S. S. 72f.

64   Vgl. M. Rese, aaO. 85.

65   Vgl. M. Rese, aaO. 85; E. Kränkl, Jesus der Knecht Gottes, 137f.

66   S. S. 166.

67   M. Rese, Alttestamentliche Motive in der Christologie
      des Lukas, 58.

68   Vgl. Bl-Debr § 353,5.

69   Vgl. Bl-Debr § 127,2.

70   Auch T. Holtz, Untersuchungen über die alttestament-
      lichen Zitate bei Lukas, 143f, sieht eine "gewisse
      Vergleichsmöglichkeit" zwischen Apg 2,25-31 und
      13,36.37, ohne jedoch nach einer beiden Stellen mögli-
      cherweise zugrundeliegenden Tradition zu fragen.
      M. Rese, aaO. 58, vertritt die Meinung, Lukas habe
      wahrscheinlich "als erster auf Ps 16 zurückgegriffen";
      vgl. ferner E. Kränkl, Jesus der Knecht Gottes, 131 bis
      136, 140f.

71   Vgl. T. Holtz, aaO. 143 Anm. 1.

72   E. Haenchen, Die Apostelgeschichte, 354 Anm. 3. Haen-
      chen entscheidet: "Wahrscheinlich gehört 'entschlief'
      zu 'nach dem Willen Gottes'". H. Conzelmann, Die Apo-
      stelgeschichte, 85, sieht das Problem und entscheidet
      sich bei der Übersetzung: "David diente seiner Genera-
      tion und entschlief dann nach dem Willen Gottes".
      K.H. Rengstorf, Art. ὑπηρέτης κτλ.   : ThWNT VIII,
      541, übersetzt: "nachdem er dem Willen Gottes dienst-
      bar gewesen war". E. Kränkl, aaO. 140, zieht   βουλῇ
      zu ἐκοιμήθη .

73   K.H. Rengstorf, aaO. 541.

74   E. Kränkl, aaO. 140.

75   γενεά   Mt 13; Mk 5; Lk 15; Apg 5; ἴδιος Mt 10; Mk 8;
      Lk 6; Apg 16mal.

76   Bl-Debr § 451,1.

77   T. Holtz, aaO. 148.

78   AaO. 147.

79   Vgl. aaO. 147 mit Anm. 2.

80   Vgl. M. Rese, aaO. 108.

81   M. Rese, aaO. 108: "Da für Lk κοιλία fast immer den
      Mutterleib meint, hat er aus der ihm auch bekannten
      Form der Davidverheißung in e Chr 6,9f. ὀσφύς über-
      nommen, um so zu unterstreichen, dass die Verheißung
      dem Nachkommen Davids gilt. Auch der Aorist καθίσαι

könnte von dorther stammen." Die an sich richtigen Beobachtungen müssen hinsichtlich der lukanischen Redaktion bezweifelt werden, weil, wie bereits gesagt wurde,
Mischzitate nirgends von Lukas gebildet sein dürften;
vgl. T. Holtz, aaO. 147 Anm. 3, zur Änderung des κοιλίας   in οσφύος : "Ob die Änderung a conto Lukas
geht, ist nicht zu erkennen."

82   Bauer, 1658; vgl. Bl-Debr § 414,1.

83   Vgl. M. Dibelius, Paulus auf dem Areopag, 52 Anm. 1;
     Bauer, 1658.

84   E. Haenchen, Die Apostelgeschichte, 145.

85   εἰς ᾅδου   lesen A C 𝔐 D; εἰς ᾅδην   ℵ B 81 17
     39 al. Das Zusammengehen aller drei Zeugengruppen bei
     der ersten Lesart berechtigt zu dem Schluß, diese für
     ursprünglich zu halten, zumal die zweite Lesart als
     Angleichung an Apg 2,27 und damit an die bestbezeugte
     LXX-Lesart verstanden werden kann. Nach E. Haenchen,
     aaO. 145 Anm. 5, bietet D "das klassische εἰς ᾅδου,
     das in die meisten Handschriften überging". Es fällt
     jedoch auf, dass diese Handschriften im Unterschied
     zu D in V.27 ᾅδην lesen, so dass eher anzunehmen ist,
     D habe von V.31 her das in der Tat klassische ᾅδου
     in V.27 eingebracht; vgl. B.M. Metzger, A Textual Com-
     mentary on the Greek New Testament, 300.

86   Zum Gebrauch des Verbs s. S.80.

87   Die Bezeichnung "Schriftauslegung" scheint insofern am
     besten geeignet, weil die Schrift vom Christusereignis
     her ausgelegt wird, wie dieses umgekehrt mit Hilfe der
     Schrift interpretiert wird.

88   So auch T. Holtz, aaO. 149.

89   Vgl. T. Holtz, aaO. 153-158; M. Rese, aaO. 109.

90   Vgl. M. Rese, aaO. 109.

91   Vgl. T. Holtz, Untersuchungen über die alttestament-
     lichen Zitate bei Lukas, 51-53; M. Rese, Alttestament-
     liche Motive in der Christologie des Lukas, 58-66;
     E. Kränkl, Jesus der Knecht Gottes, 150-152.

92   W. Bousset, Kyrios Christos. Geschichte des Christus-
     glaubens von den Anfängen des Christentums bis Ire-
     naeus (FRLANT 21), Darmstadt [5]1965, 43.

93   Vgl. E. Kränkl, aaO. 141.

94   Vgl. G. Lohfink, Die Himmelfahrt Jesu, 246.

95   Wird man auch Apg 7,56 als Bildung des Lukas aufgrund
      des vorhergehenden Verses und Lk 22,69 ansehen müssen,
      so dürfte der Plural τοὺς οὐρανούς aus einem vorge-
      gebenen εἰς τοὺς οὐρανούς anstelle des lukanischen
      εἰς τὸν οὐρανόν in Apg 7,55 entstanden sein.

96   Vgl. M. Rese, aaO. 59.

97   E. Haenchen, Die Apostelgeschichte, 177 Anm. 9.

98   AaO. 141.

99   S. S.125f.

100   Vgl. dazu E. Haenchen, aaO. 130-139; H. Conzelmann, Die
      Apostelgeschichte, 30-33.

101   Vgl. H. Conzelmann, aaO. 31f.

102   Vgl. aaO. 32.

103   AaO.

104   Vgl. Billerbeck II, 615; G. Delling, Art. ὥρα : ThWNT
      IX, 675-681.

105   In Apg 3,12 wurde εὐσεβείᾳ von einigen Textzeugen
      (vet-lat^{h.p}, vg^{mss},   sy^p arm) durch ἐξουσίᾳ
      (potestate) ersetzt. "The word ἐξουσίᾳ seemed to
      scribes to be a more natural complement after δυνάμει
      in describing a miracle (cf. Lk 4,36; 9,1)" (B. M.
      Metzger, A Textual Commentary on the Greek New Testa-
      ment, 310).
      In Apg 3,16 fehlt in B ℵ* das ἐπί . Wenn auch die
      kürzere Lesart Anspruch auf Ursprünglichkeit hat, so
      ist es doch möglich, dass ἐπί in Angleichung an die
      Dative in V.12 gestrichen worden ist, wie auch sonst
      beim neutralen Text das gelegentliche Auslassen von
      Präpositionen feststellbar ist; s. B.M. Metzger, aaO.
      313.

106   Vgl. Bauer, 238.

107   Vgl. H. Schürmann, Das Lukasevangelium, 231 Anm. 64.
      Im Neuen Testament steht das Verb sonst nur noch
      2 Kor 3,7.13.

108   Bauer, 1774f.

109   Bl-Debr § 400.

110   W. Dietrich, Das Petrusbild der lukanischen Schriften,

227 Anm. 118.

111   ὁλοκληρία   steht im Neuen Testament nur hier,
      ἀπέναντι   im lukanischen Doppelwerk noch Apg 17,7.

112   W. Wiater, Komposition als Mittel der Interpretation
      im lukanischen Doppelwerk, 111.

113   Vgl. aaO. 110.

114   Die von der Mehrheit der Textzeugen überlieferte Ver-
      sion καὶ οὐκ ἔστιν ἐν ἄλλῳ οὐδενὶ ἡ σωτηρία   ist
      in D vet-lat[d.p] auf καὶ οὐκ ἔστιν ἐν ἄλλῳ οὐδενί
      verkürzt worden. Wenige Altlateiner lassen den ganzen
      Satz aus. Der Grund dürfte in dem nächsten Versteil zu
      sehen sein; vgl. B. M. Metzger, A Textual Commentary
      on the Greek New Testament, 318.

115   Lk 1,69.71.77; 19,9; Apg 7,25; 13,26; 13,47 (= Jes
      49,6); 16,17; 27,34.

116   Vgl. J. Zmijewski, Die Eschatologiereden des Lukas-
      Evangeliums, 413; zum Sprachgebrauch der LXX vgl.
      E. Lohse, Die Briefe an die Kolosser und an Philemon
      (Meyer K IX.2), Göttingen [14]1968, 110 Anm. 1.

117   S. Bl-Debr § 412,4.

118   Vgl. J. Zmijewski, aaO. 406 Anm. 41.

119   K. Löning, Die Korneliustradition: BZ NF 18 (1974), 17f.

120   Aufgrund der äusseren Bezeugung ist eine Entscheidung
      eher zugunsten von τὸν λόγον ὅν   zu fällen, zumal es
      sich offensichtlich um die schwierigere Lesart handelt.
      Es könnten beide Varianten aus dem vorherstehenden -ον
      entstanden sein. Die Parallele zu 13,26 erlaubt viel-
      leicht den Schluß, daß Lukas zu der aussergewöhnlichen
      Konstruktion wohl kaum einen Grund hatte. Die Bevor-
      zugung des für sich stehenden τὸν λόγον muss mit
      einem Fragezeichen versehen bleiben.

121   K. Löning, aaO. 6.

122   G. Delling, Art. καταλαμβάνω   : ThWNT IV, 10.

123   H. Schlier, Der Brief an die Epheser. Ein Kommentar,
      Düsseldorf [4]1963, 171.

124   R. Bultmann, Art. ἀλήθεια   : ThWNT I, 244.

125   Diese Feststellung gilt unabhängig davon, ob beide
      Visionen ursprünglich schon zusammengehörten oder
      nicht; vgl. K. Löning, aaO. 1-7.

126   E. Lohse, Art.   προσωπολημφία κτλ.   : ThWNT VI, 780.

127   J. Zmijewski, Die Eschatologiereden des Lukas-Evan-
      geliums, 189.

128   Vgl. G. Bertram, Art. ἔργον, ἐργάζομαι κτλ. : ThWNT
      II, 642. Zu φοβούμενος   s. G. Stählin, Die Apostel-
      geschichte, 150.

129   Vgl. E. Haenchen, Die Apostelgeschichte, 297.

130   S. J. Gnilka, Der Epheserbrief (HThK X.2), Freiburg
      i.Br. 1971, 145; K. Löning, aaO. 15 Anm. 36. Vgl. P.
      Stuhlmacher, "Er ist unser Friede" (Eph 2,14). Zur
      Exegese und Bedeutung von Eph 2,14-18: Neues Testa-
      ment und Kirche (Festschr. für R. Schnackenburg, hrsg.
      von J. Gnilka), Freiburg i.Br. 1974, 337-358.

131   Vgl. E. Käsemann, An die Römer (HNT 8a), Tübingen 1973,
      279.

132   E. Norden, Agnostos Theos, 163.

133   S. S. 99f.

134   ἀσφάλεια   Lk 1,4; Apg 5,23; 1 Thess 5,3.
      ἀσφαλής   Apg 21,34; 22,30; 25,66; Phil 3,1; Hebr 6,19.
      ἀσφαλίζω   Mt 27,64.65.66; Apg 16,24.
      ἀσφαλῶς   Mk 14,44; Apg 2,36; 16,23.

135   S. S. 69.

136   S. S. 99f.

137   H. Braun, Art. ποιέω κτλ. : ThWNT VI, 462.

138   Zum Gebrauch von   κύριος in der Apostelgeschichte vgl.
      M. Rese, Alttestamentliche Motive in der Christologie
      des Lukas, 126f.

139   Zu χριστός in der Apostelgeschichte vgl. M. Rese,
      aaO. 121-126.

140   S. dazu E. Kränkl, Jesus der Knecht Gottes, 159-163.

141   Vgl. H. Zimmermann, Neutestamentliche Methodenlehre,
      135-140; ders., Jesus Christus - Geschichte und Ver-
      kündigung, 149-155.

142   S. H. Zimmermann, Neutestamentliche Methodenlehre, 169f;
      ders., Jesus Christus - Geschichte und Verkündigung,
      101-103.

143   Zur grundlegenden Bedeutung der Auferweckung Jesu für
      den christlichen Glauben s. H. Zimmermann, Jesus Chri-
      stus - Geschichte und Verkündigung, 193-196.

144   W. Wiater, Komposition als Mittel der Interpretation
      im lukanischen Doppelwerk, 111.

145   S. aaO. 107f.

146   AaO. 108.

147   So W. Wiater, aaO. 107: "Die Frage der Apostel 4,19
      steht ohne Beziehung zum vorangehenden Kontext. Erst
      V.20 begründet sie aus dem allgemeinen Verkündigungs-
      anliegen der Apostel."

148   Vgl. E. Haenchen, Die Apostelgeschichte, 179 Anm. 1;
      E. Plümacher, Lukas als hellenistischer Schriftstel-
      ler. Studien zur Apostelgeschichte (StUNT 9), Göttin-
      gen 1972, 18f.

149   G. Eiger (Hrsg.), Platon. Werke in 8 Bänden. Griechisch
      und Deutsch. 2.Band, Darmstadt 1973, 36.

150   Vgl. R. Bultmann, Art. πειθαρχέω : ThWNT VI, 10
      Anm. 1; ferner P.-G. Müller, ΧΡΙΣΤΟΣ ΑΡΧΗΓΟΣ , 272
      Anm. 3.

151   Mt und Mk kein mal; Lk 22mal, Apg 13mal.

ZWEITER HAUPTTEIL : Die lukanische Redaktion in den Reden
                   der Apostelgeschichte

ERSTES KAPITEL :   Aufnahme und Gestaltung der Tradition

1   M. Rese, Alttestamentliche Motive in der Christologie
      des Lukas, 38, spricht"von einer hermeneutischen
      Schriftverwendung".

2   R. Glöckner, Die Verkündigung des Heils beim Evange-
      listen Lukas, Diss.theol. Bonn 1974, 136. S. zu den
      "lukanischen   ὄνομα-Formeln" J. Zmijewski, Die
      Eschatologiereden des Lukas-Evangeliums, 157-161.

3   S. W. Dietrich, Das Petrusbild der lukanischen Schrif-
      ten, 203.

4   AaO. 205.

5   Gegen E. Kränkl, Jesus der Knecht Gottes, 118.

6   Vgl. E. Kränkl, aaO. 103.

7   S. W. Dietrich, aaO. 206.

8   H. Zimmermann, Neutestamentliche Methodenlehre, 140.

9   W. Dietrich, aaO. 216.

10   Gegen W. Dietrich, aaO. 225.

11   AaO.

12   Vgl. aaO. 226.

13   J. Zmijewski, aaO. 409.

14   AaO. 572.

15   AaO. 550f.

16   AaO. 551.

17   AaO. 283.

18   AaO. 550.

19   G. Lohfink, Die Himmelfahrt Jesu, 225.

20   Vgl. W. Dietrich, Das Petrusbild der lukanischen
      Schriften, 230.

21   AaO. 229.

22   AaO. 224.

23   Bl-Debr § 371.

24   Innerhalb des Neuen Testaments steht das Verb ausser
      im lukanischen Doppelwerk nur noch 9mal im ersten Ko-
      rintherbrief.

25   Vgl. R. Glöckner, Die Verkündigung des Heils beim
      Evangelisten Lukas.

26   M. Rese, Alttestamentliche Motive in der Christologie
      des Lukas, 114.

27   W. Dietrich, Das Petrusbild der lukanischen Schrif-
      ten, 231.

28   W. Wiater, Komposition als Mittel der Interpretation
      im lukanischen Doppelwerk, 111.

29   Vgl. aaO. 112.

30   W. Dietrich, Das Petrusbild der lukanischen Schriften,
      231

31   Vgl. W. Wiater, aaO. 112.

32   Vgl. P.-G. Müller, ΧΡΙΣΤΟΣ ΑΡΧΗΓΟΣ   , 272.

33   Vgl. E. Kränkl, Jesus der Knecht Gottes, 180f.

34   Die Begründung von W. Wiater, Komposition als Mittel
      der Interpretation im lukanischen Doppelwerk, 189, daß
      "die Komposition der 'Zeugenformel' hinter die Erhö-
      hungsformel" es für Lukas nötig machte, "das Zeugnis
      der Apostel durch das des Hl.Geistes zu bestärken",
      ist nicht einsichtig.

35   Vgl. W. Wiater, Komposition als Mittel der Interpre-
      tation im lukanischen Doppelwerk, 111-117.

36   Vgl. U. Wilckens, Die Missionsreden der Apostelge-
      schichte, 62.

37   W. Wiater, aaO. 114.

38   S. J. Zmijewski, Die Eschatologiereden des Lukas-Evan-
      geliums, 171: "Die Verwandtschaft zwischen Apg 6,10
      und Lk 21,15 ist klar erkennbar. Ja, man kann sagen:
      Apg 6,10 ist nichts anderes als die Erfüllung der in
      Lk 21,15 von Jesus selbst gemachten Voraussage."

39   Nach diesem Ergebnis muss die Traditionsgeschichte von
      Apg 7,2-53 differenzierter gesehen werden als es bei
      Wilckens, Die Missionsreden der Apostelgeschichte,
      208-224, geschieht. Erst die lukanische Redaktion läßt
      den Text mit "der jüdischen Tradition des deuteronomi-
      stischen Geschichtsbildes und der entsprechenden Um-
      kehrpredigt" (208) in Verbindung bringen.

40   W. Wiater, Komposition als Mittel der Interpretation
      im lukanischen Doppelwerk, 219.

41   AaO.

42   J. Zmijewski, Die Eschatologiereden des Lukas-Evange-
     liums, 177.

43   S. W. Wiater, aaO. 220.

44   AaO. 221.

45   AaO. 222.

46   AaO.

47   Zur Einfügung der "Person des Sauls" "in das Stepha-
     nusmartyrium" s. U. Borse, Von Paulus zu Saulus: Be-
     stellt zum Zeugnis (Festschr. für Bischof Dr. Johannes
     Pohlschneider, hrsg. von K. Delahaye, E. Gatz, H. Jo-
     rissen), Aachen 1974, 36.

48   Vgl. R. Pesch, Die Vision des Stephanus Apg 7,55-56
     im Rahmen der Apostelgeschichte (SBS 12), Stuttgart
     1966, 38.

49   H. Schürmann, Das Lukasevangelium, 29 Anm. 12.

50   Zur grammatikalischen Schwierigkeit des Wortes s.S. 93ff.
     Vgl. W. Dietrich, Das Petrusbild der lukanischen
     Schriften, 281 Anm. 210.

51   H. Schürmann, aaO. 147.

52   W. Dietrich, aaO. 283; vgl. G. Delling, Die Jesus-
     geschichte in der Verkündigung nach Acta: NTS 19
     (1973), 379.

53   Bauer, 776; vgl. W. Dietrich, aaO. 284 Anm. 216.

54   H. Zimmermann, Jesus Christus - Geschichte und Ver-
     kündigung, 197.

55   Vgl. C. Bussmann, Themen der paulinischen Missionspre-
     digt auf dem Hintergrund der spätjüdisch-hellenisti-
     schen Missionsliteratur, 147-150.

56   Vgl. Bl-Debr § 396.

57   W. Dietrich, Das Petrusbild der lukanischen Schriften,
     286.

58   AaO. 274.

59   E. Haenchen, Die Apostelgeschichte, 297.

60   H. Zimmermann, Der Trost der Schrift: Bestellt zum
     Zeugnis, 434.

61   E. Kränkl, Jesus der Knecht Gottes, 119.

62   Mt 1mal; Mk -; Lk 10mal; Apg 15mal.

63   S. S. 131f.

64   Vgl. E. Kränkl, aaO. 136f.

65   Vgl. aaO. 139f.

66   Vgl. Ch. Burger, Jesus als Davidsohn. Eine traditions-
      geschichtliche Untersuchung (FRLANT 98), Göttingen
      1970, 137-152.

67   E. Haenchen, aaO. 359.

68   P. Schäfer, Der synagogale Gottesdienst, 391.

69   AaO. 393.

70   AaO. 397.

71   H. Zimmermann, Der Trost der Schrift, 434.

72   AaO.

73   AaO.

74   M. Dibelius, Die Reden der Apostelgeschichte und die
      antike Geschichtsschreibung, 143.

75   U. Wilckens, Die Missionsreden der Apostelgeschichte,
      52f.

76   So H. Thyen, Der Stil der jüdisch-hellenistischen
      Homilie, 115f.

77   G. Delling, Israels Geschichte und Jesusgeschehen nach
      Acta, 187.

78   AaO. 197.

79   S. S.62ff.

80   E. Haenchen, Die Apostelgeschichte, 369.

81   H. Conzelmann, Die Apostelgeschichte, 89.

82   E. Haenchen, aaO. 372.

83   E. Haenchen, Die Apostelgeschichte, 375.

84   E. Haenchen, Die Apostelgeschichte, 458.

85   M. Dibelius, Paulus auf dem Areopag, 42.

86   AaO. 52.

87   Vgl. H.-U. Minke, Die Schöpfung in der frühchristli-
      chen Verkündigung nach dem Ersten Clemensbrief und der
      Areopagrede, 113.

88   Bl-Debr § 447,3.

89   Vgl. M. Dibelius, aaO. 54.

90   Bauer, 772.

91   Vgl. dazu J. Zmijewski, Die Eschatologiereden des
      Lukas-Evangeliums.

92   M. Dibelius, aaO.

93   So H.-U. Minke, aaO. 117-119

94   Vgl. H. Conzelmann, Die Rede des Paulus auf dem Areopag, 100.

95   Vgl. H. Zimmermann, Jesus Christus – Geschichte und Verkündigung, 154f.

96   M. Dibelius, Paulus auf dem Areopag, 29.

97   AaO. 60.

98   E. Haenchen, Die Apostelgeschichte, 464.

99   M. Dibelius, aaO. 29.

100   E. Haenchen, aaO. 467.

101   AaO.

102   H. Conzelmann, Die Apostelgeschichte, 112.

103   E. Haenchen, aaO. 468.

104   M. Dibelius, aaO. 66.

105   Vgl. aaO. 67ff.

106   AaO. 70.

ZWEITES KAPITEL : Das heilsgeschichtliche Credo in den
                 Reden der Apostelgeschichte

1   M. Rese, Alttestamentliche Motive in der Christologie
     des Lukas, 209.

2   A. Wikenhauser - J. Schmid, Einleitung in das Neue
     Testament, Freiburg i.Br. [6]1973, 371; vgl. W.G. Kümmel,
     Einleitung in das Neue Testament, Heidelberg [17]1973,
     137: "Aber dass die Reden der Apg das entscheidende
     literarische Mittel sind, mit dem der Verf. der Apg
     der übernommenen Erzählungstradition seine theolo-
     gische Bedeutung aufprägt, dürfte unbestreitbar sein."

3   W. Wiater, Komposition als Mittel der Interpretation
     im lukanischen Doppelwerk, 115.

4   H. Zimmermann, Neutestamentliche Methodenlehre, 140.

5   Vgl. K. Koch, Was ist Formgeschichte. Neue Wege der
     Bibelexegese, Neukirchen-Vluyn [3]1974, 74: "Weiter tun
     die Redaktoren ihre Meinung gern in Reden kund, die
     mehr oder weniger geschickt den Helden der Erzählung
     in den Mund gelegt werden." J. Hempel, Geschichten und
     Geschichte im Alten Testament bis zur persischen Zeit,
     Gütersloh 1964, spricht von "Rhetorisierung" (s. vor
     allem S. 220f).

6   Vgl. E. Plümacher, Lukas als hellenistischer Schrift-
     steller. Studien zur Apostelgeschichte (StUNT 9), Göt-
     tingen 1972, 33-38; H. Steichele, Vergleich der Apo-
     stelgeschichte mit der antiken Geschichtsschreibung.
     Eine Studie zur Erzählkunst in der Apostelgeschichte,
     Diss.theol. München 1971, 83.

7   S. dazu K. Löning, Die Saulustradition in der Apostel-
     geschichte, 204-210. Die Ergebnisse bei K. Löning be-
     stätigen aufgrund der Untersuchung der Saulustradition
     die in der vorliegenden Arbeit gemachten Beobachtungen
     zur lukanischen Verkündigungsabsicht. K. Löning stellt
     unter anderem fest, dass Paulus "für Lukas keine pro-
     blematische, sondern eine unanfechtbare Figur" sei
     (204), das Grundanliegen in der "Frage nach der Legi-
     timität des Heidenchristentums nachpaulinischer Prä-
     gung" gesehen werden müsse (204). Paulus verbürge,
     "daß die Loslösung der Kirche vom Judentum und der

schliessliche Bruch mit der Synagoge nicht das
(Heiden-)christentum, sondern das Judentum ins Unrecht"
setze (205). Ferner wird gesagt, dass die Heilsgeschichte nach lukanischem Verständnis als Versuch anzusehen
sei, "den eigenen geschichtlichen Standort am 'Rich-
tungssinn' geweissagter Ereignisse auf eine verheißene
Zukunft hin zu klären" (208). Es gehe dem Lukas nicht
"um Paulus und paulinische Probleme", "sondern um den
geschichtlichen Prozeß, in welchem Paulus - neben
anderen Figuren - eine bedeutende Rolle spielt: die
Auseinandersetzung zwischen Christen und Juden um das
heilsgeschichtliche Erbe der Verheißung" (209).

SCHLUSS

1   E. Kränkl, Jesus der Knecht Gottes, 206.
2   AaO. 77.
3   Vgl. H. Zimmermann, Jesus Christus - Geschichte und
     Verkündigung, 140-142.
4   H. Conzelmann, Die Apostelgeschichte, 9; vgl. E. Plü-
     macher, Lukas als hellenistischer Schriftsteller, 79.